浙江历史人文读本

主　　编　张伟斌
执行主编　陈　野

千秋镜鉴

张学继　著

浙江出版联合集团
浙江古籍出版社

《浙江历史人文读本》编辑委员会

序　言

中共浙江省委书记
浙江省人大常委会主任　夏宝龙

浙江是中国古代文明的发祥地之一，素有“文物之邦”之称，历史悠久，文化灿烂。数千年绵延不绝的历史积淀，构筑起悠久厚重的历史文化传统，汇聚成我们今天取之不尽、用之不竭的智慧宝库。浙江人民传续至今的爱国情怀、求真理念、务实本质、开拓精神、顽强意志、勤勉品性，是中华民族优秀品质的有机因子；浙江社会曾经承受的自然灾祸、战火硝烟、内忧外患，是中国人民沧桑磨难的共同记忆；浙江大地不屈不挠的卓绝抗争、革故鼎新、砥砺奋进，是民族伟业不朽华章的璀璨篇幅。

读史可以明智，知古方能鉴今。历史是一个民族和一个国家形成、发展及其盛衰兴亡的真实记录，是前人各种知识、经验和智慧的总汇。读一点历史，汲取人类积淀的思想精华，可以帮助我们清心明智；学一点历史，掌握社会发展的基本规律，可以帮助我们明辨方向；用一点历史，回顾中华文明的灿烂辉煌，可以激发我们共筑共圆中华民族伟大复兴“中国梦”的豪情壮志。对领导干部来说，读历史、用历史显得尤为重要。前贤先烈的品德情操、多难兴邦的执著奋斗、治国理政的经验教训，值得我们认真学习、深入思索，以之为镜、资治辅政。正因如此，习近平总书记多次强调领导干部要读点历史。他指出："领导干部不管处在哪个层次和岗位，都应该读点历史，通过学习历史不断深化对人类社会发展规律、社会主义建设规律和共产党执政规律的认识，不断丰富自己的历史知识，这样才能使自己的眼界和胸襟大为开阔，认识能力和精神境界大为提高，使自己的领导工作水平不断得以提升。"

历史文化只有走近今天、走向大众，才能更好地传承和弘扬。浙江省社会科学院作为我省从事哲学社会科学研究的综合机构，组织编写"浙江历史人文读本"丛书，是推动浙江历史大众化、普及化的探索和创新，是建设文化强省的实际举措。该丛书八个分册，系统梳理、精心选取了浙江历史上有重大意义、重要成就、突出影响、鲜明特色的精华材质，内容翔实丰富，具生动性又不失真实性，具通俗性又不失学术性，是活化浙江历史的精品力作，是了解浙江人文的"百科全书"。希望大家抽出时间来看一看这套丛书，爱历史、学历史、知历史、用历史，在共筑共圆"中国梦"的征程中，留下我们无愧于先人、造福于后世的浓墨重彩。

2013 年 4 月 2 日于杭州

导言：构建公众视野中的历史世界

历史是曾经鲜活的生命、已然过往的生活、陶炼积淀的业绩，是纷繁的思绪、驳杂的心境、丰富的情感。它们随时间的流逝，翻落进文明的深处，累生而成一个我们谓之为“传统”的世界。在那里，思想的绿树常青，智慧如繁花盛开，气象万千，人文璀璨，厚重而灿烂。

然而，对于这样一个已成往昔的世界，如果我们不回首，便不得见。因为它在我们匆匆前行的身影后面，绚烂之极，归于平淡；它在远离我们当下人生的时间彼岸，兀自静默，莫能与语。

回望历史，是一种人性的光辉，因为它是对先人的礼敬；是一种博大的胸怀，因为它是对文化的包容；是一种理性的力量，因为它是对规律的揭示；是一种勇敢的担当，因为我们探究来路的目的，是为了更加坚定地走向未来。

因此，我们愿意站在今天的浙江，做一个历史的眺望者，穿梭万年的时空，打量这块土地上连绵不绝、波澜壮阔的前尘往事；做一个历史的梳理者，秉持理性的烛火，将沉落于往昔世界的影像重投于时间的光影之墙；做一个历史的思考者，博学审问、慎思明辨，探寻其与当下社会的关联；更重要的是，做一个历史的传播者，让历史走出尘封的书海和学者的案头，走向社会大众，让来自历史的智慧，充实心灵的世界，照亮今天的生活。

一、浙江大地承载着深厚的历史传统和光辉的文化精神

2006 年，时任中共浙江省委书记习近平在为《浙江文化研究工程成果文库》所作总序中指出："千百年来，浙江人民积淀和传承了一个底蕴深厚的文化传统。这种文化传统的独特性，正在于它令人惊叹的富于创造力的智慧和力量。"浙江历史的变迁和文化传统的形成，并非同一文化要素的简单累加和重复，而是在其精进图强的历史步伐中，通过开拓创新的创造活动得以实现，并因此自然地生发出十分鲜明的勇于开新造大、敢为天下先的文化价值取向，且已成为浙江文化传统中最具地域特色的精义。如果我们深入地去探究，可以看到如下种种鲜明的文化特征。

1. 在浙江的文化精神中，充溢着捍卫主权、反抗侵略的爱国主题

"夫越乃报仇雪耻之乡。"在浙江历史上，爱国主义是浙江文化的生命线，捍卫主权、反抗侵略、抵御外侮是浙江人民的优秀传统。在爱国主义价值观的哺育下，爱国英雄们在国族危难、大厦将倾之时，有的挺身而出，最终以身殉国；有的在重重困难之中，不放弃信念和理想，知其不可而为之。陆游"位卑未敢忘忧国"；于谦为了力挽狂澜于既倒，不惜牺牲一己的仕途乃至生命；抗倭名将戚继光在浙江招募和训练"戚家军"，在台州九战九捷，平定倭患。近代浙江人民在反封建反侵略斗争中前赴后继，可歌可泣。鸦片战争中壮烈

殉国的"定海三总兵"彪炳千秋;"鉴湖女侠"秋瑾"夜夜龙泉壁上鸣"的诗句，激励了无数中华儿女以天下兴亡为己任；嘉兴南湖上的红船，刘英、张秋人、俞秀松、宣中华等革命烈士的舍生取义，更彰显了在中国共产党领导中国人民开展的谋取民族独立、国家解放、人民幸福的革命斗争中浙江儿女的光辉业绩。这些浙江先贤刚健有为、坚贞不屈的崇高气节，谱写了中华民族爱国主义正气歌中的华彩乐章。

2. 在浙江的文化精神中，蕴含着求真务实、经世致用的本质内核

求真务实是浙江文化的本质内核,它贯穿于浙江历史发展的每一个时期，深刻影响着当代浙江人的行为模式和思维方式。求真务实蕴涵着科学求真。越王剑、通济堰、捍海塘、秘色瓷、印刷术、钱江桥，都是浙江科技史上的光辉成就；毕昇、杨辉、李之藻、李善兰、茅以升，都是浙江科技史上的著名人物。其中，最为人所称道的，当推北宋沈括及其《梦溪笔谈》。英国学者李约瑟将沈括称为"中国整部科学史中最卓越的人物",《梦溪笔谈》则是中国科学史的里程碑。求真务实蕴涵着思想求真。东汉王充对当时散布虚妄迷信的谶纬之学、虚论惑众的经学之风的严厉批判和抨击，明代王阳明对理性自由和人性解放的要求,晚清章太炎"学所以经世,固非空言著述"的主张，无一不是浙江文化精神中"追求真理""实事求是"本质内核的体现。

经世意识在浙江文化中有突出的表现。例如以陈亮为代表的永康学派，反对朱陆空谈义理和心性，提出修实政、行实德、建实功、改革社会、变弱致强的主张；近代佛学大师太虚、印顺回溯佛法本源，积极推进佛教革新。

这种独特的一脉相承的经世致用思想，体现了传统知识分子以思想、学术、知识认识改造世界的不懈努力和价值关怀，是浙江对中国文化的独特贡献。

3. 在浙江的文化精神中，聚合着义利双行、达观通变的商业伦理

义利文化观是浙江历史文化精神的一大特色。宋代以叶适为代表的永嘉事功学派倡导“义利双行”，用道德伦理引导对现实功利的追求，用现实功利检验主体对价值观、道德信仰理解的有效性。“义”与“利”由此成为辩证统一的有机体。在这种“义”“利”文化观的熏陶下,浙江人及其商业活动，用经营生产造福社会;同时又以“道义”规范经营生产行为,保持了悠久的“讲信修睦”的传统，哺育出许多誉满海内的老字号、老品牌。

“义利双行”的商业伦理观念，给浙江人带来了达观通变的经济发展理念和市场行为。宋元以后盛行浙地的长途贩运，使浙江成为当时全国客商趋之若鹜的货物集散地，增进了区域之间的经济交流，扩大了商品流通，促进了商人货币资本的大规模积累。明代中叶以后，雇用大量工人的手工作坊与手工工厂在浙江普遍出现，促进了市镇自由劳动力市场的形成。它们虽不足以定论为资本主义的萌芽，但无疑是对传统生产关系的变革，是对我国长期处于封闭状态的传统自然经济具有历史意义的重大突破。

4. 在浙江的文化精神中，闪烁着批判自觉、创新开拓的理性智慧

浙江是历史上盛产具有创新精神的思想大师之地。我们可以毫不夸张地说，浙江文化的思想创新，多次起到了“导夫先路”的先锋作用。陈亮、叶适的事功之学，王阳明的心学，黄宗羲的政治学说，章学诚的“六经皆史”之论，龚自珍的变革启蒙思想等等，都是浙江文化富于创新性的表现。被誉为“清初三大思想家”之一的黄宗羲，猛烈批判和否定整个封建君主专制制度，破天荒地喊出了“为天下之大害者，君而已矣”的口号，提出了用“天下之法”代替君主“一家之法”的法律平等思想、“人各得自私自利”“贵不在朝廷，贱不在草莽”的人权平等原则以及近似近代议会民主的政治理想。在明清之际的中国，可谓空谷足音。其大无畏的批判精神和创造性的思想贡献，成为清末维新志士的思想法宝，也是现代革命者用以反对、批判封建专制制度的精神武器，启迪和影响了浙江的近代化进程。

作为新文学运动的奠基人和五四新文化运动的主将，鲁迅敢于直面惨淡的人生，对吃人的封建礼教和制度作猛烈地揭露和批判，进行不屈不挠的斗争；勇于以社会批评和文明批评为己任，以一生精力和独立人格进行充满韧性的奋斗和努力，为浙江文化传统增添不屈的风骨、独立的人格、批判的精神和自辟新路的理念与勇气。他不仅为中国文化开拓了新路，也为家乡人民留下了一份创新进取的宝贵思想财富。

5. 在浙江的文化精神中，融铸着兼容并蓄、自强自立的个性品格

凭借濒临大海的地理优势，浙江文化在持续的中外文化交流中逐渐成熟，培养出兼容并蓄的海洋个性。我国古代早期对外交流以贸易为主，浙江生产的茶叶、丝绸、青瓷等物品成为文化向外输出的物质载体，进而带动人与文化的交流，既引导了外部世界对中国文化的认知，也是浙江文化自我更新、

自我丰富的重要途径。马可·波罗、利马窦、卫匡国、马戛尔尼等西人纷纷来到浙江，天台山佛教文化、径山茶文化、温州华侨、留日学生群体等等，都是浙江文化走出去的典型。

兼容并蓄并不意味着主体性的缺失，自强自立同样是浙江的品格。自然资源稀缺的压力，让浙江人具有强烈的危机意识，肯定个体的独立、欲望与利益，崇拜竞争拼搏、不等不靠、自我奋斗的精神。发轫于南宋、鼎盛于清乾隆年间的“龙游商帮”，凭借不畏艰难、自强自立的精神，“多向天涯海角，远行商贾”，人称“无远弗届，遍地龙游”，为浙西南的经济崛起作出了巨大贡献。这种“虽千万人吾往矣”的“拼劲”、一往无前的“冲劲”、无孔不入的“钻劲”，与中国传统文化的个体“义务”本位、儒家文化的“温良恭俭让”、老庄哲学的“夫唯不争，是以不去”等等主流思想，有着极大的区别，是对中国文化传统的一种很好的补充与丰富。

6. 在浙江的文化精神中，体现着澄怀观道、现实关切的审美情操

浙江是一块洋溢着文学才情、艺术灵性的土地，王羲之、骆宾王、赵孟頫、黄公望、徐渭、吴昌硕、郁达夫等等，都是在中国文学艺术史上具有熠熠光彩的著名人物。他们在诗词、书法、绘画、小说、戏剧、建筑、工艺、文艺理论等各个领域，都撰有开一代新风的里程碑式作品，百代标程，至今传颂。

中国文艺传统讲究“文以载道”。综合起来看，这个“道”，既有儒家美学讲求的仁、爱、礼、义，“善美一体”的伦理德性之道，也有道家追求虚静简远的任顺自然之道、玄学任性率真的个性放逸之道，还有现实生活层面对时代潮流、社会变革、世道人心、国计民生的人文关切之道。浙江的文学艺术很好地体现了中国文艺独特之“道”的各个方面。王羲之等魏晋士人洒脱旷达的艺术境界，黄公望等文人画家的山水情怀，龚自珍《已亥杂诗》对制度的批判、国运的担忧、思想的启蒙，抗战文艺的蓬勃兴旺，兰溪诸葛八卦村、浦江郑氏义门、俞源太极星象村等古村落的建筑形制，都向我们展示了浙江文化艺术的深厚内涵。她既在哲学思辨的境界里升华，澄怀观道，为中国文艺传统提炼和奉献了众多具有中国特色的美学概念、范式、结构形式、表现手法，又在现实生活的沃土中扎根，观照现实，直面人生。

7. 在浙江的文化精神中，孕育着天人合一、人我共生的人文情怀

浙江文化既能够“登山则情满于山，观海则意溢于海”，与和风细雨的大自然和谐相处；同时也极善回应来自大自然的挑战，在变动的自然环境中成长。浙江漫长的海岸线及其潮汐侵蚀之下的变化、破坏性热带风暴的侵袭，都是大自然发出的挑战。对此，浙江人同样以“天人合一,万物一体”的整体关怀，通过各种努力与方式，追求人与自然的和谐。

为了降伏不羁的大自然，浙江人民修建了庞大、复杂的水利系统，孕育了发达的水利文化。如果说大禹疏导治水是追求与自然和谐意识的萌动与最初实践，西湖的开发则是浙江人民在发展中改造自然、在改造中保护自然的典范。西湖经钱镠、李泌、苏轼、白居易、杨孟瑛、阮元等人的疏浚治理，呈现出旖旎秀丽的韵致，以其精致和谐的人文风情，构筑成人间天堂的特色。

河姆渡原始艺术中精美神秘的“鸟日同体”纹饰，良渚文化中繁缛威严的神人兽面纹，都体现了浙江人热爱自然、赞美自然和融入自然的美好情愫。

8. 在浙江的文化精神中，彰显着知行合一、事上磨炼的哲学思维

思想学术丰富深刻的浙江，必然具有自己独特的哲学思维。这就是王阳明的哲学观点。“知行合一”强调知即是行、行即是知。人不仅要对自己的行动负责，而且要为自己的思维活动负责。正确认知的最终确立，须得以付诸实践检验为终点。“致良知”认为个体的“知”只有通过与社会事物的复杂关系的展开，体验情绪的冲击、思维的跳跃，通过实践检验其“致良知”的进展与效果，也即“事上磨炼”，才是真“良知”。由此，方能从道德范畴的“修身”出发，逐步实现“齐家、治国、平天下”的社会理想。

“知行合一”是浙江文化在哲学层面上的思考，因此也是最高、最抽象、最具有概括力的思考。浙江文化的其他内涵，都与“知行合一”这个核心命题存在着密切的逻辑联系。

二、浙江人民具有鲜明的历史意识和高度的文化自觉

中国疆域辽阔，在长久的历史岁月和特定的地域范围里，形成了众多具有地域特色的文化小传统，以别具一格的文化样态、特征和成就，为包罗万象、气度恢弘的中华文明奉献着日新月异的源头活水。因此，从区域历史文化入手，梳理文化现象、提炼文化精神、反思文化弊端、传承文化基因，可以清晰地把握到中华民族精神历史运动的脉搏。浙江文化具有丰富的表达形

式、鲜明的思维层次、完整的逻辑结构，是具体而微的中国文化。我们梳理浙江的历史传统和文化精神，正是深入了解中国文化、研究中国文化、发展中国文化、创新中国文化的有效途径。

从 1999 年至今，在全省范围组织开展的关于浙江历史文化和精神的梳理提炼，一直贯穿于浙江人民的文化生活中。

1999 年，经过 20 余年的改革开放，浙江社会经济迅猛发展，总量和人均产值均列全国第四位。浙江并未满足于取得的发展成就，而是积极探索取得这种成就的深层原因，总结出“走遍千山万水，吃尽千辛万苦，说尽千言万语，想尽千方百计”的创业精神。2000 年，时任中共浙江省委书记张德江提出“研究浙江现象，总结浙江经验，提炼浙江精神”的要求。省委认真总结经验，认为浙江快速发展的原因，就在于其悠久的历史和灿烂的文化及其与当今时代发展的有机结合，提炼出了“自强不息、坚韧不拔、勇于创新、讲求实效”的浙江精神。这是 20 世纪八九十年代浙江人民精神面貌的生动体现、浙江经济发展的真实写照和浙江经验的高度概括。

2005 年，省委高度重视总结提炼新时期的浙江精神。根据时任省委书记习近平关于“深入研究浙江现象、充实完善浙江经验、丰富发展浙江精神”的指示精神，经过“与时俱进的浙江精神”的调查研究，正式公布了新时期浙江精神内涵的具体表述——“求真务实、诚信和谐、开放图强”。习近平同志发表了署名文章《与时俱进的浙江精神》，高度评价了改革开放以来浙江创造的宝贵精神财富，肯定了“自强不息、坚韧不拔、勇于创新、讲求实效”

的浙江精神，同时着眼未来，立足发展，对“与时俱进的浙江精神”做了深刻阐述。“求真务实、诚信和谐、开放图强”的浙江精神，既是对历史的总结与传承，更是对现实发展的鞭策、对未来发展的引领，也是对浙江人民的智慧、活力和创造精神的鼓励和激发。

2011 年 10 月，时任省委书记赵洪祝指出，浙江经济社会持续健康发展背后的“文化密码”“文化基因”，就是“与时俱进的浙江精神”，因此要大力弘扬和提升以“创业创新”为核心的“浙江精神”，为全面建设小康社会提供重要支撑。2012 年 2 月，浙江省开展“我们的价值观”大讨论，提炼出“务实”“守信”“崇学”“向善”四个核心词，确定为当代浙江人共同价值观的表述语，写进了浙江省第十三次党代会报告。这既是对“与时俱进的浙江精神”的继承和坚守，也在新形势和新挑战下赋予其全新含义，更是为构建面向未来的共同价值观所作的前瞻性布局。

习近平同志指出：“具有历史文化素养，最重要的是要具有历史意识和文化自觉，即想问题、作决策要有历史眼光，能够从以往的历史中汲取经验和智慧，自觉按照历史规律和历史发展的辩证法办事。”（习近平同志在中央党校 2011 年秋季学期开学典礼上的讲话：《领导干部要读点历史》，2011 年 9 月 1 日新华网）自 1999 年以来，浙江对历史传统的分析反思、对浙江精神的探寻深化，既是浙江人民历史实践和理论智慧的结晶，更体现了浙江人民高度的历史意识和文化自觉。

三、浙江学者勇于承担传播优秀历史文化传统的崇高职责

习近平同志《领导干部要读点历史》的讲话，既是对领导干部的要求，也向我们人文社会科学工作者，特别是历史学研究者提出了期望，指明了历史学服务社会、与现实生活相结合的方向。这就是：承担起传播优秀历史文化传统的崇高职责，构建一个公众视野中的历史世界。《浙江历史人文读本》（以下简称《读本》）就是我们按照《领导干部要读点历史》的要求，经过一年精心筹划、反复研讨、认真撰写而得的研究成果。通过编写《读本》，我们对优秀历史文化传统的当代大众传播，有了一些实践体会和理性思考。

1. 构建公众视野中的历史世界，需要认识面向大众传播历史文化的重要意义

清代浙江籍著名学者龚自珍曾经说过："欲知大道，必先为史。灭人之国，必先去其史；隳人之枋，败人之纲纪，必先去其史；绝人之材，湮塞人之教，必先去其史；夷人之祖宗，必先去其史。"（《古史钩沉论》）简明深刻地点明了历史具有终极意义的价值。

专家学者为普通读者撰写通俗读本，在西方学术界是一个传统。比如英国哲学家、社会学理论家杰瑞米·史坦葛仑博士主持的"小书大思想"丛书，包括《话说哲学》《哲学家的想法》和《伟大的思想家 A–Z》等系统普及读物；英国 DK 图书公司出版的"目击者文化指南"丛书，由牛津大学、伦敦大学等学校的专家执笔，对哲学、艺术、音乐等进行了大众化传播；英国皇家哲

学研究所开办有面向大众的期刊《思考》，等等。

近年来，逐渐兴起于美国的公共历史学，更是对史学大众化的学理探究和提升。在中国，历史知识的公共传播，一直得到提倡和实践。著名学者钱穆有“不知一国之史则不配作一国之国民”之论，当代学者黄仁宇则欲以历史书写树国民之历史性格。就浙江而言，“社科普及周”“人文大讲堂”，都是影响面大、成效显著的行动。但总体来说，史学大众化尚未成为学者内在的自觉行为，尚未形成蓬勃的气象和畅达的工作格局。求专、求精、求高深的学术观念和学术评价体制，一定程度上制约了人文社会科学的大众化。

人文社会科学研究的根本目的在于推动社会进步。因此，参与社会实践，是发展人文社会科学研究的源头活水；关注现实问题，是深化人文社会科学研究的重要途径。作为从事历史研究的学者，我们都有一种虔敬的“古典情怀”，大多究心于历史文化方面的研究，较少关注当代发展。在《读本》编写过程中，我们通过对领导干部、社会大众、网络媒体和社会生活的访问座谈、沟通交流、查阅学习、观察思考，深切地感受到了浙江大地上生气勃勃、创意无限的现实创造，她是社会不断向前发展的根本动力、文化传统生生不息的源头活水、人类美好生活愿望的实现途径；深切地感受到了社会、大众十分迫切的对精神文化生活的需求、对丰富精神世界的渴望，由此深感面向时代、关注社会、推动进步，同样是我们的职责所在。我们不但要做传统的学问，同样也要心怀敬意地为浙江的当代文化发展做一些实事，以此向生我养我的浙江大地和浙江人民，致以我们深深的敬意，落实我们无比的热爱，奉献我们绵薄的心力。

浙江优秀的历史文化传统丰厚精深、魅力无穷，她是我们深以为傲的文化资本，是我们取之不竭的文化宝库，是我们当代建设的文化资源，是我们屹立于世的文化底蕴。面向大众，从底蕴深厚、资源丰富、优势明显的浙江优秀历史文化传统里搜珍集宝、拾贝掇英，汇聚奉献，正是我们作为人文社会科学工作者必须担当的社会责任。

2. 构建公众视野中的历史世界，需要做好古今文字的通达转换

随着历史的物移景迁，文化的变动发展，特别是五四新文化运动倡导白话文以来，作为中国历史文化传统重要载体的语言表达体系，发生了全新的变化，这成为我们今天继承、弘扬优秀文化传统最为直接的一大障碍。因此，在严谨、规范、准确的学术研究基础上，以清丽简明、深入浅出、短小精悍、雅俗共赏的文字，梳理浙江历史传统、把握浙江历史发展脉络、揭示浙江历史发展规律、汇聚浙江历史知识和智慧，是让历史走向大众的首要工作。

本书中，我们对浙江历史上有鲜明特色、重大意义、突出影响、重要成就的人、事、物进行选择和研究，用清新通达的现代汉语进行重新写作的方式，对或佶屈聱牙，或深奥艰涩，或典丽文雅的历史文献做了现代文字的转换和传达。由此，我国第一部关于海港和海上交通的著作《临海水土异物志》中的久远记述，天台山高僧大德们深奥的佛教思想，充满哲学思辨的南宋朱熹与陈亮的“王霸义利”之辩，影响深远而文字玄奥的王阳明“心学”，等等，得到了浅显明达的表述，让文字不再成为阅读理解的障碍。书中更不乏练达、

清丽、蕴藉、深情、知性、洒脱、典雅等等多样化的优美文风，让人读来而起兴会之思、有共鸣之感。

3. 构建公众视野中的历史世界，需要做好陶炼融会的释读阐发

南朝齐梁时的绘画理论家谢赫曾说："师心独见，鄙于综采。"（《古画品录》）意思是说，独具匠心、不拘成法的才是好作品，综合杂凑他人之作的，应受到鄙视。此言甚是！作为反映浙江人文历史的书，切不可成为历史资料的简单汇编、他人研究成果的综合罗列。在写作中，我们根据自己的认识、理解、分析和研究，对重大事件、重要人物及其主要成就做了系统梳理，在择优选取、汇聚、表现历史精华材质的基础上，对古代知识、传统理念、经验教训、智慧感悟、哲学思想等等，做了陶炼思考、融会贯通的释读阐发。比如浙江历史从远古走到今天的文化源流与精神演变，浙江农民是全国最辛苦的农民之一的自然原因，人口要素对科技进步产生深刻影响的历史背景，作为中国传统艺术主流的文人画和水墨山水与浙江的深切关联，"越为诗巢"与中国文学的发生渊源，浙江佳山秀水中"人，诗意地栖居在大地上"的终极理想，四明山抗日根据地的越剧演出对后来越剧改革带来的重大影响，等等，都是我们在浩如烟海的文献资料中披沙拣金、把握精神实质的历史释读。

4. 构建公众视野中的历史世界，需要做好独具新见的研究升华

在社会大众尤其是领导干部的学历教育水平、文化知识修养、阅读鉴赏能力、精神文化需求都日趋提高的今天，陈旧的史料汇编、学术观点、故事

叙述、心得体会、情感表达，都不足以引起社会大众的阅读兴趣，不足以达到弘扬优秀传统文化的目的，更不是我们作为历史文化专业研究者的工作职责和目标。充分依托我们已有的研究基础、心得和成果，用新的视野打量历史、深化探究，做出新的独立研究，是我们所有作者遵行的原则和方法，也是《读本》截然不同于其他普及读本之处。比如，我们从人类学的角度解读了千古孝女曹娥身后的越地巫术文化氛围，指出了浙江“丝绸之府”历史美誉的技术成因，揭示了王羲之作为中国“书圣”而超越孟子所谓“君子之泽，五世而斩”这一历史现象足以泽被千秋的文化力量。其间，有对现象的观照，有对原因的分析，有对规律的揭示，有对理论的提炼，有以小见大的深刻领悟，有纵历千年的本质把握，可谓自出机杼，异彩纷呈，尽心竭虑地奉献给各位读者。

5. 构建公众视野中的历史世界，需要做好融会时需的现实关联

如果没有与当下社会和生活恰切而紧密的关联，那么历史只是历史，永远走不出“传统”的范围，只能在时间长河的彼岸，寂寞起舞，乘风而去，与我们渐行渐远。即使形可见，无奈神相离。为此，历史需要走进今天的社会和生活，与今人同声共气，心神交会。只有这样，历史才是有生命的、有意义的、有价值的。

在书中，我们着力发掘笔下历史与眼前现实的关联点，并力图加以自然、准确的表达。比如，“天下第一清廉”陆陇其“清操饮冰，爱民如子”的政治情操，革命者张秋人明知“我的头要砍在杭州了”而临危受命、慷慨赴难的大义凛然，众多施茶会、水龙会、育婴堂、舍材会、路会、义学等民间乡风美德中生发出的无处不在的善行义举，等等，都是我们民族崇高精神、高尚品格、优秀品质、道德情操的生动体现，是我们今天建设社会主义核心价值体系、实现精神富有的思想养料。另如，从东吴政权“亲贤贵士，纳奇录异”中，可以吸取以人才立国的经验；从湖州商帮衰亡中，可以获得今天正确引导民间资本投资领域的启示；从宁波本帮裁缝到红帮裁缝的转变中，可以发掘产业转型升级的经验；龙游商帮“无远弗届，遍地龙游”的精神，为今天浙西南尤其是封闭山区对外开放、转型发展提供了参照；吴昌硕成为艺术领袖的历练之路，为今天文化人才培养提供了借鉴；等等。所有这些都是足可为今天的社会建设、经济建设、文化建设参考借鉴的历史经验。

6. 构建公众视野中的历史世界，我们殷切希望实现的美好愿望和价值旨归

我们殷切地希望，通过一年多来紧张忙碌、全力投入所做的这些与文化强省建设现实需求相结合的系统梳理、存精择优、现实转化、深入浅出等学术研究和大众传播工作，能构建起一座浙江历史文化资源的宝库，从以下这些方面，发挥《读本》的作用，实现让历史走向大众的美好愿望和价值旨归。

一是向社会大众和广大领导干部展示优秀的浙江地域文化传统、光辉的浙江地域文化精神和灿烂的文化创造成就，激发作为浙江人的自豪感，增加责任感。

二是为我省的文化强省建设激活历史信息，提供人文样本，构筑文化底色，丰富文化内涵，为各地开展当代文化建设提供历史资源、内容素材、创意源泉、创作灵感、思想启迪、多彩智慧，实现历史传统从文化资源向当代文化建设资本的成功转换。

三是用浓缩的历史人文精华丰富社会大众的文化知识、充实社会大众的精神世界，提升领导干部和文化从业人员的人文修养，培育开展现实文化建设所需之职业素质。

四是以权威、准确的内容和精致、典雅的形式，供相关部门作对外文化交流。

五是作为供查阅相关史料、事件、人物、数据的案头书，起到浙江历史文化词典的作用。

六是在分册书名、专题名、篇章名以及文内相关篇幅中，精选或化用浙江历代名人格言箴语、诗文名句，以供读者题辞、创作书画作品时参考借鉴。

张伟斌　陈　野

2013 年 3 月

目 录

兴亡之道

名臣良吏

民族脊梁

红色传奇

后记

兴亡之道

以铜为镜可以正衣冠，
以古为镜可以知兴替，
以人为镜可以明得失。

引　言

1945 年 7 月 4 日下午，中共领袖毛泽东与民主人士黄炎培在陕北延安的窑洞内有一个著名的“窑洞对”。

当毛泽东问黄炎培到延安考察几天来有何感想时，黄炎培坦然答道：“我生六十多年，耳闻的不说，所亲眼见到的，真所谓‘其兴也浡焉’，‘其亡也忽焉’。一人，一家，一团体，一地方，乃至一国，不少单位都没有能跳出这周期率的支配力。大凡初时聚精会神，没有一事不用心，没有一人不卖力。也许那时艰难困苦，只有从万死中觅取一生，既而环境渐渐好转了，精神也就渐渐放下了。有的因为历时长久，自然地惰性发作，由少数演为多数，到风气养成，虽有大力，无法扭转，并且无法补救。也有为了区域一步步扩大了，它的扩大，有的出于自然发展，有的为功业欲所驱使，强求发展，到干部人才渐见竭蹶、艰于应付的时候，环境倒越加复杂起来了，控制力不免趋于薄弱了。一部历史，‘政怠宦成’的也有，‘人亡政息’的也有，‘求荣取辱’的也有。总之，没有能跳出这周期率。中共诸君从过去到现在，我略略了解的了，就是希望找出一条新路，来跳出这周期率的支配。”对于黄炎培的坦诚直言，毛泽东非

常自信地回答："我们已经找到新路，我们能跳出这周期率。这条新路，就是民主。只有让人民来监督政府，政府才不敢松懈。只有人人起来负责，才不会人亡政息。"黄炎培接着说："这话是对的。只有大政方针决之于公众，个人功业欲才不会发生。只有把每一地方的事，公之于每一地方的人，才能使地地得人、人人得事。把民主来打破这周期率，怕是有效的。"

后人将黄炎培先生提出来的历史"兴亡""成败""治乱"循环往复的现象称之为"黄氏周期律"或"黄氏历史周期律"。自"黄氏周期律"提出以来，人们纷纷撰文探讨"历史周期律"出现的原因。笔者以为，决定"历史周期律"的无非两大原因：一是在生产资料私有制基础上发生周期性的财富高度集中到少数人手中，广大无以为生的下层民众不得不铤而走险，起来反抗；二是只有内部监督、而缺乏外部监督的官僚体制发生周期性的腐败变质，加剧社会的溃败，最后积重难返，只好全盘推翻重建新的社会秩序。

1949年新中国成立后，逐步建立起了以社会主义公有制为主导的经济基础，可以有效地防止强大的私人利益集团的形成，打破历史上社会财富周期性集中到少数人手中的恶性循环。在此经济基础上，才有可能实行马克思所说的像巴黎公社那样的"真正的民主制"和那种民主制下公民对公职人员的直接监督，实现毛泽东所允诺的"人民监督政府"，就有可能跳出历史周期律。但是，我们应该清醒地意识到，"让人民来监督政府"是前所未有的新事物，要真正实现，决非一蹴可就，需要经过漫长的探索与实践。

清庙万年长血食，始知明德与天齐

——大禹的传说

大禹像

削平水土穷沧海，畚锸东南尽会稽。
山拥翠屏朝玉帛，穴通金阙架云霓。
秘文镂石藏青壁，宝检封云化紫泥。
清庙万年长血食，始知明德与天齐。

这是唐代诗人李绅的七律诗《禹庙》，诗中歌颂了大禹完美的德行，认为这种完美的德行与天一样高大。

大禹，姒姓，名禹，字密，俗称大禹，是中国远古传说中夏后氏部落长，炎黄部落联盟首领，中国第一个奴隶制国家夏王朝开国君主。

大禹首先是一位成功的治水英雄。远古的“洪荒时代”，在距今约4600年前的尧舜时代，正值冰河时代后期，气候转暖，积雪消融，古老的华夏大地沦为泽国，幸存的人类被迫登上高山丘陵，或者以木为舟。面对空前的洪水灾难，四岳长老联名

向尧帝推荐大禹的父亲鲧负责治理洪水。鲧受命后，采取“水来土挡”的办法，用堵的方法治水，连续干了9年，但没有能够制服四处泛滥的洪水，而且鲧还因为擅自将神庙里的青铜礼器铸成治水工具，犯下弥天大罪，尧帝一怒之下将鲧诛杀于羽山之野。

鲧死后，他的儿子禹继承了父亲未竟的事业，他吸取父亲治水失败的经验教训，主要采用“疏”的办法治水。他认为治水必须根据水性，水往低处流，最终目标是将陆上的水导入大海。因此，逢高处就凿通，低处就疏导。在治水过程中，他始终坚持在一线指挥，栉风沐雨，历经13年之久，留下了许多感人至深的故事，他那不畏艰险、公而忘私、为民造福的高尚品德，已经成为中华民族不朽的精神财富。

史学家司马迁在《史记》中怀着崇敬的心情叙说了大禹的丰功伟绩：他舍家为国，忘我工作；他与涂山氏之女结婚4天后，就告别娇妻，赶往治洪第一线；他在13年里，“三过家门而不入”，甚至连儿子出生，也无暇回家看一眼。为了解水情和地势，他的足迹踏遍九州，勘察测量山形水势，先后疏导了9条大江大河，修治了9个大

绍兴大禹庙大禹塑像

阅读链接：

徐建春：《浙江通史·先秦卷》，浙江人民出版社，2005 年版。

《大禹及夏文化研究》，巴蜀书社，1983 年版。

《大禹研究文集》，四川人民出版社，1991 年版。

湖泊，凿通了 9 条大山脉，终于战胜了可怕的洪水。洪水消退后，老百姓重新回到平原低地，从事农耕渔猎，过着安宁的生活。宋代诗人苏辙在《涂山》一诗中写道："娶妇山中不肯留，会朝山下万诸侯。古人辛苦今谁信，只见清淮入海流。"

大禹治水有功，舜帝将宝座禅让于禹，改国号为夏后，大禹成为夏王朝的缔造者。他曾经在浙江绍兴会稽山大会天下各部落首领，商讨治国之道。《吴越春秋》卷六记载："禹三年服毕，哀民不得已，即天子之位。三载考功，五年政定，周行天下，归还大越，登茅山，以朝四方群臣，观示中州诸侯；防风后至，斩以示众，示天下悉属禹也。乃大会计治国之道，内美釜山州慎之功，外演圣德以应天心，遂更名茅山曰会稽之山。因传国政，休养万民，国号曰夏。后封有功，爵有德。恶无细而不诛，功

绍兴大禹陵

无微而不赏。”由此可见，大禹不仅是一位治水的大英雄、大功臣，而且是一位贤明有德、治国有方的君主。

绍兴大禹陵牌坊

全国许多地方都建立有纪念大禹的设施（包括禹王陵、禹王庙、禹王雕塑等），以示不忘他的丰功伟绩。浙江的会稽（今绍兴）与大禹有十分密切的关系。据史料记载，大禹曾三次到会稽，第一次是治水，第二次是大会诸侯，第三次是他做天子之后的第十年东巡到会稽。不幸的是，他巡狩到会稽后得暴病去世，就地安葬在会稽山麓。会稽的大禹陵、大禹庙，历经数千年的风雨沧桑巨变，地上的建筑几经重修。李协论大禹史迹云：“盖九州之中，禹之迹无弗在也，禹之庙亦无弗有也。而论山川之灵秀、殿宇之宏壮，则当以会稽为最。”现存的绍兴大禹庙大殿是1934年间重建的，大殿正中有一尊6米高的大禹塑像，塑像背后的墙壁上绘有九斧丹扆，象征着大禹治水、平定九州、建立夏王朝的丰功伟绩。塑像前的大门柱上，悬有清朝康熙皇帝南巡绍兴时御笔所书的一副楹联：“江淮河汉思明德，精一危微见道心。”

从1995年起，绍兴恢复了中断多年的祭禹活动，这对弘扬祖国优秀的传统文化、开发旅游文化资源，都具有重大的意义。当代诗人冒亦诚在《河渎神·谒大禹陵墓》诗中写道：“肃肃谒陵前，伟矣功高泰山。狂龙暴鳄赖囚樊，黎民始得安。沐风栉雨忘寝食，三过家门不入。试看今朝社稷，几人堪与匹敌？”诗的意思很清楚，大禹仍然是当代公仆的楷模与榜样。

卧薪尝胆，发愤为雄

——越王勾践的春秋霸业

勾践像

东周敬王三十年（前 490），在吴国为奴三年的越王勾践终于得到吴王夫差的赦免返回越国。夫差在决定让勾践返国的时候，万万不会想到，他的纵虎归山之举，将会使吴国付出亡国的代价。

夫差赦免勾践返回越国本来是有苛刻条件的：越王封地只有区区百里，而且要向吴国称臣纳贡，一举一动都要听从吴国的命令。但雄才大略的勾践一旦脱离了樊笼，他就决不会甘心于做吴国的附庸小国。雪耻复仇，是勾践最强烈的愿望。要想雪耻复仇，必须尽快使越国突破吴国的限制，迅速强大起来。为此，在文种、范蠡等文武贤臣的辅佐下，勾践回国后实行了一系列的图强措施：

第一，广泛招揽人才。史载勾践“折节下贤人，厚遇宾客”；“凡四方之士来者，必庙礼之”。受这种优惠政策的吸引，各类人才纷纷投奔越国。勾践对于投奔他的各类人才，尽量发挥其专长。文种足智多谋，有行政干才，勾践任命他为相国，“举国政”属之，让他主持国家行政事务；范蠡精通军事，勾践任命他为上将军，主持军政事务；计然（亦作计倪）是著名的经济学家，勾践就任命他为越国大夫，主持财政经济；陈音射箭百发百中，越女精于剑术，勾践就委任他（她）们参与训练军队。此外，勾践任用的大臣还有皓进、曳庸、皋如、扶同、苦成、诸稽郢等。为了激发人才的积极性，勾践对人才给予优裕的待遇，“好其衣，饱其食”。对下属时常“身问疾病，躬视死丧，不厄穷僻”。这样，勾践打下了越国强大的人才基础。《越绝书》在总结吴越争霸史后指出：“吴亡而越兴，在天与？在人乎？皆人也。”

第二，发展经济，使国家与百姓同时得到富裕。勾践根据范蠡的建议，将都城由山区迁移到山地平原交会的孤丘群（今绍兴卧龙山），首先修建周长二里许的勾践小城，作为政治军事核心，然后修建周长二十里的山阴大城，作为经济商业中心，为越国的强大打下基础。为了发展生产，鼓励老百姓开垦荒地，兴修水利设施，同时“劝农桑”，扩大粮食种植，发展蚕桑，鼓励手工业。

第三，推行“爱民”政策。勾践在越国推行“缓刑薄罚，省其赋敛”的政策，在施政过程中，不断“施民所善，去民所恶”，时时把老百姓的疾苦与生老病死挂在心上，与民共苦乐。勾践规定：一户人家死了长子，可免除三年徭役；死了幼子，可免除三个月徭役，而且要给予安葬，就像对待自己的儿子一样。对于有特殊困难的人家，可以领取官府的俸禄。“爱民”政策的推行，使勾践深得民心，越国上下团结一致。为使越国尽快富强起来，勾践亲自参加耕种，他的夫人亲自织布，给老百姓以示范。

第四，坚甲利兵，建立一支强大的军队。文种向勾践献的“灭吴九术”，其中第八、九两条是关于军事的："八曰君王国富而备利器，九曰利甲兵，以承其弊。"根据文种的建议，认真进行军事准备。首先是大规模制造剑、甲、矛、弓、戈、箭镞等兵器与防卫武器。当代考古发掘出土的越王剑证明，越国制造的宝剑锋利异常，其制造技术居于各国前列。此外，还大量制造了战车与战船，水战则乘船，陆战则乘车，发挥车、船的作用。其次是对军队进行高强度的技能训练，使其掌握各种杀敌制胜本领。为了鼓舞官兵的士气，勾践赏罚严明，勇敢者赏，以激起官兵的匹夫之勇，由此"聚死臣数万"。

第五，麻痹吴国，远交近攻。勾践分析了当时各诸侯国争霸形势，采取"亲于齐，深结于晋，阴固于楚，而厚事于吴"

卧薪尝胆壁画

越王者旨於赐剑

的对外政策。齐、晋、楚等三个诸侯国与越国距离较远，暂时没有直接冲突，勾践与这三个诸侯国结成同盟国，每年给这三个国家送去大批皮币、玉帛、子女，以结好这三个诸侯国。对于自己的死敌——吴国，采取麻痹、离间等政策，以进一步削弱吴国，使其陷入混乱之中。

勾践唯恐安逸的生活消磨了复仇雪耻的毅力与志气，特地在自己吃饭的房间挂上一个苦胆，每逢吃饭的时候，就先尝一尝苦味，还常提醒自己："你忘了会稽的耻辱吗？"他还命人把自己睡的席子撤去，用柴草当作褥子。这就是千百年来国人传诵的"卧薪尝胆"。

经过"十年生聚"、"十年教训"，越国国力渐渐恢复与发展壮大起来。而吴王因为整天有越国收买的内奸在身边聒噪，对越国的动向毫无防范准备。东周敬王三十九年（前481），吴王夫差到中原参加黄池之会，尽率精锐而出，仅留太子和老弱守国，勾践遂乘吴国空虚之机起兵长驱直入，大败吴国，杀吴太子。夫差仓猝与晋国定盟而返，连战不利，不得已而与越议和。双方时战时停，战争持续至东周元王三年（前473）六月，越军再次攻破吴国都城，吴王夫差被围困在吴都西面的姑苏山上，求降不得而自杀，吴国灭亡。

勾践灭吴后，声威大震，驱兵渡淮河，会齐、宋、晋、鲁等诸侯国于徐州（今山东滕州南），周天子派人封勾践为"伯"（霸）。"越兵横行于江、淮东，诸侯毕贺，号称霸王"。勾践成为春秋时代最后一个霸主。

勾践忍辱负重、卧薪尝胆，表现出了一种坚韧不拔的气概。作为一个君王，他能忍受别人忍受不了的痛苦和屈辱，立志强国。古人曾云：欲成大事者，不唯有超世之才，亦必有坚韧不拔之志。勾践卧薪尝胆，励精图治，最终雪耻灭吴的故事一

阅读链接：

董楚平：《吴越文化新探》，浙江人民出版社，1988 年版。

徐建春：《浙江通史·先秦卷》，浙江人民出版社，2005 年版。

孟文镛：《越国史稿》，中国社会科学出版社，2010 年版。

直在流传，千百年来一直都是激励国人、催人奋进的宝贵精神财富。1962 年，戏剧家曹禺把卧薪尝胆的勾践搬上戏剧舞台，起到了鼓舞人心、团结全民共渡难关的作用。

绍兴越王台

精魄不知何处在，威风犹入浙江寒

——伍子胥与吴山伍公庙

伍子胥像

春秋末期，吴、越两国争霸，吴国国王夫差中了越国的反间计，错杀忠臣伍子胥，这是吴、越两国争霸史上一个具有决定性意义的事件。在伍子胥死后，吴国奸臣当道，最终被越国消灭。伍子胥的悲剧，也就是吴国的悲剧。

伍子胥（？—前484），名员，字子胥，著名的政治家、谋略家。他出身楚国士大夫家族，其父伍奢为楚平王太子建的太傅。楚平王七年（前522），因为楚太子少傅费无忌进谗言，楚平王怀疑太子“外交诸侯，将入为乱”，一怒之下诱杀了伍奢及其长子伍尚。伍子胥在父、兄遇害后，仓皇从楚国出逃，先逃亡至郑国，后投奔吴国。到吴国后，他观察到吴国公子光有大志，便决定帮助公子光提前夺取王位，他收买刺客专诸刺杀吴王僚，公子光自立为王，即吴王阖闾。随后，伍子胥全力辅佐阖闾，修法制，任贤能，奖励农商，充实仓廪，修建姑苏城（伍子胥是姑苏城即今苏州城的创建者，苏州有纪念伍子胥的城门——胥门及祭祀的祠堂、墓地），以加强守备。举荐深通兵法的齐国人孙武为主将，选练兵士，整军经武，使吴国很快成为东南一带的强国。根据吴国与周边各诸侯国的强弱形势，伍子胥与孙武等制定了西破强楚，以解除吴国的最大威胁；然后向南征服越国，以除心腹之患的争霸战略。

在对楚国进行多年试探与骚扰战之后，阖闾九年（前506），伍子胥与孙武等辅佐阖闾统领大军沿淮水西进，从楚国防备薄弱的东北部实施大纵深战略突袭，直捣楚国腹地，并以灵活机动的战法，击败楚军主力，然后展开追击，长驱攻入楚国国都郢（今湖北荆州城北30公里），终成破楚之功。

阖闾十九年（前496），吴越两国军队在槜李（今浙江嘉兴市南）展开激战，这次吴国军队大败，吴王阖闾被越国将领灵姑浮以戈击伤大脚趾，在撤退回吴国的途中伤痛发作死去，阖闾之子夫差即位。阖闾临终前问儿子夫差："你会忘记勾践杀你父亲之仇吗？"夫差回答："不敢忘记。"

夫差即位后，秣马厉兵，准备为战死的父亲复仇。越王勾践得到情报后，决定先发制人，于夫差二年（前494）发兵攻打吴国，两国军队在夫椒（今江苏吴县西南太湖之滨）交战。这一次，越国军队遭到惨败，吴军乘胜追击，深入越国境内，勾践率领五千残兵败将逃到会稽山上，被吴国军队重重围困。为避免灭顶之灾，勾践派遣大夫文种携带重金贿赂吴国太宰伯嚭，请求他在夫差面前帮忙说好话，允许越国称臣求和。伍子胥坚决反对越国求和，他说："现在不趁此机会灭掉越国，将来就不好对付了。况且勾践这个人逆境不屈，将来必然成为大

王的劲敌，大王不可养痈遗患，现在不下手，将来必定追悔莫及！”但夫差听不进去，终于答应勾践“为奴求和、以保宗庙”的请求，与越国罢战言和。

越勾践五年（前492），勾践令文种守国，自己携带夫人及范蠡等大臣到吴国国都充当人质。勾践在吴都，以臣子身份服侍吴王，“礼甚卑，辞甚服”，表现得极为恭顺和谦卑。吴王出行，勾践鞍前马后，牵马扶蹬。吴王病了，勾践亲自为吴王尝大便，以便诊断吴王的病情是否好转。勾践所作的一切，深深地打动了吴王，三年后吴王决定释放勾践与范蠡回到越国。

勾践回到越国，文种向勾践献“灭吴九术”，其中第六术为“遗之谀臣，使之易伐”；第七术为“强其谏臣，使之自杀”（《吴越春秋·勾践阴谋外传》）。这两“术”的针对性很明确，就是离间吴国君臣的关系，造成吴国内政外交紊乱。勾践照计而行，源源不断地向伯嚭进献美女财宝，使伯嚭成为言听计从的内应。为了削弱吴国，

伍公庙伍子胥塑像

伯嚭根据越国的意图，利用吴王觊觎中原霸主桂冠的心理，极力怂恿吴王出兵攻打北方的齐国，并表示越国愿意出兵协助吴国攻打齐国。伍子胥认为齐国对吴国并没有威胁，吴国的心腹大患是越国，现在放过越国不打，去打齐国，很荒唐。尽管伍子胥极力劝阻，吴王还是不听，挥兵北上，竟然打了胜仗。

勾践根据吴王荒淫好色的特点，在越国搜罗到两位国色天香的美女西施、郑旦，教以妖媚之术，派相国范蠡带到吴都献给吴王，伍子胥进谏，吴王不听，欣然接受美女，并且对她们宠爱有加。勾践十三年（前 484），勾践派文种到吴国，通过伯嚭向吴王陈述越国灾情严重，请求借粮万石，保证来年归还。伍子胥再次出面阻拦，吴王仍不听。伍子胥无可奈何，叹息说：“大王不听劝谏，恐怕三年后吴国会成为废墟啊！”勾践借到粮食后立即赏赐给群臣与百姓。第二年，勾践命令挑选上等粟蒸熟后晾干，然后归还吴国，吴王不知勾践做了手脚，见还回来的粟颗粒饱满，很高兴，下令分给百姓作为种子，结果当年颗粒无收，造成吴国的大饥荒。

伍子胥屡次进谏，让吴王对他产生了强烈的厌烦心理。伯嚭认为时机已经成熟，向吴王进谗言说：“伍子胥貌似忠诚，实际上很自私残忍，他连自己的父兄都不顾惜，怎么会顾念大王呢？大王伐齐，他强谏阻止；现在伐齐胜利了，他对大王未用他的计谋感到耻辱，因此很怨恨大王。大王若不加以防备，乱子必出在他身上，望大王早做定夺。”对此，吴王半信半疑。不久，吴王命伍子胥出使齐国。当时，伍子胥见吴王昏聩，不

杭州吴山伍公庙

听他的计谋，吴国迟早要覆灭，为给自己家人留条后路，就在出使齐国时顺便将儿子托付给齐国贵族鲍牧照料。伯嚭得到这个情报后，立即向吴王密报，吴王听了勃然大怒，说："伍子胥果然骗我！"说完，派人赐剑伍子胥要他自杀。伍子胥忠而被疑，有口难辩，悲愤莫名，仰天长叹道："谗臣伯嚭种下祸根了！"并吩咐家人："我死后，请将我的眼珠挖出来挂在吴国国都的东门上，让我将来亲眼看着越国是如何灭掉吴国的！"吴王听到这些话，更加气恼，下令将伍子胥的遗体装入马革制成的囊中，扔进江里。

勾践十五年（前 482），越国趁吴王北会诸侯于黄池之机，出精兵 5 万大举进攻吴国，这场吴、越两国的最后决战持续了 9 年。前 473 年冬，吴王派公孙雄向越国求和，越王勾践不许，走投无路的吴王深感无颜见人，更无颜去见那冤死的忠臣伍子胥，便以手蒙面，自杀身亡，吴国被越国彻底消灭。勾践礼葬吴王后，伯嚭满以为自己会继续得到越王的重赏，可勾践毫不犹豫将他诛杀了。在勾践看来，伯嚭这

阅读链接：

王卫平：《伍子胥》，古吴轩出版社，2004年版。

朱秀君：《贤智宰相伍子胥》，光明日报出版社，2006年版。

（西汉）司马迁：《史记·伍子胥列传》。

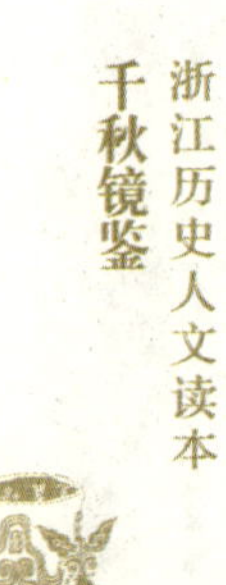

类贪贿误国的奸佞之徒，无论如何也不能成为大臣效法的榜样，杀掉他也是对越国大臣的一种警告。

《史记》记载：伍子胥被赐死后，浮尸钱塘江上，杭州（当时属吴国版图）人怜其忠，为其立祠吴山上，这是最早的伍公庙，也是杭州地区有记载的最早祠庙之一。清康熙朝修的《钱塘县志》记载："唐昭宗乾宁二年，是岁，钱镠筑罗城，江涛势激，版筑不就，祷于胥山祠，沙涨十余里，功成。"于是，钱镠上奏请求封伍子胥为惠应侯。后来钱塘江大潮再度泛滥，民间有伍子胥在钱塘江中着素车白马来讨公道的传说，为此杭州知州上奏朝廷，要祭伍子胥，并将其视为潮神。经皇帝批准，每年春秋两祭。宋朝大中祥符五年（1012），赐伍子胥"英烈王"。清朝雍正年间封伍子胥为"英卫公"。乾隆年间，因浙江省为江海奥区，实赖潮神保障，故特允守臣所请，定伍公庙为江海潮神大庙。乾隆南巡杭州时，特遣官致祭。清咸丰年间，伍公庙毁于兵火。21世纪初，杭州市重修伍公庙，正殿匾额上是"赤心忠良"四字，两侧对联是清同治年间浙江巡抚杨昌濬题写的旧联："缅英烈于第一泉边仇复君亲赐剑尚留遗恨在；隆馨香以二千年后神依吴越灵旗犹拥暗潮东。"殿中央用"素车白马立于潮头之上"这一传说，制作大型潮神铜雕，背景为石雕《海潮图》，上列《素车白马图》，东西两侧各绘9尊神像，即历史上所奉的18尊潮神像。

狡兔尽，走狗烹

——从越国功臣文种被赐死说起

文种像

文种（？—前472），姓文，名种，字子禽，春秋末期楚国郢（今湖北江陵）人，楚平王时代，曾任楚国宛城令，与范蠡是莫逆之交。因为楚国国君昏聩无道，文种觉得无法发挥自己的聪明才智，遂与范蠡逃出楚国，到别的诸侯国寻找明君，他们顺长江而下，先至吴国，后投奔越国，双双受到越国国君勾践的重用。

东周敬王二十六年（前494），勾践被吴国打败困守会稽山无计可施的时候，文种充分发挥他的聪明才智，为勾践出谋划策。文种一面建议勾践厚贿吴国太宰伯嚭，让他在吴王面前为勾践求情，同时文种本人亲自到吴国游说，双管齐下，终于促使吴国国王夫差同意勾践求和，使越国避免了亡国的命运。在勾践与范蠡入吴国为奴的三年里，文种负责留守越国，兢兢业业为勾践看守家园。所以，《庄子》曾赞叹说："唯（文）种也，能知亡之所以存；唯种也，不知身之所以愁！"

三年后，勾践与范蠡从吴国归来，君臣共同谋划复仇大计。足智多谋的文种向

勾践献“灭吴九术”，其内容据《吴越春秋·勾践阴谋外传》记载如下：“一曰尊天事鬼以求其福；二曰重财币以遗其君，多货贿以喜其臣；三曰贵籴粟槁以虚其国，利所欲以疲其民；四曰遗美女以惑其心而乱其谋；五曰遗之巧工良材，使之起宫室以尽其财；六曰遗之谀臣，使之易伐；七曰强其谏臣，使之自杀；八曰君王国富而备利器；九曰利甲兵以承其弊。凡此九术，君王闭口无传，守之以神，取天下不难，而况于吴乎！”文种的“灭吴九术”包括越国内政外交两个大的方面，对越国是尊天地事鬼神、富国强兵，对吴国是内外结合弱吴乱吴，然后选择时机一举消灭吴国。可以说，文种是越国复兴与灭亡吴国国策的总设计师。于是，文种被勾践任命为相国，主持兴越灭吴大计。

越国实施文种的“灭吴九术”，终于见到了成效，越国国力明显增强，而对手吴国却走向了衰落。这样，越王勾践复仇的时机成熟了。东周敬王三十九年（前 481）夏六月，越王勾践乘吴王夫差率领大军与中原诸侯会于黄池、吴国国内空虚之机，起兵讨伐吴国，俘杀留守的吴国太子，拉开了吴越最后决战的序幕，战争持续至东周元王三年（前 473）十一月，越国终于灭掉了吴国。

灭吴后，范蠡认为越王勾践生性多疑，只可共患难不可共富贵，于是当机立断，决定及时隐退离开越国，并且劝说文种一起走。但文种自以为辅佐越王有功，越王不可能加害他，没有接受范蠡的意见。范蠡离开越国后，到了齐国，经商成为巨富，被称为陶朱公，后人尊为商人之祖。

范蠡像

范蠡离开越国后，不放心留在越国的好友文种，曾经从齐国写信给文种，很恳切地为文种分析利害关系："飞鸟尽，良弓藏；狡兔死，走狗烹。越王为人长颈鸟嘴，眼睛像鹰，走步似狼，可以共患难而不可同安乐。你如果不及时引退，他一定会加害于你，这是明摆着的。"文种读了这封信，也开始感到害怕起来，忧心忡忡，一度称病不上朝。这时有奸臣出来对越王说："文种以他的谋略使君主霸于诸侯，今官不加高，封地未增，就怀着怨恨之心。愤发于内，色变于外，将要作乱，因此不来上朝。"

事实上，勾践早就有对付文种的意图，只是苦于一时找不到借口而没有发作。勾践听了谗言后，心里就有了主张。有一天，勾践召见文种，对他说："我听人说，知人容易自知难。相国你自知是怎样的人呢？"文种知道勾践要对自己下手了，于是苦苦哀求越王放他一马，但刻薄寡恩的勾践已经不可能回心转意了。不久，勾践再次召见文种，声色俱厉地对他说："你当初给我出了 9 条对付吴国的策略，我只用了 3 条便打败了吴国，剩下的 6 条还在你那里，你就用这 6 条去九泉之下为寡人的先王打败吴国的先王吧！"然后赐给文种一把宝剑，让他自裁。追悔莫及的文种苦笑说："百世之后，忠臣必定会以我为鉴的。"说完，伏剑而死。文种自杀后，越王下令将他安葬在越都（今绍兴）西山之上，改西山为"种山"，即今绍兴城内卧龙山。

对于文种之死，后人都给予了深切的同情，对他不听范蠡忠告表示深深的惋惜，

阅读链接：

孟文镛：《越国史稿》，中国社会科学出版社，2010 年版。

徐建春：《浙江通史·先秦卷》，浙江人民出版社，2005 年版。

蒙文通：《越史丛考》，人民出版社，1983 年版。

绍兴文种墓

对越王杀功臣给予谴责。南宋名臣王十朋赋诗《大夫种》云："狩罢吴郊鸟兔空，果烹猎狗废良弓。大夫自为知已晚，岂是陶朱计不忠？"清代张诚《文大夫种墓》诗云："赐剑南阳怨未伸，银涛白马并江神。卧龙何处寻遗冢？烹狗无端忆昔人。敌国十年三术破，故交一棹五湖春。君王自有同安乐，不念当初患难臣。"

文种之死，是杀功臣的典型悲剧。在中国历史上，杀功臣的悲剧史不绝书，明太祖朱元璋更是到了登峰造极的地步，当初追随朱元璋打天下的文武功臣绝大部分最终都惨死在他的屠刀之下，这是人类文明史上的一大悲剧。中国传统的以官僚专制为核心的政治文化包含着许多糟粕，杀功臣便是其中之一，应当坚决唾弃。

两代经营，三分天下

——富春孙氏父子的东吴霸业

东汉王朝末年，中央式微，豪杰并起，群雄逐鹿，割据称雄。在此大背景下，富春县孙氏——孙坚与孙策、孙权父子脱颖而出，两代三人，前后接棒，历经数十年，终于建立东吴政权，三分天下有其一。

孙坚：富春孙氏登上政治舞台第一人

孙坚像

孙坚（155—191），字文台，吴郡富春县（今浙江省富阳市）人，春秋战国时代著名军事家孙武的后裔。《吴书》说他“容貌不凡，性阔达，好奇节”。早年任县吏，后又历任盐渎县、盱眙县、下邳县等三县县丞。东汉中平元年(184)，黄巾首领张角在魏郡发动黄巾起义后，孙坚招募一支千余人的部队随中郎将、会稽人朱儁参与镇压黄巾起义，因作战有功，被朝廷任为别部司马。中平三年（186），随司空、代理车骑将军张温镇压边章、韩遂等在凉州制造的骚乱，班师后晋升为议郎。中平四年（187）任长沙太守，随即率领部队前往镇压长沙人区星发动的起义，到任后仅一个月，

打败区星，后又镇压周朝、郭石等人在零陵、桂阳一带发动的起义，恢复了这三个郡的秩序，朝廷随即封孙坚为乌程侯。中平六年（189），汉灵帝驾崩，董卓专权，关东的袁绍、曹操等纷纷兴兵讨伐董卓，孙坚也起兵响应。初平元年（190），孙坚带兵北上，一路先后杀了荆州刺使王叡、南阳太守张咨，所部发展到数万人。孙坚到达鲁阳（今河南鲁山）后，与袁术相见，袁术随即上表请求任命孙坚为破虏将军，领豫州刺史，于是，孙坚就在鲁阳厉兵秣马，准备参与讨伐董卓，成为“十八路诸侯反董卓”联盟的一路。初平二年（191）二月，孙坚率领部队击败董卓部将胡轸于阳人（今河南汝州市西北）。董卓撤离洛阳西去长安后，孙坚率领部队收复洛阳。

同年四月，孙坚奉袁术之命率领部队征讨盘踞荆州的刘表，刘表派黄祖在樊城、邓县之间迎战。孙坚击败黄祖，乘胜追击，渡过汉水，包围襄阳。刘表闭门不战，派黄祖乘夜出城调集兵士。黄祖带兵归来，孙坚复与大战。黄祖败走，逃到岘山之中，孙坚追击。黄祖部将从竹林间发射暗箭，孙坚中箭身亡，时年37岁。孙坚武艺高强，胆略过人，号称“江东之虎”。《三国志》称孙坚：“勇挚刚毅，孤微发迹，导温戮卓，山陵杜塞，有忠壮之烈。”史学家裴松之说他“于兴义之中，最有忠烈之称”。其子孙权称帝后，追谥为“武烈皇帝”。

孙策：东吴政权的奠基人

孙策（175—200），字伯符，孙坚长子。孙坚死后，年仅

17岁的孙策将父亲灵柩运回江东安葬。随后，暂时委身于袁术，以待时机。袁术将孙坚留下来的千余人马交给孙策，孙策凭借这点资本，东征西讨，很快发展壮大。东汉建安元年（196），孙策率领部众南渡浙江，驱逐会稽太守王朗，控制了会稽郡。建安三年（198），曹操以汉献帝名义封孙策为讨逆将军（人称“孙讨逆”），并封为吴侯。建安四年（199），孙策拥有了会稽、吴郡、丹阳、豫章、庐江、庐陵六郡的地盘，并招揽了大批人才，为日后东吴开国奠定了扎实的根基。

孙策像

建安五年（200）四月，孙策在丹徒打猎时，突然从草从中跃出三人，向他射箭。孙策在仓猝间不及躲避，面颊中箭，身负重伤。孙策自知不久于人世，便请来张昭等心腹重臣托以后事。对他们说：“中国方乱，夫以吴、越之众，三江之固，足以观成败。公等善相吾弟。”接着，叫来二弟孙权，将朝廷封的讨逆将军、吴侯的印绶交给他。当天夜里，孙策去世，时年26岁。

《三国志》称孙策：“为人美姿颜，好笑语，性阔达听受，善于用人。是以士民见者，莫不尽心，乐为致死。”陈寿评价孙策：“英气杰济，猛锐冠世，览奇取异，志陵中夏。”卢弼说：“孙策十七岁丧父，二十六（岁）卒，十余年间建立大业，少年英迈，勇锐无前，真一时豪杰之士！”吴郡太守许贡说：“孙策骁雄，与项籍相似。”《傅子》称：“孙策为人明果独断，勇盖天下，以父坚战死，少而合其兵将以报仇，转斗千里，尽有江南之地，诛其名豪，威行邻国。”一代枭雄袁术面对少年英雄孙策，曾经叹息说：“使有子如孙郎（指孙策），夫复何恨！”

孙策虽然英年早逝，却在短短的几年里为富春孙氏的东吴霸业打下了雄厚的基础，成为东吴事实上的开国之主。孙权称帝后，追谥孙策为长沙桓王。《三国演义》

有诗赞之："独战东南地，人称小霸王。运筹如虎踞，决策似鹰扬。威镇三江靖，名闻四海香。临终遗大事，专意属周郎。"

孙权：东吴开国君主

孙权（182—252），字仲谋，孙坚次子，孙策二弟。建安五年（200），年仅19岁的孙权成为江东之主。同年，被东汉朝廷册封为讨虏将军，领会稽太守。他上台后，一直以"辅汉"的面目出现，采用汉献帝的年号。

孙权像

孙权紫髯碧眼，目有精光，方颐大口，形貌奇伟，骨体不凡，异于常人，天生大贵之相。他文武双全，早年随父兄征战天下。善骑射，胆略超群。以至一代枭雄曹操后来情不自禁地发出"生子当如孙仲谋"的感叹。

从建安八年（203）至建安十三年（208），孙权三次兴兵西征江夏太守黄祖，最终攻克夏口（今湖北武昌），杀死黄祖，为父亲报了仇。

建安十三年（208），东汉丞相曹操起兵八十万南下声称要取东吴。这时，东吴内部面对曹操的大军，分为主战与主和两派，争论十分激烈。在关键时刻，孙权采纳鲁肃、周瑜等主战派的

意见，决定与刘备联合抗击貌似强大的曹操。孙权随即决定，以周瑜、程普为左右都督，指挥江东部队与曹操决战。周瑜用黄盖之计谋，以三万人于赤壁（今湖北嘉鱼长江南岸）大破曹操八十万大军。这便是历史上有名的赤壁之战。这一战，基本上确立了三国鼎立的大局。

战后，孙权与曹操多次在合肥、濡须一带对峙，各有胜负。其间孙权联合刘备，将妹妹嫁给刘备。又从鲁肃之计，将所据荆州部分的南郡暂与刘备作为立足之地。建安二十年（215）五月，征皖城，虏获庐江太守朱光。同年刘备取蜀成功，孙权索要荆州，刘备不从，盛怒下的孙权以吕蒙为将，连下长沙、桂阳、零陵三郡。刘备亦起兵五万赴公安，关羽将三万于益阳与鲁肃对峙，大战一触即发。然曹操于此时攻取汉中，刘备面临着曹操的极大威胁，被迫与孙权议和，归还长沙、江夏、桂阳以东土地。

东汉建安二十五年（220），曹操之子曹丕逼汉献帝禅让，自己称帝，国号魏，史称曹魏。221 年，刘备称帝，国号汉，史称蜀汉。222 年，曹丕赐给孙权九锡，册封他为吴王、大将军、领荆州牧，节督荆扬交三州诸军事。229 年，孙权于武昌（今湖北鄂城）称帝，国号吴，史称东吴、孙吴。旋迁都建业（今江苏南京）。252 年，孙权病逝，终年 71 岁。谥号大皇帝，史称东吴大帝。庙号太祖，在位 24 年。若从孙权称吴王算起，则为 32 年。孙权自 200 年继位吴侯、统领江东到逝世，时间长达 52 年，是三国时代在位最久最长寿的帝王。

阅读链接：
司马路：《东吴帝国》，天津人民出版社，2011 年版。
张作耀：《孙权传》，人民出版社，2007 年版。
周思源：《吴大帝孙权》，长江文艺出版社，2007 年版。

亲贤贵士，纳奇录异

——孙吴以人才立国

周瑜像

魏、蜀、吴三国各有其优势，因而得以形成三国鼎立的局势。明末清初著名思想家王夫之在《读通鉴论》中指出：“蜀汉之义正，魏之势强，吴介其间，皆不敌也，而角立不相下，吴有人焉，足与诸葛颉颃，魏得士虽多，无有及之者也。”王夫之认为，蜀汉主刘备是汉朝皇室后裔，他争天下是名正言顺；魏主曹操挟天子以令诸侯，人多势众，在天时、地利等方面，吴国的条件远远不及蜀汉与魏。但吴国也有自己独特的优势，就是人才，不仅足与蜀汉相颉颃，而且比起魏国也丝毫不逊色。

孙权继承的是父亲孙坚、兄长孙策给他留下的基业。据说，孙策临终前对其弟孙权说：“举江东之众，决机于两陈之间，与天下争衡，卿不如我；举贤任能，各尽其心，以保江东，我

不如卿。”（《三国志·吴书·孙策传》）

孙权主政后，实行“亲贤贵士，纳奇录异”（《三国志·吴书·鲁肃传》）的人才政策。对于父、兄遗留下来的功臣宿将如张昭、陆议、诸葛瑾、步骘、吕范、朱然、周瑜、程普、黄盖、太史慈、虞翻、韩当、蒋钦、陈武、董袭、朱治、贺齐、金琮等，不仅全盘接纳，加以善待，使他们倾心折服，尽心辅佐自己，在此基础上，还大胆破格起用江东才俊之士。

孙权有慧眼识人才的本领，他纳鲁肃于“凡品”，拔吕蒙于“行阵”，识潘璋于“系虏”，任陆逊以“未有远名”，这种不拘一格、破格起用人才的卓越能力，不是一般人能够做到的。孙权初见周瑜推荐的鲁肃，交谈之下，觉得鲁肃是个人才，十分赞赏。在送走宾客以后，孙权留下鲁肃单独交谈，他们并坐在榻上，一边喝酒，一边议论国家大事。谈话间，鲁肃提出了“鼎足江东”的战略构想。鲁肃认为，孙权急于仿效齐桓公、晋文公图霸王之业的设想是不现实的。因为当时曹操已经实际控制了东汉朝廷，汉室已经不可能恢复，但北方群雄并立，对曹操构成一定的威胁，曹操统一全国的目标也不可能轻易实现。因此，鲁肃建议孙权等待时机，利用曹操无暇南顾的时机，夺取刘表控制的荆州，壮大实力，割据江东，然后再图天下。这就是著名的“榻上策”，与诸葛亮给刘备贡献的“隆中对”，有异曲同工之效，三分天下的蓝图就此构成。

陆逊像

孙权有容人之雅量，能用人之长而避其短。他在致陆逊的书信中，曾经十分客观地谈论过周瑜、鲁肃、吕蒙及陆逊本人的长短得失。他认为鲁肃有二长一短，但一短不足以损其二长。吕蒙少年豪杰，果敢有胆略，但学问不足，孙权就劝导他多读书，吕蒙诚恳接受，后来学问大长，让人感叹“士别三日，当刮目相看”。已非“吴下阿蒙”的吕蒙指挥作战，其计谋、才干与周瑜不相上下。孙权从降卒中提拔的潘璋虽然骁勇善战，但毛病也不少，为人粗鲁好杀，奢侈骄横，且屡次犯禁，孙权惜其才而曲予原宥，潘璋感孙权知遇之恩，在战场上冲锋陷阵，立下无数战功。

吕蒙像

孙权疑人不用，用人不疑。例如，鲁肃受重用，孙吴集团的老臣十分反感，元老重臣张昭屡次诋毁鲁肃，说他“谦下不足”。但孙权认为鲁肃是不可多得的人才，没有理会这些谗言，将鲁肃比作东汉开国功臣之一的邓禹，一直对他保持尊重态度。赤壁大战以后，周瑜的军事才能显露，引起魏、蜀的注意，不约而同离间孙权与周瑜。曹操致书孙权说：“赤壁之役，值有疾病，孤（曹操自称）烧船自退，横使周瑜虚获此名。”刘备则十分露骨地向孙权进谗言说：“公瑾（周瑜字）文武筹略，万人之英，顾其器量广大，恐不久为人臣也。”但孙权不为谗言所动。刘备起兵讨伐孙吴之际，有人向孙权告发时在南郡的诸葛亮兄长诸葛瑾与刘备通

款曲，孙权相信诸葛瑾不会背叛他，对此处之泰然，他说："孤与子瑜（诸葛瑾字）有死生不易之誓，子瑜之不负孤，犹孤之不负子瑜也。"孙权还说："子瑜与孤，从事积年，恩如骨肉，深相明究。其为人，非道不行，非义不信。"孙权回复那些企图离间的人说，他与诸葛瑾是"神交"，非外人所得离间者。

孙权用人有方。张昭是辅佐孙坚、孙策的元老重臣，孙权尊之以师傅之礼。周瑜是孙坚、孙策倚重的武将之首，孙权以兄长之礼待周瑜。反过来，周瑜以元老勋臣的资格极力维护与树立孙权的威信。赤壁大战前夕，曹操派遣与周瑜有交情的蒋干来到东吴，暗中劝说周瑜投奔曹操，周瑜感孙权知遇，自然不会接受蒋干的游说，他对蒋干说："大丈夫一世，为的是能遇上个知己的君主。我与主公从外人看是君臣关系，实际上我们亲如骨肉。这种言听计从、祸福与共的情分，即使苏秦、张仪这样的辩士复生，也不能把我说动，何况你蒋干呢！"周瑜一番话，把蒋干说得心服口服。周瑜 35 岁那年在巴丘前线染时疫暴亡，孙权得讯悲痛万分，亲自穿上素服主持丧礼，并亲自到芜湖迎接周瑜的棺木。之后，孙权常常与文武大臣追忆周瑜的功绩，称赞他"雄略、胆略兼人"。孙权对其他文武大臣也同样给予优遇，大臣病了，常亲自过问汤药；大臣去世后，素服吊唁，抚恤家属。

孙权选贤任能，而且用人有方，在一定程度上弥补了东吴先天条件上的不足。魏文帝曹丕兴兵伐吴，行至长江北岸隔江兴叹："彼有人焉，未可图也！"229 年，孙权称吴大帝时，蜀国有人主张起兵讨伐，掌握蜀国军政全权的宰相诸葛亮说："彼贤才尚多，将相揖穆，未可一朝定也。"所以，历史学家胡三省说："观孙权君臣之间，推诚相与，谗间不行于其间，所以能保有江东也。"(《资治通鉴》卷六九)《三国志·吴书·吴主传第二》称："孙权屈身忍辱，任才尚计，有勾践之英奇，人之杰矣。故能自擅江表，成鼎峙之业。"

然而，遗憾的是，历史上很少有帝王能够做到善始善终，孙权也是如此。权

力巩固以后的孙权“性多嫌忌，果于杀戮，暨臻末年，弥以滋甚”。孙权晚年对文武大臣的猜忌日甚，并且设立特务对大臣进行监视，文武大臣人人自危，敢怒不敢言，对孙权的戒心也日益严重。赤乌六年（243），孙权立孙和为太子，并封孙和同母弟孙霸为鲁王，表面上孙权对两人同样宠爱，但实际上偏爱孙霸，受到纵容的孙霸起而与哥哥争夺太子宝座，造成统治集团内部大分裂。孙权在这场严重的政治风波中没有采取正确的对策，他不分好坏，统统打击。太子孙和被废，鲁王孙霸被赐死，拥护太子和鲁王的大臣大批被杀、流放，一手制造了惊天大血案，不仅加深了东吴统治集团内部的矛盾，而且严重动摇了东吴政权的根基。最后，孙权立年仅10岁的孙亮为太子，东吴政权从此开始走下坡路。

阅读链接：

白寿彝主编：《中国通史》（第八卷），上海人民出版社，1997年版。

张作耀：《孙权传》，人民出版社，2007年版。

周思源：《吴大帝孙权》，长江文艺出版社，2007年版。

君威伤于桀纣，君明暗于奸雄

——亡国之君孙皓

自古未有不亡之国，有开国之君，就有亡国之君。同为亡国之君，表现各有不同。

东吴的亡国之君孙皓（242—284），是孙权之长孙，废太子孙和之长子，后被景帝孙休（孙权第六子，258年即位）封为乌程侯。永安七年（264），年仅30岁的孙休病死，孙休临终前想立其年幼的太子为皇帝，但东吴群臣鉴于当时蜀汉已亡，东吴再立幼君，主少国疑，十分危险，因而决定违背孙休的遗愿，拥立一个成年的君主，于是23岁的乌程侯孙皓便在大臣们的拥戴下得以继承帝位。

孙皓天资聪明，也有才干，即位之初也曾做过一些好事，比如开仓济贫、放还宫女、拆除养禽兽的园子以节约粮食等，一时被誉为令主。但好景不长，孙皓很快就暴露出亡国之君的本来面目。史载孙皓“穷极淫侈，割剥蒸人，崇信奸回，贼虐谏辅”。有人分析，孙皓的这种罪恶性格的形成，与他父亲孙和当年被立为太子、又被废为庶人到最后被赐死的悲惨家庭经历有关。

孙皓干的第一件不得人心的事，便是贬太后为景皇后，而追认其父为所谓文皇帝，其母为所谓太后，封孙休所立太子为豫章王，封皇后的父亲、太后的弟弟为侯。孙皓这些恶劣行为，使当初力荐他为皇帝的丞相濮阳兴、左将军张布等十分后悔，在背后与人谈话时总是责备自己选错了皇帝，孙皓听到后十分震怒，立即下令将濮

阳兴、张布二人处死，并灭其三族。之后，又大翻历史旧账，过去凡是与其父孙和有矛盾或者关系不好的皇族统统流放。

甘露元年（265）九月，孙皓听信巫婆神汉关于建业（今江苏南京）“皇气”已破、西方荆州有“王气”的妖言，匆匆将国都从建业迁到武昌。随即派人到荆州，盗掘历代王侯公卿大族的坟墓，以破坏荆州的“王气”，使别人家的子孙永远不能与他家争夺天下。

东吴的租税徭役一直很重，在孙权当政时，张昭、陆逊等大臣曾一再上疏，希望减轻百姓的租税徭役负担，但孙权认为，三国分立，时常要应付战争，租税徭役不得不从重。孙皓当政时，已经多年不打仗了，但他上台后大兴土木，更加重了老百姓的负担。甘露三年（267）十二月，孙皓将国都从武昌迁回建业，他祖父孙权留下来的太初宫，周围三百丈，高耸巍峨，孙皓嫌它陈旧狭小，决定另建周围五百丈的昭明宫，雕梁画栋，犹如神仙宫殿。造好昭明宫，又把周围军营撤除，扩建皇家园林，在里面起土山，修楼馆，并派军士到处捕捉奇禽异兽，供其赏玩。

孙皓即位之初，东吴后宫宫女有数千人之多，但他仍不满足，年年从民间挑选美女进宫，充实后宫脂粉队伍，供其淫乐。后宫美女最多时达万人以上，孙皓沉迷于酒色之中不能自拔。

东吴租税徭役更加繁重，老百姓不堪其苦。镇西大将军、都督巴丘兼领荆州牧陆凯在上疏中指出当时的状况是：“民有离散之怨，国有露根之渐，而莫之恤也。民力困穷，鬻卖儿子，

调赋相仍，日以疲极。所在长吏，不加隐括，加有监官，既不爱民，务行威势，所在骚扰，为烦苛、民苦二端，财力再耗，此为无益而有损也。”（《三国志·吴书·陆凯传》）

孙皓性格多疑，而且残酷暴虐，千方百计诛杀大臣。《三国志·吴书·三嗣主传第三》称：“（孙）浩之淫刑所滥，殒毙流黜者，盖不可胜数。是以群下人人惴恐，皆日日以冀，朝不谋夕……况皓凶顽，肆行残暴，忠谏者诛，谗谀者进。虐用其民，穷淫极侈……”他每次召群臣宴会，一定要大臣们喝个烂醉如泥才肯罢休，不喝醉就是抗旨。每次宴会，孙皓都要派10个亲近宦官在一旁监督，原来他相信“酒后吐真言”，散席之后，让这些监督的宦官把大臣们在酒席上说的话搜集起来向他汇报，以此定忠奸。有一次，孙皓见大臣王蕃醉酒后伏在案上，便怀疑他是故意装醉。因王蕃为人正直，不会逢迎，孙皓早就对他怀有成见，便立即决定以王蕃装醉为借口除掉他，下令刀斧手将王蕃当场斩于殿下。然后，将王蕃的人头扔下山谷，让虎狼撕咬。东吴学者韦昭领衔修国史《吴书》，孙皓亲自召见韦昭，要求在《吴书》中将他父亲孙和列为本纪。韦昭认为孙和是废太子，没有当过皇帝，只能入列传。孙皓听了极端不高兴，不久，孙皓再次宴请群臣，韦昭不胜酒力，最后以茶代酒，孙皓发现后逼其强喝，韦昭实在喝不下去了，孙皓便以抗旨为由将其打入监狱然后杀掉。

孙皓还有许多古怪毛病，比如不许大臣正眼看他。他嫉妒心极强，大臣中凡是能力水平超过他的，必除之而后快。侍中、中书令张尚口齿伶俐，能言善辩，常常说得孙皓哑口无言，孙皓恨之入骨，很快就找了个借口将张尚杀了。孙皓还发明了剥人面、挖双眼、刖人足以及用烧红的铁锯锯人头等惨无人道的酷刑。

孙皓在杀戮贤能大臣的同时，宠信卑鄙谄媚的小人。内侍何空知道孙皓喜欢吃兔子肉，就让军队将领献出上等猎犬，每只猎犬配一名士兵，专门为孙皓捕兔。孙

皓认为何空对自己忠心，赐他为侯爵。后来，又宠信奸佞岑昏，朝政更加乌烟瘴气。

右丞相陆凯一再上疏规劝，他在一封上疏中说："自顷年以来，君威伤于桀纣，君明暗于奸雄，君惠闭于群孽。无灾而民命尽，无为而国财空，辜无罪，赏无功，使君有谬误之愆，天为作妖。而诸公卿媚上以求爱，困民以求饶，导君于不义，败政于淫俗，臣窃为痛心。"（《三国志·吴书·陆凯传》）言者谆谆，听者藐藐。孙皓将大臣的泣血忠告一律当成了耳边风，置之不理。

中书令领太子太傅贺邵在上疏中直言不讳地指出："自顷年以来，朝列纷错，真伪相贸，上下空任，文武旷位。外无山岳之镇，内无拾遗之臣。佞谀之徒拊翼天飞，干弄朝威，盗窃荣利，而忠良排坠，信臣被害。是以正士摧方，而庸臣苟媚。先意承旨，各希时趣，人执反理之评，士吐诡道之论，遂使清流变浊，忠臣结舌……自登位以来，法禁转苛，赋调益繁。中宫内竖，分布州郡，横兴事役，竞造奸利。百姓罹杼轴之困，黎民罢无已之求，老幼饥寒，家户菜色，而所在长吏，迫畏罪负，严法峻刑，苦民求办。是以人力不堪，家户离散，呼嗟之声，感伤和气。又江边戍兵，远当以拓土广境，近当以守界备难，宜特优育，以待有事。而征发赋调，烟至云集，衣不全裋褐，食不赡朝夕，出当锋镝之难，人抱无聊之戚。是以父子相弃，叛者成行……夫民者国之本，食者民之命也，今国无一年之储，家无经月之蓄，而后宫之中坐食者万有余人。内有离旷之怨，

外有损耗之费，使库廪空于无用，士民饥于糟糠。”贺邵在上疏中向孙皓明确要求：“愿陛下宽赋除烦，赈恤穷乏，省诸不急，荡禁约法，则海内乐业，大化普洽。”（《三国志·吴书·贺邵传》）对于大臣们的苦口规劝，孙皓一概听不进去，而且找借口将贺邵杀害，其目的是杀鸡儆猴，堵住大家的嘴巴。

西晋咸宁五年（279），益州刺史王濬上疏晋武帝司马炎：“孙皓荒淫凶逆，宜速征伐。若一旦皓死，更立贤王，则强敌也，愿陛下勿失事机。”（《资治通鉴》卷八十）同年冬，西晋出动20多万大军，由贾充统一指挥，讨伐东吴，沿长江分六路进攻：一路由镇军将军琅琊王司马伷指挥出涂中（今安徽滁县），一路由安东将军王浑指挥出江西（今安徽和县一带），一路由建威将军王戎指挥出武昌（今湖北鄂城），一路由平西将军胡奋指挥出夏口（今湖北汉口），一路由镇南大将军杜预指挥出江陵（今湖北江陵），一路由龙骧将军王濬指挥，顺长江而下。六路大军一齐发动，东吴防线迅速崩溃。孙皓命令将领去前线抵抗，将领们气愤地说：“我们流血拼命，奸贼岑昏，却在那里溜须拍马，享尽荣华富贵，人心不服，将士谁还有斗志？”孙皓听了，自言自语地说：“如果真是这样，为了保住江山，只有拿这个奴才来谢天下了！”将领们得令立即呼喊着去捉拿岑昏，但孙皓转念一想，杀了这个奴才，以后就没有人陪他饮酒作乐了，于是立即派人去传令制止，但令到之时，岑昏已被将领们“屠之也”。

280年春，西晋大军攻入建业，将领有的战死，有的投降，孙皓见大势已去，为了活命，便采纳中书令胡冲的建议，仿效西蜀后主刘禅，带着东吴的户籍图册，率领残存的文武百官出城向王濬投降。东吴自此灭亡，结束了60年三国鼎立的历史。

孙皓全家随即被军队押送到了西晋都城洛阳。晋武帝赐封孙皓为归命侯，并给予优待。诏书说：“孙皓穷迫归降，前诏待之以不死，今皓垂至，意犹愍之，其

赐号为归命侯。进给衣服车乘，田三十顷，岁给谷五千斛，钱五十万，绢五百匹，绵五百斤。”此外，孙皓太子孙瑾拜中郎，诸子为王者，拜郎中。西晋太康五年（284），孙皓死于洛阳，年仅 42 岁。据传，是被司马炎赐的毒酒毒死的。

阅读链接：

白寿彝主编：《中国通史》（第八卷），上海人民出版社，1997 年版。

（西晋）陈寿：《三国志·吴书》，中华书局，1959 年版。

江左诸帝，号为最贤

——南陈开国皇帝陈霸先

陈霸先（503—559）是南朝最后一个王朝——陈朝的开国皇帝，史称陈武帝。在唐朝著名画家阎立本所绘《历代帝王图》系列陈武帝像上，有这样的题赞文字："独运英谋，临危制胜；受梁之禅，宽简为政"。这16个字似乎可以看作是对陈武帝一生事功的高度概括。

独运英谋，临危制胜

陈霸先远祖是东汉末年曾任太丘县令的陈寔，世居颍川许县（今河南许昌东）。陈霸先十世祖陈达，于西晋永嘉年间随王室渡长江南迁，出任长城县（今长兴县）县令，其后代遂落籍于此。据说，陈达定居长兴时，曾预言："此地山川秀丽，当有王者兴。二百年后，我子孙必钟斯运。"果如其言，陈达第十代孙陈霸先成了真龙天子。

陈霸先像

正史称陈霸先身长七尺五寸，日角龙颜，垂手过膝。"少倜傥有大志，不治生产。既长，读兵书，多武艺，明达果断，为当时所推服”。堪称是文武全才的陈霸先，在历史上留下了“从村官到皇帝”的传奇人生。

起初，陈霸先在家乡任小吏，后到梁朝京师建康（今江苏南京）做一个看守油库的小吏。后由人推荐到梁武帝侄子萧暎侯府任幕僚。梁朝大同六年（540），萧暎到广州任刺史，陈霸先随同前往，先后任参军、西江督护、高要太守等职。大同十年（544）五月，新州刺史卢子雄所部旧将周文育、杜僧明等率领数万军队发动哗变，攻打广州城，准备活捉萧暎等朝廷大官。陈霸先在高要得到告急的消息，立即率领三千精兵，火速救援广州，一战而解广州之围。此战充分显示了陈霸先的军事才能，梁武帝还特派画师前往广州，为陈霸先画像，以示嘉奖。

大同十年（1544）冬，萧暎在广州病故。不久，梁武帝任命陈霸先为交州（今越南境内）司马领武平太守，令他随新任交州刺史杨瞟前往交州讨伐反叛的李贲。陈霸先随杨瞟率领的征讨大军于大同十一年（545）十二月抵达交州。经过 3 年苦战，终于打败以李贲为首的分裂势力。

梁太清二年（548），陈霸先任振远将军、西江督护、高要太守，督七郡诸军事。同年八月，梁朝河南王、大将军、都督河南北诸军事的侯景勾结废太子萧正德发动叛乱，史称侯景之乱。

侯景之乱发生后，广州刺史元景仲（本是北魏降将）受侯景勾引，准备举兵响应，陈霸先当机立断，举兵对抗，元景仲被击败后自缢身亡。陈霸先迎梁朝宗室、曲江侯萧勃镇守广州，

后奉萧勃之命平定始兴（今广东韶关附近）等郡叛乱，大军移镇始兴。

同年底，陈霸先投靠梁武帝第七子、湘东王萧绎，被任命为明威将军、交州刺史。此后，在近一年半时间里，陈霸先与响应侯景的高州刺史李迁仕在南康一带展开了拉锯战，最终将李迁仕斩杀。

大宝二年（551）十月，侯景杀梁简文帝萧纲，十一月自立为汉皇帝。湘东王萧绎任命大将军王僧辩率领大军东下征讨侯景，陈霸先率领所部精兵三万人助王僧辩，两路大军在九江会合，然后乘船东下，在芜湖击败侯景部将侯子鉴，随后，又在姑孰一带长江江面大败侯景叛军。随后，王僧辩与陈霸先两军兵临建康城下，很快击败侯景叛军，侯景见大势已去，用皮口袋装着两个年幼的儿子挂在自己坐骑旁，逃出建康城，后在松江（吴淞江）被王僧辩所部追上，侯景慌乱之中将两个儿子推入水中，自己与心腹数十人乘船企图逃入东海，结果被部将杀害。至此，历时近四年、惨绝人寰的侯景之乱才被彻底平息下去。

梁承圣四年（555）二月，因梁文帝被西魏俘虏，王僧辩与陈霸先商量后，决定将梁文帝之子萧方智迎接到建康准备立为皇帝。恰在此时，在北伐中被俘的萧渊明被北齐送还，王僧辩于七月改立萧渊明为帝，立萧方智为太子，王僧辩自封为大司马，左右朝政。陈霸先在平息侯景之乱过程中，与王僧辩有同等功劳，对王僧辩独揽朝政、擅作主张很不满，遂于同年九月从京口（今江苏镇江）举兵攻入建康，杀王僧辩，废萧渊明，立萧方智为帝，是为梁敬帝。

受梁之禅，宽简为政

陈霸先立梁敬帝后，自任大都督，总揽梁朝军国大事。太平二年（557），梁敬帝被迫禅让，陈霸先称帝，建立陈朝。次年，将16岁的废帝萧方智杀害。有学者认为，陈霸先称帝，实际上是受命于危难之际，攘臂于无望之时。《梁书》称陈霸先取代梁朝，

“保中国之遗民，延数十年以待隋之一统，则功亦伟矣哉”。

陈朝建立后，梁朝的残余势力以及在梁末大乱中乘机割据一方的势力，不断起来反抗。陈霸先继续发挥他的军事才能，东征西讨，没有过几天安宁日子。陈霸先生前没有能够完成陈朝内部的统一，直到他的继承人陈文帝平定盘踞湘、鄂地区的王琳，才基本上完成了长江以南的统一。

永定三年（559），陈霸先病故，在位仅三年。但他任贤使能，政治相对清明，为其继承人打下了比较好的基础。陈文帝也是一个有作为的皇帝，励精图治，经济上注意发展农业生产，使国力逐渐强盛起来。到陈宣帝时，为了实现陈霸先的统一遗愿，兴兵北伐，战败北齐，拥有了淮南之地，将陈朝推上了鼎盛时期。

历代正史都对陈霸先给予了较高的评价。《陈书·本纪》对陈霸先的评价是：“高祖智以绥物，武以宁乱，英谋独运，人皆莫及，故能征伐四克，靖难夷凶。至升大麓之日，居阿衡之任，恒崇宽政，爱育为本。有须发调军储，皆出于事不可息。加以俭素自率，常膳不过数品，私飨曲宴，皆瓦器蚌盘，肴核庶羞，裁令充足而已，不为虚费。初平侯景，及立绍泰，子女玉帛，皆班将士。其充闱房者，衣不重彩，饰无金翠，歌钟女乐，不列于前。及乎践祚，弥厉恭俭。故隆功茂德，光有天下焉。”

唐朝史学家李延寿编的《南史》称赞陈霸先：“帝雄武多英略，性甚仁爱。及居阿衡，恒崇宽简。雅尚俭素，常膳不过数品。私飨曲宴，皆瓦器蚌盘，肴核庶羞，裁令充足，不为虚费。初平侯景，及立敬帝，子女玉帛皆班将士。其充闱房者，衣不

重彩，饰无金翠，声乐不列于前。践祚之后，弥厉恭俭。故能隆功茂德，光于江左云。”

明代文学家归有光称颂陈霸先：“恭俭勤劳，志度弘远。江左诸帝，号为最贤。赫然陈祖，大业光灿。寂寞沛乡，吾兹感叹。”

陈霸先是中国古代杰出的政治家和军事家。没有陈霸先，中国南方势必分崩离析，中华民族将受到更大的摧残。新中国成立后，毛泽东主席曾经要求党的高级干部读读《陈书》，了解陈霸先的身世经历。

阅读链接：

谢文柏主编：《陈霸先研究文集》，2003年编印。

白寿彝主编：《中国通史》（第八卷），上海人民出版社，1997年版。

（唐）姚思廉：《陈书》，中华书局，1972年版。

留得后庭亡国曲，至今犹与酒家吹

——陈叔宝荒淫亡国

椒宫荒宴竟无疑，倏忽山河尽入隋。

留得后庭亡国曲，至今犹与酒家吹。

这是唐朝诗人汪遵写的《陈宫》，这是一首咏叹陈朝后主荒淫亡国悲剧的七绝。诗的意思是说，陈叔宝荒淫无度，江山很快归入隋朝的版图，只留下他创作的《玉树后庭花》亡国曲，至今仍在为酒家的歌女们吹拉弹唱。

这位给后世留下亡国曲的陈后主，名叫陈叔宝（553—604），字元秀，小字黄奴，陈朝宣帝陈顼的嫡长子，582 年陈宣帝病死，陈叔宝即位，是陈朝的第五位皇帝，也是陈朝的最后一位皇帝，在位七年（582—589），史称陈后主。

陈叔宝做了皇帝以后，立即露出荒淫本色。陈朝自武帝开国以来，内廷陈设很简朴，陈叔宝嫌其简陋，不能作为藏娇之金屋，于是大兴土木，在光昭殿前面，建造临春、结绮、望仙三阁，各高数十丈，连绵数里。所有的窗牖墙壁栏槛，都是以珍稀名贵的檀木制作，再以金玉珠翠等装饰。门口垂着珍珠帘，

陈叔宝像

里面设有宝床宝帐。服玩珍奇，器物瑰丽，皆近古未有，穷土木之奇，极人工之巧。三大阁的下面积石为山，引水为池，植以奇树名花。每当微风吹过，数里之外也能闻到浓烈的香气。陈叔宝自居临春阁，张贵妃居结绮阁，龚、孔二贵嫔居望仙阁，三大阁之间有复道连接，王、季二美人，张、薛二淑媛，袁昭仪、何婕妤、江修容等才色美女轮流召幸，得游其上。

陈叔宝小有才，好诗文，喜舞文弄墨，于是在他周围聚集了一批略有文才且擅长献媚的奸佞大臣。江总“能属文，于七言、五言尤善”，陈叔宝任命他为尚书仆射（即宰辅），但这位宰辅大臣无心于政务，整天带着都官尚书孔范、散骑常侍王股及一批文士与陈叔宝“游宴后庭”，人称江总等人为“狎客”。陈叔宝还赐封十几个才色兼备、通翰墨会诗歌的宫女为“女学士”。才有余而色不及的，封为“女校书”，供笔墨之职。每次宴会，妃嫔群集，诸妃嫔及女学士、狎客杂坐联吟，互相赠答，飞觞醉月，大多是靡靡的曼词艳语。文思迟缓者则被罚酒，最后挑选那些辞藻特别艳丽的诗词，如“壁户夜夜满，琼树朝朝新”之类的谱上曲，令宫女们学习传唱。君臣酣歌，连夕达旦，并以此为常。陈叔宝御制的有《玉树后庭花》《临春乐》等。《玉树后庭花》词：“丽宇芳林对高阁，新装艳质本倾城。映户凝娇乍不进，出帷含态笑相迎。妖姬脸似花含露，玉树流光照后庭。花开花落不长久，落红满地归寂中！”“玉树后庭花，花开不长久”成为千古流传

的亡国之音。

在上述妃嫔中，陈叔宝最宠爱的是张贵妃。张贵妃名丽华，初为龚贵嫔的侍儿，后为陈叔宝见到，一见钟情，陈叔宝即位后立即册封张丽华为贵妃，对她宠爱到了无以复加的地步，后来政事也是两人共同裁决，导致朝纲大乱。

《陈书·张贵妃传》载："张贵妃发长七尺，鬒黑如漆，其光可鉴。特聪惠，有神采，进止闲暇，容色端丽。每瞻视盼睐，光采溢目，照映左右。常于阁上靓妆，临于轩槛，宫中遥望，飘若神仙。才辩强记，善候人主颜色。是时，后主怠于政事，百司启奏，并因宦者蔡脱儿、李善度进请，后主置张贵妃于膝上共决之。李、蔡所不能记者，贵妃并为条疏，无所遗脱。由是益加宠异，冠绝后庭。而后宫之家，不遵法度，有挂于理者，但求哀于贵妃，贵妃则令李、蔡先启其事，而后从容为言之。大臣有不从者，亦因而谮之，所言无不听。于是张、孔之势熏灼四方，大臣执政，亦从风而靡。阉宦便佞之徒，内外交结，转相引进，贿赂公行，赏罚无常，纲纪瞀乱矣。"

孔范是一个有心计的奸佞，他别有用心地对陈叔宝说："外间诸将，起自行伍，不过一匹夫耳！岂能指望他们有深谋远虑？"听了孔范的谗言，带兵的将帅只要稍微有点过失，陈叔宝就剥夺他们的兵权，安排刀笔之吏去接掌，致使统兵将帅寒心，军纪废弛，军队的战斗力成了大问题。

上梁不正下梁歪！陈叔宝荒淫昏聩，陈朝的政治就不堪问了。大小官吏以"刻削百姓为事"，聚敛无度，每年官吏从全

国搜括来的财富超过正常赋税标准的数十倍，全国老百姓“资产俱竭”。此外，还有繁重的徭役，老百姓“身充苦役，至死不归”。

秘书监、右卫将军兼中书通事舍人傅縡“负才使气”，被奸佞施文庆、沈客卿等构陷下狱，傅縡在狱中上书陈叔宝，直言陈朝政治的弊端：“夫君人者，恭事上帝，子爱下民，省嗜欲，远谄佞，未明求衣，日旰忘食，是以泽被区宇，庆流子孙。陛下顷来酒色过度，不虔郊庙之神，专媚淫昏之鬼。小人在侧，宦竖弄权，恶忠直若仇雠，视生民如草芥。后宫曳绮绣，厩马余菽粟，百姓流离，僵尸蔽野。货贿公行，帑藏损耗，神怒民怨，众叛亲离。恐东南王气，自斯而尽。”忠言逆耳，陈叔宝一怒之下将他赐死狱中。

陈朝日趋腐败沉沦，而北方隋朝的国力却在隋文帝励精图治之下蒸蒸日上。灭掉腐败的陈朝、统一全国已是势之必然。于是，隋文帝下令大造战船，随时准备大举渡江南下。尽管隋朝已经磨刀霍霍，陈朝依旧是歌舞升平。陈叔宝到后来又迷信起佛来，整天疑神疑鬼，忽而将自己卖入佛寺为奴，忽而又在建康造大皇寺，建七级浮图。吴兴（今浙江湖州市）籍的章华见陈朝已经是危在旦夕，忍不住上疏规劝陈叔宝：“陛下即位，于今五年，不思先帝之艰难，不知天命之可畏，溺于酒色，祠七庙而不出，拜妃嫔而临轩，老臣宿将，弃之草莽，谄佞谗邪，升之朝廷。今疆埸日蹙，隋军压境，陛下如不改弦易张，臣见麋鹿复游于姑苏台矣！”恼羞成怒的陈叔宝又把章华给杀了。

面对隋朝随时可能发动的进攻，陈叔宝一直以为长江天堑可以凭借。他说：“江南是福地。过去北齐打过来三次，北周打过来两次，都没占到什么便宜。这次隋朝的兵马打来，也不过是虚张声势，有什么可怕的呢？”

隋文帝开皇八年（588）三月，隋文帝正式下诏讨伐陈朝，诏书云：“（陈叔宝）据手掌之地，恣溪壑之险，劫夺闾阎，资产俱竭。驱逼内外，劳役弗已。征责女子，

阅读链接：
（陈）陈叔宝撰，（明）张燮编纂：《陈后主集》，中州古籍出版社，1997 年版。
金彩善、周淑舫：《陈后主叔宝传》，吉林人民出版社，1997 年版。
白寿彝主编：《中国通史》（第八卷），上海人民出版社，1997 年版。

擅造宫室，日增月益，止足无期？帷薄嫔嫱，有逾万数。宝衣玉食，穷奢极侈，淫声乐饮，俾昼作夜。斩直言之客，灭无罪之家，剖人之肝，分人之血。欺天造恶，祭鬼求恩。歌舞衢路，酣醉宫阃。盛粉黛而执干戈，曳罗绮而呼警跸，跃马振策，从旦至昏，无所经营，驰走不息。负甲持仗，随逐徒行，追而不及，即加罪谴。自古昏乱，罕或能比。”诏书称出师目的是“永清吴、越”。

隋文帝在诏书中历数陈叔宝 20 条大罪，并下令将诏书书写 30 万份，遍告天下。这时，有人提醒隋文帝军事行动宜保守秘密，不必如此张扬。隋文帝说：“吾将显行天诛，何密之有？”随后，隋文帝命晋王杨广、秦王杨俊、清河公杨素为行军元帅，总管韩擒虎、贺若弼等，统兵 51.8 万人，大张旗鼓分道直取江南。

隋文帝开皇九年（589）正月一日，陈叔宝与妃嫔、大臣宴游后，一直昏睡到黄昏。就在这一天，韩擒虎、贺若弼等指挥的隋朝大军渡过长江，直指石头城。二十日，隋军攻入石头城，无处可逃的陈叔宝带着张丽华、孔贵嫔两个最宠爱的妃嫔躲进了宫内的一口枯井中。隋兵入宫，执内侍问陈叔宝藏到哪里去了。内侍指了一下枯井。隋军官兵见枯井里面漆黑一团，呼之不应，便从上面往下扔石头，才听到里面有求饶的声音。用绳子拉上来，士兵奇怪怎么这么重，本来以为是陈叔宝体胖，出来后才发现他与张丽华、孔贵嫔 3 个人合抱在一起。据说 3 个人被提上来时，张丽华脸上浓厚鲜艳的胭脂蹭在井沿上，后人就把这口井称为“胭脂井”。

陈朝灭亡，陈朝的 30 州、100 郡、400 县全部纳入隋朝版图，分裂了 270 余年的中国重新统一。

陈叔宝与皇室成员作为俘虏，随后被押送到了长安，受到隋文帝的优待。除了优厚的赏赐，还令他以三品大员的身份参加朝见，每次朝宴，隋文帝特别招呼不要演奏陈朝的音乐，以免陈叔宝听了伤心难过。有人建议任命陈叔宝为令史，隋文帝说："叔宝昏醉，宁堪驱使？"陈叔宝于是主动向隋文帝索官，隋文帝背后说："叔宝全无心肝！"后来，奉命监视者报告隋文帝："叔宝常耽醉，罕有醒时。"隋文帝问："每天喝多少酒？"答："与其子弟日饮一石。"隋文帝大吃一惊，立即提出要陈叔宝减少酒量，但转念一想，又说："随他去吧！不然，他何以过日子啊！"隋仁寿四年（604），陈叔宝死于洛阳，时年 52 岁。死后被追赠大将军、长城县公，追谥炀。

对于陈叔宝一生的遭际，唐朝历史学家姚思廉感叹道："后主生深宫之中，长妇人之手，既属邦国殄瘁，不知稼穑艰难。初惧阽危，屡有哀矜之诏，后稍安集，复扇淫侈之风。宾礼诸公，唯寄情于文酒；昵近群小，皆委之以衡轴。谋谟所及，遂无骨鲠之臣；权要所在，莫匪侵渔之吏。政刑日紊，尸素盈朝，耽荒为长夜之饮，嬖宠同艳妻之孽，危亡弗恤，上下相蒙，众叛亲离，临机不寤，自投于井，冀以苟生。视其以此求全，抑亦民斯下矣。"姚思廉进而发挥说："古人有言，亡国之主，多有才艺。考之梁、陈及隋，信非虚论。然则不崇教义之本，偏尚淫丽之文，徒长浇伪之风，无救乱亡之祸矣！"陈叔宝荒淫亡国，陈叔宝与张丽华就成为后世文人墨客歌咏议论的好材料，历代诗咏不断。"烟笼寒水月笼沙，夜泊秦淮近酒家。商女不知亡国恨，隔江犹唱后庭花。"自此，陈后主成了亡国君主的代名词，而他创作的《玉树后庭花》就成了亡国之音的代名词。

尽道隋亡为此河，至今千里赖通波

——隋炀帝开凿大运河的是与非

京杭大运河与浙江海塘，可以说是浙江古代历史上的两个特大工程。京杭大运河对于浙江、对于全国的意义与价值，无论怎样评价都不过分。但开凿京杭大运河的隋炀帝千百年来仍然是一个被全盘妖魔化的人物，有必要还其本来面目，还历史一个公道。

隋炀帝杨广（569—618），隋朝开国皇帝隋文帝杨坚次子。开皇元年（581），13岁的杨广封晋王，任并州（今山西太原）总管。次年，任河北道行台尚书令。开皇六年（586），任雍州牧、内史令。开皇八年（588），任淮南道行台尚书令。开皇九年（589）后，历任太尉、并州总管、扬州总管、武侯大将军等职。开皇二十年（600），太子杨勇被废，杨广被立为太子。隋文帝仁寿四年（604）七月，发动兵变，杀死父亲隋文帝和长兄杨勇，登上帝王宝座，次年改元大业，在位共14年（604—618）。

综观隋炀帝一生的作为，可以说是中国历史上少有的雄才大略、有作为的君主之一。正如当时有人指出的："混一南北，

炀帝之才，实高群下。”隋炀帝在政治、军事、经济、文化、教育等多方面都有建树，建树最大的有以下两个方面：

第一，开疆拓土，为隋唐大一统中华帝国的形成奠定了基础。

隋炀帝文武双全，是卓越的军事家、战略家。隋文帝开皇八年（588），时为晋王的杨广任淮南道行台省尚书令，主持讨伐陈朝。开皇九年（589）以晋王兼行军元帅名义，指挥51.8万大军攻克建康（今江苏南京），灭亡陈朝，结束了中国200多年南北分裂的局面。灭亡陈朝后，杨广“封府库，资财无所取，天下称贤”。

隋文帝杨坚像

开皇二十年(600),再次任行军元帅，指挥隋朝大军击败西突厥。经过多年征讨，北方突厥分裂为东、西两部分，隋朝的北方边界延伸至五原郡（今内蒙古后套一带）。

隋炀帝大业元年（605），令突厥兵进击侵扰营州（今辽宁朝阳一带）的契丹，加强了东北边防。

大业三年（607），隋炀帝北巡榆林（今陕西榆林），威震北部突厥。

大业四年（608），派遣大军击败吐谷浑。在东起青海湖东岸，西至塔里木盆地，北起库鲁克塔格山脉，南至昆仑山脉的广大地区实行郡县制度管理，使之正式归入

中国版图。

大业五年（609），隋炀帝率大军从京都长安（今陕西西安）浩浩荡荡出发到陇西，西上青海，横穿祁连山，到达河西走廊的张掖郡。隋炀帝西巡过程中置西海、河源、鄯善、且末四郡，进一步促成了甘肃、青海、新疆等大西北成为中国不可分割的一部分。隋炀帝到达张掖后，西域27国君主与使臣纷纷前来朝觐，表示臣服。各国商人也都云集张掖进行贸易。隋炀帝亲自打通了丝绸之路，加强中原与西域的各个方面的联系与交往。

在南方，将海南岛分置儋耳、珠崖、临振三郡，实行有效统治。隋炀帝大业元年（605）派军进攻林邑（今越南），连战皆胜，一度占领了它的国都，林邑王逃至海上，隋朝班师后，林邑遣使通好，向中国朝贡。从大业三年（607）起，派人前往赤土（今马来西亚南部）、婆利（今北婆罗洲）、真腊（今柬埔寨）等，促进了中国与南洋各国的经济文化交流。

在东方，派遣使臣通流求（今台湾省），加强了大陆与台湾的联系。

在东北，在西晋灭亡以后，朝鲜半岛北部的高丽乘机入据辽东，并一度侵扰辽西。为恢复辽东故地，隋炀帝于大业八年（612）、九年（613）、十年（614）连续三次出兵征讨高丽，这三次东征，胜败参半，没有完全达到预定的目的。

第二，开凿大运河，泽被万世。

隋炀帝另一项功业，就是修建畅通全国东西南北的大命脉——大运河。

隋炀帝杨广像

从大业元年（605）至大业六年（610），隋炀帝征发数百万士兵和夫役，在前人的基础上，开凿了以洛阳为中心，贯通全国东西南北的水运体系，总长度达2700余千米，其中纵贯南北的京杭大运河从北方的涿郡（今北京）到达南方的余杭（今杭州），长度为1794千米，运河水面宽30～70米，它将钱塘江、长江、淮河、黄河、海河五大流域连接起来，是世界上独一无二的巨大水利工程。开凿时，巧妙地借用了不少天然河道和古代运河故道，并且在勘察设计、节制水量、平衡水位等方面，都表现出高超的科学水平。大运河与长城是中国历史上两个超级浩大的工程。大运河不仅加强了隋王朝对南方的军事与政治统治，而且使南方丰富的物资能够源源不断地运达当时的政治中心——长安、洛阳，南北方的经济、文化交流得到了有力的加强。大运河使黄河流域、长江流域逐渐成为一体，其政治、军事、经济、文化上的意义都是巨大的，可以说泽被万世。

唐代诗人皮日休在《汴河怀古》诗中写道："尽道隋亡为此河，至今千里赖通波。若无水殿龙舟事，共禹论功不较多。"皮日休在诗中肯定了隋炀帝修大运河的历史功绩，认为他的功绩与大禹几乎不相上下。笔者认为，皮日休虽然是诗人，却颇有

阅读链接：

袁刚：《隋炀帝传》，人民出版社，2001年版。

刘善龄：《细说隋炀帝》，上海人民出版社，2005年版。

陈鹤琴、陈选善：《隋炀帝开运河》，世界书局，1943年版。

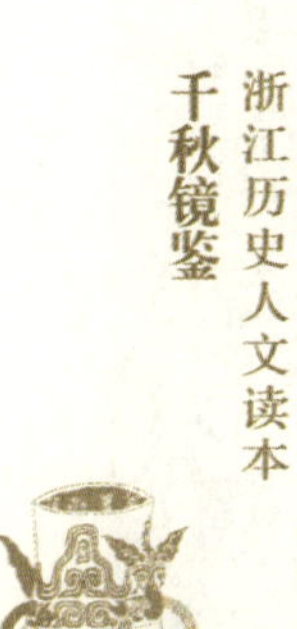

历史眼光，他的评价是中肯的。

史书记载，隋炀帝自年轻起就"慨然慕秦（始）皇、汉武（帝）之事"。遗憾的是，一心想建立丰功伟业的隋炀帝却因此而陷入了急功近利、好大喜功、不恤民力甚至残民以逞的黑暗泥潭。连年的战争及修建东都洛阳、开凿大运河等巨大工程，导致老百姓兵役、力役、徭役及赋税负担异常繁重，形成"天下死于役，而家伤于财"的悲惨局面。仅以开凿大运河为例，隋炀帝派遣酷吏麻叔谋主持，强制天下15岁以上的男丁都要服役，共征发360余万人。同时规定每5家抽1人，担负供应民工伙食的任务。隋炀帝派5万名彪形大汉，各执刑杖，担任督促民工劳动的监工。不到一年，360余万民工竟有250万人惨死于工地。"炀帝开河鬼亦悲，生民不独力空疲。至今呜咽东流水，似向清平怨昔时。"唐朝诗人罗邺的诗正是这种悲惨局面的写照。

"拒谏劳兵作祸基，穷奢极武向戎夷。兆人疲弊不堪命，天下嗷嗷新主资。"不堪重负的农民与不满的士兵纷纷发动起义，点燃了灭亡隋王朝的星星之火。大业十四年（618）三月，隋炀帝在他喜爱的扬州被叛将勒死，历时38年的隋王朝也随之覆灭了。

一代有作为的君主最终以身死国亡的悲剧收场，所留下的历史教训是十分深刻的。

上利于国，下利于民

——王叔文与永贞革新

唐永贞元年（805），在皇帝宝座上仅 7 个月的唐顺宗起用以王叔文为首的革新集团，发动了一场历时仅 146 天的改革，史称“永贞革新”。

王叔文（753—806），唐代越州山阴县（今绍兴市）人。他出生在当地一个小官吏家庭。曾任苏州司功，后担任唐德宗太子李诵的侍读 18 年。在众多侍读中，王叔文显得很有政治头脑，富有政治谋略和智慧。有一次，太子李诵与众侍读在一起议论朝政及宫市之弊端，唐王朝经过安史之乱后朝政已经十分腐败，因此众人皆高谈阔论，义愤填膺，说得连太子也兴奋起来，说：“寡人见上，将极言之！”大家纷纷表示赞成太子向皇上进言，独王叔文站立一旁沉默不语，李诵感到大为不解，当众人退去后，让王叔文一人留下，询问刚才为何一言不发。王叔文解释说：“殿下身为太子向皇上进言，对皇上（指李诵的父亲、德宗李适）但当侍膳问安，不宜公开谈论外事。况且陛下在位已久，如果小人乘机离间，说殿下收买人心，试问陛以何以自解？”一席话说得李诵如梦初醒，十分感激地说：“非先生不闻此言！”从此，李诵更加信赖王叔文，把他当成自己最重要的政治谋士与军师，事无巨细，都要与他商议。

王叔文希望太子李诵登基后辅佐他改革唐王朝已经极端腐败的朝政，为此，他广泛结交各方人才，先后物色到王伾、柳宗元、刘禹锡、韩泰、韩晔、陈谏、凌准、程异、韦执谊等，连同王叔文在内，后来被称为“二王八司马”，形成“影子内阁”，只等太子登基，他们就是新皇倚重的中坚力量。

唐贞元二十一年（805）正月，做了21年皇帝的德宗病死，太子李诵即位，是为顺宗，改年号为永贞。不幸的是，李诵在即位前不久发生中风瘫痪症，不能言语，也不能坐朝，只能深居后宫中，政令由宠妃牛昭容（人称牛美人）和宦官李忠言传达。

永贞元年（805）二月，唐顺宗任命王叔文为起居舍人、翰林学士。唐代翰林学士为内朝职务，属皇帝近臣，王叔文以此掌握朝政，人称“内相”。此前，由王叔文推荐的原吏部郎中韦执谊已被顺宗任命为宰相。王伾、柳宗元、刘禹锡、韩泰、韩晔、陈谏、陆质、李景俭、凌准、程异以及吕温等同襄朝政，拉开了“永贞革新”的序幕。

王叔文改革是针对德宗朝宦官专政所造成的诸多弊政而进行的。其主要内容是：（1）罢“宫市”。所谓宫市，就是宦官到长安城东、西两个市场采购宫中需要的物资时，常常以低价强买老百姓的物资，有时宦官只用一百文钱就要从商贩手里换取价值几百、甚至几千文钱的物品，后来干脆“白望”（看中什么就拿什么），有时宦官将卖柴人的柴禾与驴强行劫走而不付一文钱。宫市成为宦官公开掠夺民间财富的手段之一，民怨极大。王叔文改革的第一步就是罢宫市，以利商业的发展与繁荣。（2）罢“五坊小儿”。五坊指宫中开设的雕坊、鹘坊、鹞坊、鹰坊、狗坊。在五坊中管事的宦官称为“五坊小儿”，

他们常借口宫中需要，敲诈百姓。例如，他们在长安城内外张网捕鸟，有时把网张在人家门口或盖在井上，不让人家出入和打水，借此勒索钱财。他们到饭铺吃饭也不给钱，有时还故意留下一筐蛇要店主喂养，直到店主给了钱，才把蛇筐带走。人们吃尽了这些人的苦头，对他们恨之入骨。王叔文在罢除宫市的同时，也罢除了这伙为非作歹的五坊小儿。（3）罢盐铁使月进钱。唐朝中后期，盐铁专卖成为朝廷最重要的收入来源，朝廷设盐铁使专营盐铁专卖事务。后来规定在正课之外，由盐铁使每月向皇帝敬送羡余钱，供皇帝私用。顺宗即位后宣布取消罢盐铁使月进钱，以减轻老百姓负担。（4）把禁闭在深宫高墙中的宫女与教坊女释放回家。仅长安安国寺就放出宫女 300 人、女妓 600 人。（5）下令免除唐德宗贞元二十一年（805）十月以前老百姓拖欠的各种税赋，共计 527000 多贯。（6）大幅降低食盐价格。（7）抑制地方藩镇势力。唐朝自安史之乱后，中央失去权威，各地节度使（即藩镇）拥兵自重，甚至割据称雄。剑南西川节度使韦皋派节度副使刘辟到长安求见王叔文，要求兼领三川（剑南东川、西川及山南西道为三川），王叔文不仅严词拒绝，而且与宰相韦执谊商量，准备处置刘辟。（8）宣布解除宦官李锜的“诸道盐铁转运使”职务，改由宰相杜佑兼任，王叔文本人任副使，实际掌握财权。

改革成败的关键是兵权。王叔文任命素负重望的老将范希朝为“左右神策军京西诸镇行营兵马节度使”，韩泰为“左右神策军行军司马”，准备从宦官首领俱文珍、刘光琦等手中夺取 15 万神策军（即禁军）的指挥权，俱文珍密令神策军将领抵制范希朝、韩泰，使他们成为光杆司令。永贞元年（805) 三月，俱文珍以突然袭击的方式宣布立李纯为太子，撤消王叔文的翰林学士（实际上是取消了他的宰相职权），调任户部侍郎。面对宦官集团的突然袭击，未掌握到军权的王叔文革新集团束手无策。接着，王叔文等人被贬逐。王叔文被贬为渝州司户，元和元年（806）被赐死。王伾被贬为开州司马，不久病死。韩泰、陈谏、柳宗元、刘禹锡、韩晔、

凌准、程异及韦执谊等八人先后被贬为边远八州司马或刺史。王叔文等人前后掌权146天，史称“永贞革新”。

王叔文领导的“永贞革新”虽然只维持了短短的146天，但仍然具有进步意义。清代学者王鸣盛《十七史商榷》一书评论说:“叔文行政，上利于国，下利于民，独不利于弄权之阉宦、跋扈之强藩。”可见，“永贞革新”的方向是正确的，也为后来的改革者提供了历史经验与教训。

阅读链接：

王义耀译注：《王叔文》，中华书局，1985年版。

白寿彝主编：《中国通史》（第九卷、第十卷），上海人民出版社，1997年版。

举荐非人，自食恶果

——褚遂良悲剧的警世意义

褚遂良像

褚遂良（596—659），钱塘（今杭州）人。父褚亮，秦王李世民文学馆十八学士之一，官至通直散骑常侍。褚遂良因为自幼接受良好的家教，博通文史，唐贞观十年（636），由秘书郎迁起居郎。以善书法，由魏徵推荐给酷爱书法的唐太宗，受到赏识，成为唐太宗近臣之一。贞观十五年（641），他劝谏太宗暂停泰山封禅。同年由起居郎升谏议大夫。

唐太宗虽然是中国历史上罕见的明君，但他在立储君的问题上举棋不定，犯了一系列致命的错误，而最后的错误则是褚遂良、长孙无忌等亲信重臣举荐非人造成的，褚遂良、长孙无忌等也因此付出了惨重的代价。

唐太宗与长孙皇后生有三子：长子李承乾、次子李泰、三子李治。初，唐太宗循立嫡长子的原则封李承乾为太子，封李泰为魏王、李治为晋王。李承乾成人后，喜声色，游猎废学，生活奢靡，与群小鬼混，唐太宗对他心生厌恶之情。而魏王李泰与其兄完全不同，自小喜好学习，不仅多才多艺，而且能够折节下士，深得大家喜爱。李泰见父亲移爱于己，遂生夺嫡之非分之想。太子李承乾眼见自己储君之

唐太宗李世民像

地位难保，遂铤而走险，企图效法其父当年的玄武门之变，联络叔父汉王李元昌，准备于贞观十七年（643）发动宫廷政变，后因政变失败，李承乾被废为庶人。

此后，魏王李泰百般邀宠，唐太宗大悦，准备立李泰为太子，但遭到褚遂良、长孙无忌等人的一致反对，他们力主立晋王李治为储君。由于大臣们的强烈反对，唐太宗在立储君的问题上思前顾后，举棋不定，内心十分痛苦。有一天，唐太宗把长孙无忌、房玄龄等重臣召入内宫，愁眉不展地对他们说："我有三子一弟，却难定储君之位，事已如此，活着还有什么意思？"说完，抽出床前挂着的佩刀准备自裁。长孙无忌等见此情形，无不惊骇万分，立即上前夺下唐太宗手里的佩刀，把他交给侍立一旁的李治。当唐太宗说出欲立晋王李治时，长孙无忌等立即跪到太宗面前说："谨奉诏，异议者斩！"太宗当即命李治拜谢舅父（长孙无忌），并加授长孙无忌太子太师、同中书门下三品。

唐太宗对李治观察一段时间后，觉得他性格过于懦弱，难以担当一国之君的重任（后来的事实证明，立李治为太子对于唐王朝来说是一个致命的错误，几乎断送了李唐王朝），唐太宗经过慎重考虑后，又想改立吴王李恪，但再次遭到长孙无忌、褚遂良等人的坚决反对，最终迫使唐太宗收回了立吴王李恪的念头。

事实上，长孙无忌力挺李治是有私心的。因为李治是唐太宗与长孙皇后之子，是长孙无忌的亲外甥，而吴王李恪则非长孙无忌的亲外甥，所以他极力举荐李治而排斥吴王李恪。褚遂良与李治虽非亲戚，但他看重的则是李治的所谓“仁恕”，遂与长孙无忌一道力挺李治，结果铸成千古遗恨。

褚遂良《伊阙佛龛碑》局部

贞观二十三年（649）五月，唐太宗临终前召褚遂良、长孙无忌到病榻前，对他们俩说：“汉武帝寄霍光，刘备托诸葛亮，朕今委卿矣。太子仁孝，其尽诚辅之。”又对侍奉在侧的太子李治说：“有无忌、遂良在，你尽管放心。”最后叮嘱褚遂良说：“我有天下，无忌力也。尔辅政，勿令谗毁者害之！”说完，太宗闭上了双眼，一代明君撒手尘寰。

太子李治登位，是为唐高宗。褚遂良与长孙无忌作为先皇指定的顾命大臣尽心辅佐李治。褚遂良被李治赐封为河南郡公，世称“褚河南”。褚遂良因辅佐李治有功，先后拜吏部尚书，同中书门下三品，加光禄大夫兼太子宾客、尚书右仆射，掌管朝政。正当褚遂良等元老得意于自己的选择时，悲剧发生了。

李治既有性格柔弱无能的一面，又有固执己见的一面，他与武媚娘（即后来的武则天）的孽缘不仅断送了褚遂良与长孙无忌等大臣，也几乎断送了李唐王朝。

武媚娘是唐太宗所封的“才人”（第五等妃嫔），李治为太子时，与在唐太宗身边侍奉的“武才人”有过近距离接触，李治暗中恋上了这个妩媚的“才人”，两人产生私情，但当时碍于唐太宗的面子，不敢过于放肆。唐太宗死后，武媚娘削发到感业寺当尼姑，但凡心未死，而李治也一直牵挂这个“才人”。李治登基不久，将武媚娘接进后宫，封为武昭仪。随着时间的流逝，对武媚娘的宠爱也越来越厉害，最后荒唐地提出要废除王皇后，立武媚娘为皇后。对此荒谬的要求，褚遂良等元老誓死反对。褚遂良说：“皇后系出名门，奉事先帝。先帝临终前，执陛下手对臣说：‘我儿与妇今付卿！’且德音在陛下耳，可遽忘之？皇后无它过，不可废！”高宗听了很不高兴，宣布退朝。

武则天像

第二天，朝廷再议废立之事，一夜未曾合眼的褚遂良决定作最后的努力。入朝后，不等高宗开口，褚遂良趋步上前，扑通跪下，泣血进忠言：“陛下定要改立皇后，请另择名门世家。武昭仪过去侍奉先帝，天下共知，而今立为当朝皇后，岂不遭后世嘲笑？”说完，褚遂良将手中的笏板放到殿阶上，口中说：“还陛下此笏，求归田里。”说完，以头叩地，流血不止。色迷心窍的唐高宗不仅不接受忠臣的泣血忠告，反而勃然大怒，命左右将褚遂良

赶出朝廷。坐在金殿后面帷帐中监听廷议的武媚娘更是怒不可遏，不禁尖声大叫："何不扑杀此獠！"

唐高宗永徽六年（655）十月，一意孤行的李治不顾朝廷大臣的誓死反对下诏废除王皇后，十一月，宣布立武媚娘为皇后。武媚娘有了皇后的名分，很快将懦弱的李治变成了自己的傀儡，凡是当初反对武媚娘为皇后的大臣都遭到血腥报复。长孙无忌以"谋反"的罪名被处死，家族受牵连。褚遂良先后被贬为潭州都督、桂州都督、爱州（今越南清化）刺史，在不断的贬斥、迁徙之中忧郁成疾。褚遂良在绝望之中，上表高宗，倾诉自己数十年来为高祖与太宗效劳，并力主高宗继位的功绩，"乞陛下哀怜"，希望能够迁回内地。但懦弱的高宗畏惧凶悍的武媚娘，一概置之不理。唐高宗显庆三年（658），63 岁的褚遂良死于爱州任所。褚遂良死后第二年，朝中奸臣许敬宗、李义府诬陷褚遂良曾煽动长孙无忌谋反，武媚娘逼迫高宗下诏，宣布削去褚遂良的官爵，并将他的两个儿子褚彦甫、褚彦冲也流放到爱州，不久惨遭杀害。对于褚遂良的悲剧，《旧唐书·宗室列传》有感而发，说："无忌、遂良忠而获罪，人皆哀之。"

唐中宗神龙元年（705），即褚遂良死后 47 年，朝廷宣布为褚遂良平反。唐玄宗天宝六年（747），褚遂良作为功臣，得以配祀于唐高宗庙中。唐德宗贞元五年（789），德宗下诏将褚遂良等人画于凌烟阁之上，以示他与唐初的开国功臣有同样的功劳。

立储君是千古之难题。褚遂良、长孙无忌等举荐非人，自食恶果，是无数历史悲剧之一。但世界上谁又生有火眼金睛，能保证看人不走眼呢？

阅读链接：

（北宋）欧阳修、宋祁：《新唐书·褚遂良传》，中华书局，1975 年版。

（后晋）刘昫等：《旧唐书·褚遂良传》，中华书局，1975 年版。

（后晋）刘昫等：《旧唐书·宗室列传》，中华书局，1975 年版。

尊奉中原，连横诸藩，对抗淮南

——钱镠与吴越国的立国国策

唐末藩镇割据称雄，唐亡以后形成五代十国大分裂、大混乱的局面。所谓五代是继承唐朝正统的、实力相对雄厚的北方（中原）大国——后梁、后唐、后晋、后汉、后周；十国就是在中国南方与北方先后建立的前蜀、后蜀、吴（南吴）、南唐、闽、楚、荆南（南平）、南汉、吴越、北汉等 10 个诸侯国。在 10 个诸侯国中，钱镠建立的吴越国统治的地区大致相当于今浙

杭州钱王祠前的功德牌坊

江省及江苏省苏州地区、上海市（崇明等岛屿除外），地盘不大，国力也不是最强的，却存在了71年，是五代十国中存在时间最长的。

吴越国第一代国王钱镠像

国力相对弱小的吴越国之所以能够长期存在，主要是吴越国的建立者钱镠根据本国的国情，确立了正确的立国之策，这就是“尊奉中原，连横诸藩，对抗淮南”。

“尊奉中原”，就是不管中原正统王朝如何变化，吴越国一律对其表示臣服，尊之为正统。钱镠是以唐朝将领身份起家的，他对唐王朝一直以忠臣自居。天复四年（904），唐昭宗李晔去世，钱镠“素服举哀于军门”。天祐四年（907），唐朝权臣朱温废哀帝，灭唐朝，建立后梁，并派使臣向各诸侯国宣谕，让他们表态站队。如何应对这一变局，对吴越来说是一次重大的考验。吴越内部一些忠于唐朝的大臣主张起兵讨贼（指朱温），而作为现实主义者的钱镠则意识到，当时吴越的心腹之患是建都江都（今江苏扬州市）、国力比自己强大的吴国（南吴）。吴越国如果拒绝向朱温称臣，失去了朱温军事上的支持，则自身的存在也成了问题。钱镠衡量利弊后决定欣然接受后梁的诏书，向后梁称臣，钱镠为此向大臣们解释说：“古人有言，屈身于陛下，是其略也。吾岂失为孙仲谋耶？”

钱镠确立的对中原正统王朝的更迭采取实用主义态度，不管是谁上台，建立什么样的王朝，吴越国都向它称臣。后唐明宗长兴三年（932），81岁高龄的钱镠去世。临死之前，钱镠告诫他的子孙：“善事中国，勿以易姓废事大之礼。”他生前还制订颁布《武肃王遗训》十条，其中第二条是：“凡中国之君，虽易异姓，宜善事之。”第三条是：“要度德量力而识时务，如遇真主，宜速归附。”钱镠及其继承者先后向

后梁、后唐、后晋、后汉、后周表示臣服，尊之为正统。

“连横诸藩”，是指与吴越国国力大小相等或者比自己弱小的、对吴越国不构成直接威胁的诸侯国，如闽、楚等实行连横政策，结成相互支持的同盟关系。特别是南方的闽国，与吴越国疆土相连，两国长期患难与共，共同对付来自吴国（南吴）的威胁。

“对抗淮南”，所谓“淮南”指的是902年杨行密建立的吴国（南吴），国都在江都（今江苏扬州），统治地区包括今江苏、安徽、江西及湖北省一部分，吴国与吴越国接壤，边界相连，而土地面积、人口都比吴越国多，国力比吴越国强，两国之间频繁发生战争，吴国成为吴越国最大的威胁。吴越国从自己的生存需要出发所确立的“尊奉中原”“连横诸藩”政策，都是为“对抗淮南”服务的。

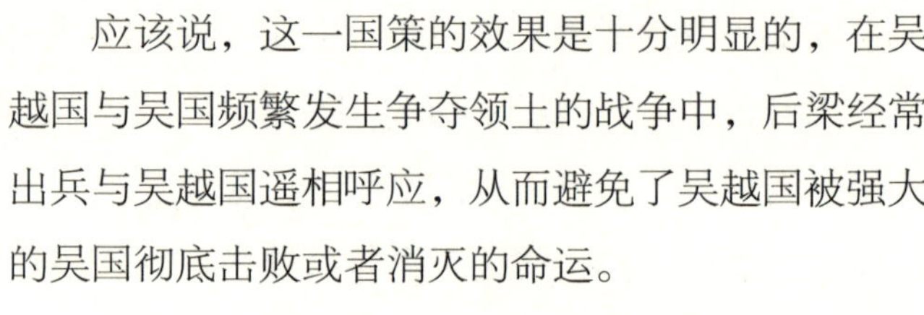

应该说，这一国策的效果是十分明显的，在吴越国与吴国频繁发生争夺领土的战争中，后梁经常出兵与吴越国遥相呼应，从而避免了吴越国被强大的吴国彻底击败或者消灭的命运。

吴越国第二代国王钱元瓘像

937年，徐知诰（后更名李昪）废吴帝，建立南唐，建都金陵（今江苏南京），史称南唐。南唐继承了吴国的国土，并且有所扩大，全盛时期疆域包括今江苏、安徽淮河以南、福建、江西、湖南及湖北东部。南唐取代吴国，成为吴越国的劲敌。在吴越国与南唐的对峙中，吴越国臣服的中原王

钱王塑像

朝——后晋、后汉、后周，仍然对南唐起着牵制作用。南唐建立后，有大臣建议李昪出兵攻打吴越国，李昪说："钱氏父子，动以奉事中国为辞，卒然犯之，其名不祥。"

吴越国的"尊奉中原"国策保证了吴越国长期立于不败之地，同时把战争引向境外，避免了吴越国统治地区遭受战火的破坏。白寿彝教授主编的《中国通史》指出："吴越采取保境安民政策……是五代十国中最为安定的地区之一，辖区内有富饶的太湖平原的大部和宁绍平原，又注意兴修水利，农业生产得到恢复与发展，手工业与对外贸易也获得较大的发展。"

但是，任何政策都是要付出代价的，这个代价就是吴越国对尊奉的中原大国负有交纳赋税及定期朝贡的义务。史载吴越

杭州钱王祠

国“时常贡奉中国不绝”，“每陈贡输，常逾亿万”。特别是北宋建立灭掉南唐后，钱俶更是“倾其国以事贡献”。巨额的朝贡、庞大的军费以及朝廷上下的奢靡风气，使支出特别浩繁，为了应付这种局面，吴越国采取重赋苛敛政策。在这种重赋苛敛下，老百姓“多裸行，或以篾竹系腰”。宋代潜说友在《咸淳临安志·贡赋》序中写道：“钱氏擅二浙时，总于货宝，夭椓其民，民免于兵革之殃，而不免于赋敛之毒，叫嚣呻吟者八十年。”

有个别学者曾经撰文，将钱氏统治下的地区描绘成经济繁荣、百姓富足安康、文化发达的王道乐土与世外桃源。但近年来历史学者严谨细致的研究表明，所谓“世外桃源”的说法是不真实的，历史还是应当回归其本来面目。

阅读链接：

何勇强：《钱氏吴越国史论稿》，浙江大学出版社，2002 年版。

白寿彝主编：《中国通史》（第九卷、第十卷），上海人民出版社，1997 年版。

李志庭：《浙江通史·隋唐五代卷》，浙江人民出版社，2005 年版。

举宗效顺，前代所无

——吴越国王钱俶纳土归朝

960年，宋太祖赵匡胤黄袍加身，取代后周皇帝恭帝柴宗训，建立宋朝（史称北宋），在安定内部后，立即凭借相对强大的军队着手消灭各地割据政权，统一全国，以结束唐末以来半个多世纪的全国分裂割据局面。

当时，各地存在的割据政权，不仅有表示臣服的南唐、吴越、泉漳、荆南、湖南；还有称帝的后蜀、南汉、北汉；此外，还有北方的辽，西北党项李氏、回鹘，以及西南大理等少数民族建立的政权。即使在汉族聚居地区，也是9国并存的局面。北宋乾德元年（963），宋太祖赵匡胤派老将慕容延钊率领大军南下，先后收复荆南、湖南两个割据政权。乾德二年（964）十一月，北宋分兵两路，一路从陕西南下，一路沿长江西上进攻后蜀，后蜀随即派兵抵抗，双方战至乾德三年（965）正月，蜀后主孟昶见大势已去，被迫向宋军投降。开宝四年（971）二月初五日，南汉后主向北宋大军投降。开宝八年十一月二十七日（976年1月1日），北宋大军

钱弘俶像

宋太祖赵匡胤像

攻克金陵，南唐后主李煜投降。

在北宋强大军队的进攻下，各地割据政权相继覆灭。何去何从？是武力抵抗，还是主动归顺？这个问题十分严肃地摆在了同样是割据政权的吴越国国王面前。

此时的吴越国王是钱俶（929—988），原名钱弘俶，吴越国第二代国王钱元瓘的第九子，948 年二月即位。北宋建立后，吴越国根据其一贯的国策，立即上表臣服，钱弘俶避宋讳去掉弘字，改名俶，仍受封为吴越王。北宋开宝七年（974）十月，宋太祖出动大军进攻南唐时，钱俶被宋太祖任命为东南面行营招抚制置使，指挥吴越国军队配合宋军主帅曹彬会攻南唐。开宝九年（976）正月，钱俶前往京师开封觐见宋太祖，备受礼遇。当时朝中大臣自宰相以下均主张扣留钱俶于开封，逼迫他纳土归顺，宋太祖没有采纳。四月，钱俶回到杭州。

半年后，宋太祖去世，其弟赵光义即位，是为宋太宗。太平兴国三年（978）二月，钱俶入京朝觐宋太宗。离开杭州前，吴越国朝廷内部有一场激烈的争论，一部分人主张钱俶主动纳土归顺，认为“大王不速纳土，祸且至”。但反对纳土归顺的居大多数，像张质、郑都官等人因反对纳土，挂冠而去。朝廷内部没有取得统一意见，最后的决策权留给了钱俶。《玉壶清话》记载：“俶最后入觐，知必不还，离杭之日，遍别先王陵庙，泣拜以辞，词曰：‘嗣孙俶不孝，不能守祭祀，又不能死社稷，今去国修觐，还

赵普像

邦未期，万一不能再扫松槚，愿王英德各遂所安，无恤坠绪。’拜讫，恸绝，几不能起，山川为之惨然。”

三月，钱俶抵达开封。在此期间抵达的还有割据福建漳州、泉州的陈洪进。四月二十五日，陈洪进主动宣布将漳、泉二州十四县献给朝廷，宋朝宰相卢多逊等也竭力劝说宋太宗扣留钱俶。但钱俶仍没有主动纳土的意图，他为了能够返回杭州，“故厚其贡奉以悦朝廷”，但未能如愿。随后，钱俶“上表乞罢所封吴越国及解天下兵马大元帅之职”，并请“求归本道”，仍然遭到宋太宗的拒绝。在这种情况下，已无退路的钱俶于五月初一日向朝廷献上所属十三州一军八十六县，延续71年的吴越国宣告结束。

钱弘俶之子钱惟演像

钱俶纳土归朝，是十分明智的抉择，于国、于民、于家有利，因而具有十分重大的历史意义。

第一，避免了吴越国遭受战争的破坏。唐末藩镇割据，造成国家长期处于大分裂大混乱的局面，人民盼望统一、和平、安宁的生活。随着宋朝的建立，统一已经是大势所趋，不可阻挡，吴越国如果兴兵抵抗，无异于以卵击石，必败无疑，而且吴越国不可避免地要遭受一次战火的破坏。和平统一后，宋太宗诏命大赦两浙各州罪犯，免除一年徭役租税，老百姓不仅没有遭受战争的伤害，而且得到了实惠。

第二，保全了吴越国钱俶家族及朝廷文武大臣的人身与财产。纳土后，钱俶本人得到“最优厚

的礼遇”，改封为淮海国王，食邑一万户，其他官衔也都保留，本人长住京师开封，奉朝请。雍熙四年（987）春，任武胜军节度使。吴越国朝廷的大臣也得到了赐封，钱惟浚被任命为淮南节度使，钱惟治为镇国节度使，钱惟演为团练使，孙承祐为泰宁节度使，崔仁冀为淮南节度副使。钱俶家族因纳土而得以保全，宋代钱氏共有进士320人。后世子孙发达，英才辈出。可以设想，假如当初钱俶兴兵抵抗，兵败之后的钱氏家族将又是怎样的悲惨结局？

第三，为国家和平统一提供了一个十分珍贵的样本。宋太宗在答复钱俶纳土归顺的诏书中高度评价此举："举宗效顺，前代所无。书之简编，永彰忠烈。”翻开中国历史，我们看到，国家统一从来都是依靠战争与武力征服，而钱俶纳土归顺，则为后代提供了一个和平统一的珍贵样本。这个特殊的案例将永远保存在中国人的记忆之中。1956年6月15日，牵挂祖国统一大业的张元济老先生写信给退居台湾的蒋介石，“请其效法钱武肃，纳土归顺。”信件全文如下："介石先生大鉴：庐山把晤，快领教言。光阴迅速，忽忽已二十余年矣。此二十余年中，公所施为受国人之嬉笑怒骂者，可谓无所不至。然弟终不愿以常人待公。今者据有台澎，指挥四方，此固足以自豪。虽然，弟窃有更进于此者，今愿为公言之。公浙人也，弟亦浙中之一老民。千百年来，我浙江有一不可磨灭之人物。伊何人欤？则钱武肃。是钱之事迹，度公亦必耳熟能详。当北宋之世，武肃据有全浙八都，军威著于一时。能默察时势，首先效顺，而炎宗统治之局，因以底定。当今之世，足以继钱武肃而起者，舍公而外，无第二人。窃于公有厚望焉！”

阅读链接：

何勇强：《钱氏吴越国史论稿》，浙江大学出版社，2002年版。

白寿彝主编：《中国通史》（第九卷、第十卷），上海人民出版社，1997年版。

李志庭：《浙江通史·隋唐五代卷》，浙江人民出版社，2005年版。

要警惕改革走样变形走向反面

——王安石变法的启示

综观中国历史上的和平改革，其初衷与出发点无疑都是好的，都是为了富国强兵，为了国家的长治久安与老百姓生活水平的提高。但令人遗憾的是，历史上的和平改革失败多而成功少，给后人留下了许多宝贵的经验教训。曾经在浙江鄞县当过知县的王安石主持的变法（又称熙宁变法），是一场旨在革除北宋建国百年来积弊的一场改革。这场改革之所以以失败而告终，笔者以为以下三点是特别需要注意的。

王安石像

第一，主持变法者急于求成，使政策走样变形。北宋熙宁二年（1069），宋神宗任命王安石为参知政事，主持变法。变法的内容包括经济、军事、科举教育等多方面。经济方面，成立制置三司条例司，统筹财政，推行均输法、青苗法、农田水利法、募役法（又称免役法）、市

易法、免行法、方田均税法等；军事方面，推行将兵法、保甲法、保马法、军器监法；科举教育方面，实行太学三舍法、贡举法，等等。上述众多的改革措施，除个别措施，王安石在担任浙江鄞县知县时试行过外，大多数是没有经过局部试验、试点而大规模地密集出台，并强制推行的。草率出台改革措施，使得原本可以在局部试行阶段发现并纠正的问题被推广到全国范围内，引起了严重的后果。许多变法措施，初衷很好，但结果不一定好，走向了自己的反面。以“青苗法”（又称常平法）来说，它的内容是在青黄不接的时候，由官府出面，将钱、粮等贷给有困难的农户，等秋季收成之后，再按半年为期，取息二分或三分收还。“青苗法”的本意是帮助困难农户度过青黄不接的饥荒，但推行的结果却与初衷相去十万八千里。如果是困难农户自愿请求官府贷钱物，还说得过去，但实际上是地方官强迫农民五家互保后再逐家派定数目，称为散青苗。因为“青苗法”同时规定要收取利息二分或者三分，这不是一般困难农户所能负担得起的。所以，地方官为了保障秋收后全部收回本息，散派的对象往往是中上之富裕家庭而非特别困难的农户。后来，不少地方为了完成放贷取息任务，硬性规定按户等级摊派，户等级高而不需要借贷的反而定的任务也高。这样一来，“青苗法”就失去了本来的意义，变成了盘剥农民的恶政，惠民根本谈不上。其他改革措施也大多有类似的问题。

第二，无视合理的批评意见，一意孤行。王安石变法，由于急于求成，推行过急，利弊互见，因此遭到了许多官员的反对，这本来是十分正常的现象。但主持变法的王安石自视过高，对反对派的意见根本听不进去，也不愿采纳。例如倡行“市易法”的魏继宗，“愤惋自陈，以谓市易主者摧固掊克，皆不如初议，都邑之人不胜其怨”。范纯仁上书宋仁宗，指责“青苗法”推行过程中“掊克财利”，违背了“尧舜知人安民之道”。司马光先后三次给王安石写信，列举新法“侵官”“生事”“征利”“拒谏”“致怨”等弊端。王安石写《答司马谏议书》回复：“如曰今日当一切不事事，

守前所为而已，则非某之所敢知。”断然拒绝了司马光的批评。王安石听不进去批评意见，一意孤行。司马光批评他“性不晓事”、“性格执拗”，王安石因此被人称为“拗相公”。他坚持“三不足”的信念，即“天变不足畏，祖宗不足法，人言不足恤”，多年以来被当作改革者勇往直前、不断革新进取的精神而加以传颂。但换一个角度看，“三不足”也就等于取消了来自天、人、历史经验等所有因素的制约，人难免会变得无所顾忌和无法无天。人一旦掌握了不受任何约束的权力，是极其危险的。曾经支持范仲淹变法的三朝宰相富弼对王安石的言论十分震惊，他批评说：“人君所畏惟天，若不畏天，何事不可为者！”

第三，在用人问题上，以赞成变法与否划线，搞清一色。王安石听不进逆耳之言，但喜欢听恭维和奉承话。在变法过程中，片面推行顺新法者升、逆新法者黜的用人政策。朝廷中凡是对新法提过意见的，不论意见有没有道理，都一律罢黜。凡是赞成变法的，不论其人动机如何、品行如何、政绩如何，都一律升迁。这种以赞成变法与否划线、搞清一色的后果是：朝廷大臣中学识渊博、道德高尚、敢于说话的名臣几乎都被罢黜，或者被赶出中央下放到地方为官，如韩琦、富弼、司马光、欧阳修、文彦博、苏轼、苏辙、沈括等。他们中有些人并不是完全反对变法，而只是对某些改革措施不满或者持保留意见，如韩琦、苏轼、沈括等。另一方面，

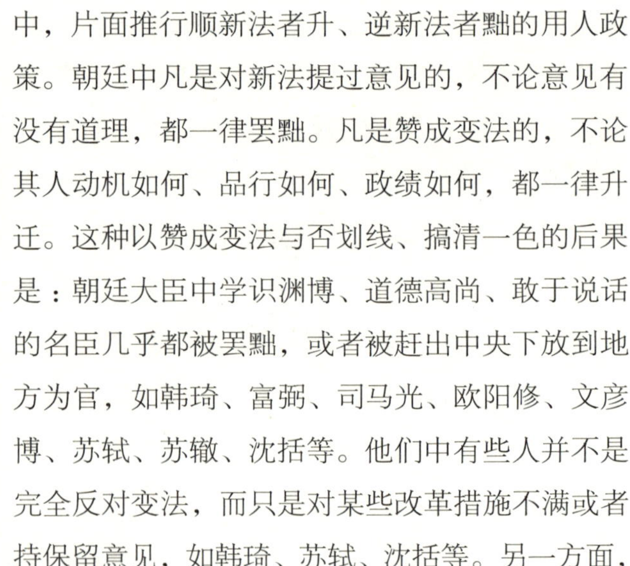

司马光像

王安石任用的改革派中混进了不少有能无德、甚至无能无德的大奸大恶分子，例如章惇、吕惠卿、李定、邓绾之流。例如王安石提拔的邓绾是标准的势利小人，“笑骂从汝，好官须我为之”的“名言”就出自他之口，也是他遵循的人生哲学。后来成为北宋亡国“六贼”之首的蔡京是王安石的亲戚（蔡京是王安石女婿蔡卞的哥哥），后来蔡京当上宰相虽然不是王安石直接推荐，但他也是以拥护变法的角色登上政治舞台的。王安石搞清一色的结果，使他只能听到阿谀奉承的一面之词，而无法根据客观情况对新法的实施进行必要的调整。同时在社会上造成了新党多是奸臣的印象，从而对新法本身也产生了怀疑，最终导致变法的失败。

王安石变法失败下台之后，他提拔的那些心术不正的人后来继续操纵朝局，他们或是贪污腐败、鱼肉百姓；或是争权夺利、互相倾轧，把北宋朝政搞得乌烟瘴气，很快走上了亡国的道路。明代杨慎在《丹铅总录》中称王安石为“古今第一小人”，“王安石的变法葬送了奄奄一息的北宋王朝”。李贽则说：“（王）安石欲益反损，欲强反弱，使（宋）神宗大有为之志，反成纷更不振之弊。此胡为者哉？是非生财之罪，不知所以生财之罪也！”

近来有论者撰文指出：“政治上的执拗更使王安石陷于绝境。尽管‘熙宁变法’出发点是好的，但王宰相执拗地任用奸佞小人，执拗地强行推广新法，执拗地坚持‘天变不足畏，祖宗不足法，人言不足恤’的‘三不足’论，再怎么有美好愿景的改革也只有一个失败的结果。可以说，王安石高调‘执拗’，最终只能做一个精致的‘半山老人’。”（朱院生《个性官员王安石》，《团结报》第2281期）这是很有道理的。王安石的变法导致北宋的覆灭，其历史教训值得认真总结。

阅读链接：

梁启超：《王安石传》，东方出版社，2009年版。

漆侠：《王安石变法》，上海人民出版社，1960年版。

李华瑞：《王安石变法研究史》，人民出版社，2004年版。

官逼民反，不得不反

——“花石纲”与方腊起义

有个成语叫“官逼民反”，在漫长的中国封建社会，因为政治黑暗，民不聊生，人民被迫起来反抗的情形屡见不鲜，史不绝书，北宋方腊起义就是典型的一个例子。

元符三年（1100），北宋哲宗赵煦去世，由赵佶（1082—1135）即位，即宋徽宗。赵佶早年就是出名的浪荡子，在他即位前就有人指出他“轻佻不可以君临天下”，但向太后（宋神宗皇后）等一班人出于私心，力推赵佶，于是，北宋历史上第一个臭名昭著的昏君登台，北宋王朝进入了政治最为黑暗的时代。

方腊塑像

宋徽宗即位后，因为臭味相投，很快形成了以蔡京为首的奸贼集团，时人称为首的蔡京、王黼、童贯、梁师成、朱勔、李彦为“六贼”。其中，蔡京、王黼先后任宰相或太师、太傅，与宋徽宗宠信的宦官童贯、梁师成勾结，以朱勔、李彦等为爪牙，控制朝政，排挤所有正直的大臣。他们颠倒是非，混淆黑白，把正直的官员一律称作“奸党”，在端礼门

宋徽宗赵佶像

前立一块党人碑，把司马光、文彦博、苏轼、苏辙等120人称做“元祐奸党”“元符奸党”，已经死了的削去官衔，活着的一律降职流放。从此，以蔡京为首的奸贼集团一手遮天，为所欲为。

他们打着“绍述新法”的旗号，无恶不作，贿赂公行，卖官鬻爵，明码标价，“三千索（贯），直秘阁；五百贯，擢通判”。他们巧立名目，增加赋税，搜括民财，极大地加重了老百姓的负担。对于浙江地区的老百姓来说，祸害最严重的是所谓“花石纲”。

蔡京等人为了满足宋徽宗寻欢作乐，在京师开封大兴土木，在苏州设立“应奉局”，在杭州设立“造作局”，由“六贼”之一的朱勔主持，专门搜括民间的奇花、异木、怪石等物，朱勔手下豢养了一批穷凶极恶的差官，专管此事。只要哪个老百姓家有奇石或者精巧别致的花木，差官就带兵士闯入那家，用黄封条一贴，算是进贡皇帝的东西，要百姓认真保管。如果有半点损坏，就要被加上“大不敬”的罪名，轻的罚款，重的抓进监牢。有的人家被征的花木石头高大，搬运起来不方便，兵士们就把那家的房子拆掉，墙壁毁了，差官、兵士还要乘机敲诈勒索。被征花石的人家，往往倾家荡产，有的人家卖儿卖女，到处逃难。朱勔把搜刮来的花石，用大批船只运往开封。由十艘左右的船只组成一个运输船队称为一“纲”，运载奇石花木的船队经运河运往开封称为“花石纲”。运送的船只不够，就随意截留运粮船和商船，把船上货物倒掉，改运花石。这大批船只自然还要征用大量民夫。由于搜括来的奇石花木太多，络绎不绝的“花石纲”船队致使运河航道不畅，有时不得不改为海运，从长江进入东海、黄海，由黄河运送到开封。看到源源不断的花石纲运送到

阅读链接：

安徽师范大学历史系《方腊起义研究》编：《方腊起义研究》，安徽人民出版社，1980年版。

《方腊传》编写组编：《方腊传》，人民出版社，1977年版。

沈冬梅、范立舟：《浙江通史·宋代卷》，浙江人民出版社，2005年版。

京师，昏聩的宋徽宗极为高兴，不断给朱勔加官升职，人们把朱勔主持的苏杭“应奉局”“造作局”称作“东南小朝廷”。“花石纲”严重祸害浙江，造成民怨沸腾的局面。在这样的背景下，终于爆发了北宋历史上规模最大的方腊起义。

方腊（？—1121），又名方十三，两浙路睦州青溪县万年乡（今浙江省淳安县威坪）帮源洞（通峒，指山谷地区）漆园主，祖籍徽州歙县。青溪县盛产竹木漆，是“造作局”重点掠夺之地。他屡遭“造作局”的敲诈与掠夺，便利用明教（摩尼教）等各种秘密宗教组织当地农民准备反抗，结果被里正发现，准备向官府告密，方腊遂杀里正一家（仅一人逃出），于宋宣和二年（1120）十月率领千余人宣布起义，数日间聚集数万穷苦民众，方腊自称“圣公”，建年号“永乐”，置偏裨将，以巾饰为别，自红巾以上分六等，以“诛朱勔”为名，攻州夺县。十一月二十八日，息坑一战，旗开得胜，消灭宋军5000人，次日占领青溪县城。十二月四日攻占睦州州府，接着攻占睦州各县。然后，分兵两路，方腊率领一路于十二月二十日攻占歙州，随即挥师东进，与先期东进的方七佛、方百花部会合，于十二月二十九日攻占杭州，起义部队到达百万人规模。

北宋亡国之君赵桓（钦宗）像

深受“花石纲”之害的两浙人民纷纷起义响应：浙北有苏州石生和湖州陆行儿，浙东有剡县裘日新，浙南有仙居吕师囊、永嘉俞道安，浙西有婺州东阳

霍成富，兰溪灵山朱言、吴邦。

方腊起义的消息传到开封，宋徽宗立即下令他最宠信的宦官、知枢密院事（最高军事长官）童贯统帅15万原本准备对付北方辽国的军队迅速南下镇压起义。宣和三年（1121）正月下旬，童贯率领的东路官军抵达秀州，击败由方七佛指挥正在攻打秀州城的6万起义军，方七佛率领余部退回杭州，官军紧追不舍，于二月中旬攻占杭州。方腊退出杭州后，由富阳、新城、桐庐、建德、青溪，一路且战且退，最后退守老家帮源洞。与此同时，北上的西路起义军，在官军的进攻下，先后在旌德、宁国、歙州受挫，队伍被击散。四月二十四日，占绝对优势的官军重重包围了帮源洞，方腊与官军决战失败后，潜逃至洞源村东北的一处石洞中躲避，因为石洞极为隐蔽，官军一时无法找到。二十六日，宋军裨将韩世忠由当地人作向导，收买叛徒方京，由方京找到方腊的藏身处将其骗出石洞，经过一场生死搏斗，方腊与妻、子及他任命的宰相等52人被官军俘虏。这时，辛兴宗率领起义军余部赶到与官军厮杀，方七佛等人乘机逃脱，方腊等39人被官军押送到开封，于八月下旬全部被朝廷处死。

起义军余部转战于浙东地区，至八月间最后失败。方腊起义军先后攻占浙江、安徽两省8州56县。官军对起义军与平民百姓进行了残酷屠杀，先后杀害起义军百万，屠杀平民200万，“流血丹地，火其庐万间”。

作为杰出的农民起义领袖，方腊千百年来为浙江、安徽两省人民怀念。方腊最后坚守的石洞被称为“方腊洞”，浙江、安徽两省各地有许多纪念方腊的“方腊洞”“方腊寨”“方腊庙”等。

方腊起义虽然被镇压下去了，但他威震东南半壁，从根本上动摇了北宋王朝的统治，腐败的北宋王朝从此一蹶不振，5年后就在北方金国大军的打击下覆灭了。

南渡君臣轻社稷，中原父老望旌旗

——南宋偏安格局的形成

南宋宁宗嘉定二年十二月二十九日（1210 年 1 月 26 日），即除夕前一天，85 岁高龄的伟大的爱国主义诗人陆游在越州山阴（今绍兴）老家带着深深的遗憾去世。弥留之际，他留下七律诗《示儿》："死去原知万事空，但悲不见九州同。王师北定中原日，家祭无忘告乃翁。"此时已是南宋偏安的第 83 个年头，诗人仍然十分固执地盼望南宋的王师能够早日"北定中原"，但历史已经很残酷地告诉了诗人：南宋的王师已经不可能"北定中原"了。所有这一切，都是南渡君臣"轻社稷"所造成的悲剧结果。

北宋徽宗、钦宗时期，由于朝政腐败黑暗，国力日趋衰弱。宋靖康二年（1127）春，北方金国军队攻入开封，俘虏徽宗、钦宗二帝，然后将徽、钦二帝及皇室宗族 470 人作为俘虏押送回北方。同年五月初一日，宋钦宗九弟、康王赵构在南京应天府（今河南商丘）即位，改元建炎，后建都（行在所）于临安（今杭州），史称南宋，以区别建都于开封的北宋，赵构被称为

南宋高宗。

南宋建国后 35 年间，与北方的金国处于时战时和的局面，绝大多数战争都是金国主动挑起来的，南宋一直是一个被动应战的角色。而且，即使在南宋军队取得胜利、战场上占优势的情况下，南宋王朝也仍然是主动进行和议，并且不惜向战败者称臣赔款，这是世界战争史上的奇特景观。

宋高宗赵构像

南宋绍兴十一年（1141）初，金军元帅宗弼率领 10 万金军主力进攻淮河流域，与南宋军队在柘皋（今安徽巢湖市西北）展开决战，最终被南宋二流将领刘锜、杨沂中、王德等所率领的部队打得大败，被迫北撤。学者认为，柘皋之战是金军由强转弱、南宋军由弱转强的关键一战，然而就在这种有利的战争形势下，南宋朝廷以宋高宗、宰相秦桧为首的妥协投降派不惜自毁长城，疯狂地进行投降式的求和。

原来，宋高宗赵构是在父亲（徽宗）和哥哥（钦宗）被金俘虏后承继大统的，也就是说，他的皇帝位子是不稳的，只要父亲和哥哥有一人能够从金朝回来，他就得退位。因此在和战问题上，他一直是首鼠两端，既不想落下害死父、兄的恶名，又要千方百计保住自己的金銮宝座。因为有这种龌龊阴暗的自私心理，在对金战争中，他一方面害怕南宋军队彻底失败，因为那意味着他什么也没有了；另一方面，他也不愿意看到南宋军队彻底胜利，因为那意味着金朝在打败后有可能将徽、钦二帝释放回来，这对他来说是十分可怕的结果。对宋高宗来说，宋、金最好以淮河为界，维持现状。因此，每当金军南侵时，宋高宗不得不派军队进行有限度的抵抗；而一

旦宋军大胜时，他就要立即下诏“班师”，进行和谈。宋高宗的卑劣心理，正好被金国放回来的奸细秦桧利用，于是南宋的国运就不堪设想了。

秦桧（1090—1155），字会之，江宁（今江苏南京）人。徽宗政和五年（1115）进士，后屡官至御史中丞，早年以抗金派面目出现，颇负时誉。靖康二年（1127）作为金军俘虏随徽、钦二帝北上，后因厚贿金军元帅粘罕（完颜宗翰），成为金太宗弟弟的亲信。南宋建炎四年（1130），秦桧作为金朝收买的奸细来到南宋行都临安，鼓吹“如欲天下无事，须是南自南、北自北”之类的妥协投降言论，正好迎合了宋高宗的需要，于是秦桧这个来自敌对营垒且身份不明的人居然成了宋高宗最宠信、最倚重的人物。从绍兴八年（1138）开始，秦桧独相兼枢密使，集军政大权于一身。

南宋皇宫复原图（局部）

于是，当宋高宗决心向金称臣求和以保留对南方半壁江山的统治时，秦桧便以刽子手的角色登场了。这时，范同向秦桧献计，要达到降金求和的目的，首先要主动解除抗金将领的武装。秦桧依计而行，将韩世忠、张浚、岳飞三大抗金统帅的兵权收回，将他们调为有名无实的枢密使、枢密副使。张浚首先附和宋高宗、秦桧降金求和的国策，首先交出兵权。对于不愿交兵权的韩世忠、岳飞两位统帅，宋高宗、秦桧本想拿声望最高的韩世忠开刀，但因为岳飞既拒绝参与诬陷韩世忠，又反对解除抗金将领刘锜的兵权，宋高宗、秦桧转而将打击矛头指向了岳飞。绍兴十一年（1141）八月，岳飞被罢免所有职务，随即被秦桧的奸细罗织所谓谋反罪状，于同年十月与部将张宪、长子岳云同下大理寺狱，韩世忠在反对无效后辞官闲居。宋高宗、秦桧在自毁长城后，加紧了降金求和的步伐。十一月，宋、金达成如下的和议：南宋向金称臣；宋金之间东以淮河、西以大散关（今陕西宝鸡西南）为界；南宋每年向金贡银二十五万两，绢二十五万匹。史称“绍兴和议”。十二月末，宋高宗、秦桧以莫须有的罪名将岳飞及其子岳云、部将张宪杀害在临安风波亭。

宋高宗自毁长城，达成屈辱的和议后，让奸佞秦桧独揽大权达 18 年之久，昏君与奸相狼狈为奸，把持朝政。南宋朝廷苟安于江南一隅，文恬武嬉，歌舞升平，朝野上下不再以北方沦陷区民众为念，朝政日非，沦陷区广大民众热切盼望的所谓“王师北伐”成为泡影。

元代诗人赵孟頫《岳鄂王墓》诗中谴责道：“南渡君臣轻社稷，中原父老望旌旗。”“轻社稷”的君臣自然是宋高宗与他宠信的奸佞秦桧之流。清朝学者屈大均《题宋高宗赐岳飞班师诏》七律云：“龙颜多为讲和开，有诏班师手自裁。雪耻枉居勾践国，会稽山解笑人来。”诗中严厉谴责宋高宗“枉居”在复仇雪耻的勾践故国，却只懂得苟且偷安、屈辱求和，连会稽山也要嘲笑宋高宗的卑劣无能。

对于南宋初年那段自毁长城、屈辱求和的历史悲剧，宋高宗固然要负主要责任，

五、秦桧误国以和论

国家将兴，必有祯祥；国家将亡，必有妖孽。秦桧者，南宋之妖孽也。来自金营，甘为宋奸。谬倡和议，蛊惑君心，罢斥诸将，毒害忠良。前有汪黄，莫如其恶，后有史浩，难拟其罪，皇天弗骏，猛狗为妖，兴言及此，可胜恨哉。夫宋当高宗之时，名将辈出，忠义奋发，枕戈待旦，誓清中原，乘此机会，兴师北伐，二帝之还，汴京之复，金虏之灭，可蔻日待。奈何，秦桧奸邪，从而沮之，以“莫须有”之狱，加之于岳飞，使金人有酌酒相贺之日。宋之国事，众良将图之，而以一奸相坏之。秦桧之肉，诚不足食矣。虽然，秦桧之破坏宋室，高宗亦不得谓无罪焉。何也？盖误国者秦桧，而使桧之得以误国者，实高宗也。故卢杞之奸，罪不容诛，而德宗之闇，咎亦难事辞。宋之国事，谓误于秦桧也，可谓误于高宗也亦可。

沈泽民《秦桧误国以和论》

但奸相秦桧的罪恶也丝毫不轻。明代才子文徵明《满江红》诗云:“拂拭残碑，勅（岳）飞字，依稀堪读。慨当初，倚飞何重，后来何酷。果是功成身合死，可怜事去言难赎。最无辜。堪恨更堪怜，风波狱。岂不念，中原蹙？岂不惜，徽钦辱？但徽钦既返，此身何属？千古休夸南渡错，当时自怕中原复。笑区区一桧亦何能？逢其欲。”在文徵明看来，所有的罪恶都是宋高宗造成的，秦桧只不过是“逢其欲”罢了。其实，并不尽然。宋高宗固然可恶，但如果有正直大臣在他身边随时匡救，也许就能够让宋高宗放弃其荒唐主意。正因为有秦桧这样的奸佞在宋高宗身边执意利用他的错误，才造成了弥天的历史悲剧。所以，昏君奸相同恶相济，一定会造成最可怕的局面。

阅读链接：

何忠礼、徐吉军：《南宋史稿》，杭州大学出版社，1999 年版。

韩酉山：《秦桧研究》，人民出版社，2008 年版。

沈冬梅、范立舟：《浙江通史・宋代卷》，浙江人民出版社，2005 年版。

伐金虽贾祸，志在复国仇

——韩侂胄开禧北伐的悲剧

韩侂胄像

韩侂胄（1152—1207），字节夫，南宋相州安阳（今河南安阳）人。北宋名相韩琦曾孙，南宋宁宗时，以外戚受到重用，先后任枢密都承旨加开府仪同三司,权位居左右丞相之上。南宋开禧元年(1205)七月，加封平原郡王，拜太师，除平章军国事，班列丞相上。韩侂胄掌握南宋军政实权后，认为金朝皇帝沉湎酒色，朝政荒疏，内讧迭起，北边部族又屡犯金朝边境，在连年征战中士兵疲敝，国库日空，国力已经衰弱，因而力主讨伐金朝，收复失地，得到著名抗金派人士辛弃疾、陆游等人的支持。

北伐开始前，宋宁宗采纳韩侂胄的建议，追封岳飞为鄂王，在镇江为抗金名将韩世忠建庙祭祀，削去秦桧死后所封的申王爵位，改谥缪丑，并下诏追究秦桧误国之罪："一日纵敌，遂贻数世之忧。"这些措施，有力地打击了朝廷内的妥协投降派，主战派得到了鼓舞，为即将发动的北伐作了舆论准备。

开禧元年冬，金朝使者在觐见南宋宁宗时态度倨傲，宁宗及朝臣极为不满，支持韩侂胄的抗金政策。开禧二年（1206）三四月间，韩侂胄在未作好充分准备的

宋宁宗像

情况下，贸然发动北伐。四月二十六日，毕再遇指挥的东路宋军不宣而战，渡过淮河，先后攻克泗州（今江苏盱眙西北）、虹县（今安徽泗县）。皇甫斌指挥的中路宋军先后攻克新息（今河南息县）、内乡（今河南西峡）等地。消息传到京师临安（今杭州），韩侂胄认为北伐时机已到，于五月初七日由宋宁宗发布“伐金”诏书称：“天道好还，盖中国有必伸之理；人心效顺，虽匹夫无不报之仇。朕丕承万世之基，追述三朝之志。……声罪致讨，属故运之将倾。兵出有名，师直为壮，况志士仁人挺身而竟节，而谋臣猛将投袂以立功。西北二百州之豪杰，怀旧而愿归；东南七十载之遗黎，久郁而思奋。闻鼓旗之电举，想怒气之飙驰。噫！齐君复仇，上通九世；唐宗刷耻，卒报百王。矧乎家国之仇，接乎日月之近，夙宵是悼，涕泗无从。将勉辑于大勋，必允资于众力。言乎远，言乎迩，孰无忠义之心？为人子，为人臣，当念祖宗之愤。益砺执干之勇，式对在天之灵，庶几中黎旧业之再光，庸示永世宏刚之犹在。布告中外，明体至怀！”

一生力主抗金的陆游在看到朝廷颁发的伐金诏书后，欣喜若狂，作了一首很长的古风《剧暑》：“方今诏书下，淮汴方出

师。黄旗立辕门，羽檄昼夜驰。大将先择甲，三军随指挥。行伍未尽食，大将不言饥。渴不先饮水，骤不先告疲……”

五月十一日，金章宗下诏“征南”。战争全面打响后，才发现由于多年没有战事，南宋军队战斗力和战争意志都十分薄弱，一遇金军，往往一战即溃，甚至不战而溃，到五、六月间，各路宋军纷纷败退回南宋境内。更严重的是，宋军西线主帅、四川宣抚副使吴曦暗中酝酿叛宋降金，并请求金朝皇帝封他为蜀王，企图割据四川。这样，金军西线已无后顾之忧，集中兵力进攻南宋两淮和汉水上游的襄樊地区。

十月初，东路金军主力 8 万人渡淮河南下，中路金军 25000 人出唐（今河南唐河）、邓（今河南邓州），西路金军 4 万人分驻川陕等地。宋军将领毕再遇、田琳、周虎等虽然在六合、庐州、和州等地击败攻城的金军，但金军还是突破宋军防线，兵临长江北岸，直接威胁到南宋京师临安。

韩侂胄只好向金朝求和，金朝提出了苛刻的条件，除了提出割地赔款之外，还要求南宋将发动这场战争的主谋缚送金国。南宋派出的谈判代表方信孺说缚送首谋，向来无此办法。金朝将领威胁说：“你不想活着回去吗？”方信孺说：“我奉命出使，已将生死置之度外。”八月，韩侂胄听取从金营中归来的方信孺的汇报。当方信孺汇报割两淮、增岁币等四项条件以后，变得欲言又止。韩侂胄问：“还有什么？”方信孺说：“我不敢说。”在韩侂胄的逼问之下，方信孺只得如实相告：“是要太师的人头。”韩侂胄听后大怒，不得不停止和议，硬着头皮再战。

史弥远像

开禧三年（1207）正月下旬，吴曦在兴州（今陕西略阳）公开接受金朝皇帝赐封的蜀国王称号，并割今陕甘地区的关外四州给金。二月末，宋军兴州中军正将李好义与李贵等杀死吴曦，并收复被吴曦割让的四州。宋、金战争在西线全面展开。

宋金和战不定，南宋内部以礼部侍郎史弥远和杨皇后为主要代表的妥协投降派开始了疯狂活动。杨皇后因当年韩侂胄在宋宁宗选皇后的问题上不倾向于她而一直怀恨在心，指使皇子向宋宁宗进言："韩侂胄再启兵端，将危社稷。"杨皇后也不断在宋宁宗耳边吹风，攻击诋毁韩侂胄，要求和谈，宋宁宗对此很犹豫。杨皇后担心走漏风声，让大权在握的韩侂胄知道，就与史弥远、参知政事李壁等人密谋，设法除掉韩侂胄。开禧三年（1207）十一月，韩侂胄在上朝途中被殿前司长官夏震派出的杀手劫持，随即被杀于玉津园中。平庸无能的宋宁宗在韩侂胄被暗杀后的第三天还不知情，在知道韩侂胄被暗杀后，宋宁宗居然毫无心肝地对大臣说："恢复岂非美事，但不量力尔！"

韩侂胄被杀以后，史弥远立即派人通知金朝，并以此作为向金朝求和的砝码。按照金朝的要求，韩侂胄之首级被送往金朝示众。在满足金朝条件后，于南宋嘉定元年（金泰和八年，1208），宋、金达成和议，史称"嘉定和议"，主要条款是：两国边界仍如前；改金宋叔侄关系为伯侄关系，嗣后宋以侄事伯父礼事金；岁币由每年银、绢各 20 万两、匹增加为各 30 万两、匹；宋纳犒师银 300 万贯与金。

由于南宋内部妥协投降派发动政变并挟持宋宁宗投降，终

于断送了韩侂胄的北伐大业，使南宋付出了巨大代价。从此，南宋开始了奸相史弥远长达 25 年把持朝政的黑暗时期，南宋王朝走上了亡国的不归路。

韩侂胄赍志以终，死后且长期受到南宋陋儒的毁谤，被荒唐地列入了所谓《宋史·奸臣传》。对此，清代学者袁枚在《遣怀杂兴》诗中写道："侂胄魏公孙，并非宦寺流。伐金虽贾祸，志在复国仇。……一朝事机失，头颅敌国葬。士论群吠声，放翁名节丧。岂知论成败，所见尤卑庸。……一切苛刻论，都从宋儒始。"袁枚在诗中谴责了宋儒以成败论人，认为他们的见解"尤卑庸"。韩侂胄北伐虽然失败了，但他收复国土、誓复国仇的志节是无可非议的，从而有力地回击了南宋理学陋儒的谬论。

阅读链接：

沈冬梅、范立舟：《浙江通史·宋代卷》，浙江人民出版社，2005 年版。

何忠礼、徐吉军：《南宋史稿》，杭州大学出版社，1999 年版。

昏君奸相，同恶相济

——南宋的亡国之路

南宋一朝（1127—1279）虽然是北宋赵氏王朝的继续，但它偏安于一隅，帝王多昏庸懦弱，更有年少无知的幼君，王权旁落，外戚权臣与奸臣长期把持朝政，国运不昌，国力衰弱，堪称为中国正统王朝中最软弱无能的王朝，长期对北方的金朝称臣，最终为强大的元朝所灭。

南宋从高宗赵构开始，就满足于偏安江南的局面，得过且过，毫无进取之心。正如林升在《题临安邸》诗中所形容的："山外青山楼外楼，西湖歌舞几时休？暖风熏得游人醉，直把杭州作汴州。"南渡的权贵们把温柔之乡的杭州当成了自己的富贵安乐窝，整日歌舞湖山，醉生梦死，把光复中原的念头抛到了九霄云外。

绍兴三十二年（1162），宋高宗禅位，36 岁的宋孝宗即位。孝宗本欲有所作为，他给岳飞平反，又将奸臣秦桧当道时期制造的冤假错案全部予以昭雪，先后起用了张浚、虞允文等主战派大臣，力图恢复中原。然而，面对太上皇宋高宗的处处牵制、主和派的极力阻挠，生性懦弱的宋孝宗执政 27 年，却一事无成，

中兴大业最终付之东流。

宋孝宗后，宋光宗执政 5 年（1190—1194），无所作为。之后，宋宁宗在位 31 年（1194—1224）。起初，宋宁宗重用韩侂胄，起用辛弃疾、叶适等主战派，发动开禧北伐。由于准备不充分，发动仓促，在金军的反攻下，很快失败。投降派史弥远勾结杨皇后，杀害韩侂胄，并割下韩侂胄的头颅献给金朝，乞求和议，宋金达成“嘉定和议”。从此，奸臣史弥远把持朝政，对金采取屈服妥协的政策，对南宋人民则疯狂掠夺。他招权纳贿，贪污公行，滥发纸币，致使物价飞涨，民不聊生。1224 年，宋宁宗病死，宋理宗即位，在位 41 年（1224—1264）。理宗为人昏庸无能，怠于政事，沉溺于美色不能自拔，这就为奸臣史弥远继续把持朝政提供了条件。史弥远在宋宁宗、理宗两朝擅权长达 26 年之久，权倾朝野，极大地伤害了南宋统治的根基。

宋理宗赵昀像

宋度宗赵禥像

绍定六年（1233），史弥远病死，宋理宗名义上“亲政”，很快被阎贵妃、马天骥、丁大全等人架空。宝祐二年（1254）后，另一位奸相贾似道爬上了权力的巅峰，为南宋王朝提前画上了句号。

贾似道（1213—1275），台州（今临海）人。史载他“少落魄，为游博，不事操行”。他的姐

贾似道像

姐成为宋理宗宠爱的贵妃后，他便成了当朝“国舅”。虽然无才无德，但善于玩弄权术，得以步步高升。宝祐二年（1254），任同知枢密院事，封临海郡开国公。宝祐六年（1258），任两淮宣抚大使。开庆元年（1259），升右丞相兼枢密使，后加封卫国公。景定五年（1264），宋理宗病死，贾似道拥立既昏庸又荒淫的赵禥为帝，是为宋度宗，贾似道相继加号平章军国重事，拜太师，封魏国公，从此一手遮天，独揽朝政大权，专恣日甚。凡是不与他同流合污的正直大臣全部加以贬斥，史书记载："一时正人端士，为似道破坏殆尽。"

贾似道当政，其罪恶罄竹难书。“江南之地，尺寸皆有税，而民力弊矣！”他把持朝政后，也效法皇帝，懒得再理朝政，在西湖北面的葛岭建“半闲堂”和“养乐圃”，整天在那里荒淫享乐，起初他每五天入朝一次，后改为十天半月才上一次朝。人称“朝中无宰相，湖上有平章”。即使在元军大举南下的危急时刻，他仍在“半闲堂”及西湖上寻欢作乐。正如一首诗所写：“山上楼台湖上船，平章醉后懒朝天。羽书莫报樊城急，新得

蛾眉正少年。”

咸淳十年（1274），贾似道母亲去世，他大摆排场，炫耀自己的权势。度宗亲往祭奠，太后以下之皇亲国戚以及朝中大臣，也家家设祭。贾似道回台州治丧，还动用了皇帝的仪仗送葬，山陵的规模甚至超过度宗的寿坟。下葬那天，整日大雨，山洪猛涨，送葬的百官立在大水中，连动也不敢动一下。此后没有几天，度宗因酒色过度而亡，贾似道又立年仅 4 岁的赵㬎为恭帝，继续操纵朝政。

此时，元军已经突破长江防线，主力顺长江东下，很快逼近临安，南宋王朝已处在灭亡的前夕。贾似道专权祸国，朝野纷纷上疏请杀贾似道。有大臣对主持朝政的谢太后说：“本朝权臣稔祸，未有如似道之烈者！”在朝臣的强烈要求下，谢太后只得将贾似道贬为高州（今广东高州东北）团练使，并派人监押。担任押送官的郑虎臣，是绍兴县县尉，以前受过贾似道的迫害，为了报仇，一路上尽情羞辱贾似道，不时找机会欲置他于死地。走到漳州，郑虎臣要贾似道自杀，贾似道回答说：“太皇许我不死。”郑虎臣说：“吾为天下杀似道，虽死何憾？”遂横下心来，在贾似道如厕时结果了他的性命。一代奸臣死了，南宋王朝的寿命也快终了。

南宋后期皇权旁落、奸臣擅权、后妃干政，形成朝政混乱、民怨沸腾的局面。当这样脆弱的小朝廷面对一个强大的敌人时，只能接受迅速崩溃覆灭的命运。

阅读链接：

沈冬梅、范立舟：《浙江通史·宋代卷》，浙江人民出版社，2005 年版。

何忠礼、徐吉军：《南宋史稿》，杭州大学出版社，1999 年版。

白寿彝主编：《中国通史》（第十一卷、第十二卷），上海人民出版社，1997 年版。

一日三遍打，不反待如何

——方国珍反元起义

元朝末年，浙江台州等地区水、旱、海啸等自然灾害频发，使原本地少人多、生活艰难的浙东南地区雪上加霜，再加上政治腐败，天灾人祸，交相为虐，当地广大农民被逼上了绝路，不少地方相继自发举起反抗官府的旗帜，旗帜上赫然写着："天高皇帝远，民少相公多。一日三遍打，不反待如何？"

浙东南地区农民自发的反元起义，最后汇聚到方国珍旗下。

方国珍(1319—1374)，名珍，字国珍。兄弟五人，依次是国馨、国璋、国珍、国瑛、国珉。台州黄岩县洋屿（今台州市路桥区）人。方国珍家世代以贩盐浮海为业，身长七尺，状貌魁梧，脸黑而体白，有膂力，力能勒奔马。元朝至正八年（1348）十一月，方国珍因仇家诬告遭到官府追捕，方国珍怒杀官差，对兄弟们说："朝廷失政，统兵者玩寇，区区小丑不能平，天下乱自此始。今酷吏借之为奸，祸及良民。吾若束手就毙，一家枉作泉下鬼，不若入海为得计耳！"遂与二兄国璋、弟国瑛、国珉及邻里共六人入海，举起反旗，旬月间得数千人，多次劫夺官府从海上北运大都（今北京）的漕粮，在陆上先后打败前来围剿的元军

及乡兵，在海上先后消灭或打败元朝江浙行省水师和浙东道宣慰使指挥的水师，占领了台州、温州、庆元（今宁波）等三郡。方国珍老家本有“洋屿青，出海精”的民谣，在方国珍举义旗后，仇家侮之曰：“洋屿青，出贼精。”（亦作“洋山青，出贼精”）

方国珍像

此后，方国珍数次投靠朝廷，又多次反叛。元朝至正十六年（1356）二月，反元义军领袖张士诚攻下平江（今苏州），截断运河；方国珍横据海上，漕运亦中断，京师粮荒愈加严重，元朝决定招抚方国珍，畅通漕运，以解京师燃眉之急。三月，元朝授方国珍海道运粮漕运万户兼防御海道运粮万户，其兄国璋为衢州路总管兼防御海道事。至正十七年（1357）八月，方国珍升任江浙行省参知政事、兼海道运粮万户，并奉朝廷，率领所部5万水师进攻张士诚，七战七捷，兵临苏州城下，迫使张士诚向元廷投降。因对张士诚作战有功，被元朝加封为太尉，任江浙行省左丞相，镇守浙东，开府于庆元，兼领温、台，以兄国璋、弟国瑛镇台州，侄明善镇温州，留弟国珉为副手。

至正十八年（1358）底，朱元璋所部攻克衢州、婺州（今金华），与方国珍所据的庆元、温、台诸地相接。十二月，朱元璋遣蔡元刚至庆元招降方国珍。方国珍招集兄弟商量，说：“方今海内虽乱，而元运未终，然惟建业（指朱元璋）善用兵，威振远迩，恐吾兄弟不足与抗。不如姑示顺从，以观天下之势。”众以为然。

至正十九年（1359）春，方国珍遣使奉书于朱元璋，并献黄金五十斤、白金百斤、绸缎百匹，遣郎中张本仁前往朱元璋处，表示愿以温、台、庆元三郡归附朱元璋，并且将次子送到朱元璋处作为人质，朱元璋令他返还。六月，朱元璋还应天府（今江苏南京)。九月，朱元璋复使博士夏煜前往庆元，宣布授予方国珍福建等处行中书省平章政事，方国璋福建行中书省右丞，方国瑛福建行中书省参政，方国珉枢密分院佥院，并令方国珍“奉龙凤为正朔”，俟命征讨。但方国珍依然首鼠两端，脚踏两只船，在接受朱元璋任命的同时，再次接受元朝调遣。五月，方国珍与张士诚合作，方国珍出船，张士诚出米，运粮十一万石至大都。从至正二十年至二十三年(1360—1361)，国珍每年派出大批海船，从张士诚盘踞的地盘运送十余万石粮到大都。元顺帝大为赞赏，封方国珍为江浙行省左丞相，赐爵衢国公。

至正二十七年(1367)四月，朱元璋军队攻克湖州、杭州，进而围攻平江的张士诚。“国珍拥兵坐视，屡假贡献觇胜败，为叛服计。”朱元璋见其反复，以书数其十二过。同年七月，朱元璋责令方国珍贡粮二十三万石，同时又致函威胁。方国珍集众议后决定拒绝。九月，朱元璋所部攻克平江，消灭张士诚后，遣军分两路进攻方国珍。参政朱亮祖一路攻台州，方国瑛败逃黄岩。十月二十二日，朱亮祖自黄岩进军温州，方明善败退海上，朱亮祖取温州。二十六日，朱亮祖克瑞安。十一月，朱亮祖率舟师袭败方明善于洞头三盘岛，复追至楚门海口，命百户李德招谕之。征南将军汤和一路先取余姚、上虞，进攻庆元，方国珍乃封府库，与方国瑛等逃入海中。汤和率师追击，克定海、慈溪等县。朱元璋再命廖永忠为征南副将军率水师入海，与汤和合击方国珍。汤和数令人示以顺逆，国珍见其诸将皆降，不得已派遣其子方关奉表乞降。朱元璋览表怜之，赐书

曰："汝违吾谕，不即敛手归命，次且海外，负恩实多。今者穷蹙无聊，情词哀恳。吾当以汝此诚为诚，不以前过为过，汝勿自疑！"方国珍率领余部归附朱元璋。至此，浙江全境全部并入明朝版图。

明朝洪武元年（1368）正月，汤和送方国珍等至京师建康（今江苏南京）。明太祖朱元璋将其责备一番，授他资善大夫、广西行省左丞相，恩准食禄京师，并赐第，用其子侄宿卫左右。将余部和台州府县官吏200余人迁徙安徽滁州屯田。洪武七年（1374），方国珍在建康病故，享年56岁。死后葬建康城东二十里玉山。

智言慧思

干犯法纪之人，莫如悖逆、贪污二者，法断无可纵。

——《清高宗实录》卷五七六

勿贪意外之财，勿饮过量之酒。

——（清）朱柏庐《治家格言》

阅读链接：

卢秀灿等：《元末农民起义领袖方国珍》，北方文艺出版社，1997年版。

桂栖鹏等：《浙江通史·元代卷》，浙江人民出版社，2005年版。

我为天下屈四先生

——朱元璋得人才而兴

元朝末年，政治腐败，民不聊生，民族矛盾与阶级矛盾空前激化，各地农民起义风起云涌，在东南地区形成了以张士诚、陈友谅、朱元璋为首的三大反元势力集团。其中，张士诚（自称周王）以平江（今江苏苏州）为中心，拥有的地盘包括山东、安徽、江苏、浙江各一部分；陈友谅（自称汉王）以江州（今江西九江）为中心，拥有的地盘包括湖北、江西、福建等地；朱元璋（自称吴国公）以应天府（今江苏南京）为中心，拥有的地盘包括江苏中部与安徽南部等地。三大势力集团形成初期，朱元璋的地盘、实力都是最小的，但其后在群雄逐鹿的残酷竞争中，朱元璋逐一消灭比他实力强大的对手，建立

明太祖朱元璋像

了大明王朝。

朱元璋之所以能够以弱克强、后来居上，成为最后的赢家，原因是多方面的。其中一个决定性的因素，就是朱元璋在崛起之初进军浙江，成功地实现了淮西武人集团与浙东文人集团的完美结合，取得了文武人才上的绝对优势。

元至正十八年（1358）三月，朱元璋以战略家的眼光作出了经略浙江的决策，他陆续派遣李文忠、胡大海等将领指挥10万大军进兵浙江。同年底，朱元璋亲自到浙江督战，于十二月攻克婺州（今金华）。朱元璋随即在婺州设立中书分省、金华翼元帅府等机构，负责管理浙东的行政与军事。朱元璋在打下婺州后，一方面分兵经略浙东各地，另一方面礼贤下士，大力网罗人才。宋濂、许元、叶瓒玉、王冕、胡翰、戴良、范祖干、叶兑、叶仪、吴沉、徐原等一大批儒生，在这时陆续加入朱元璋幕府。朱元璋虽然出身赤贫，没有读过书，但他懂得人才的极端重要性，他对前来投奔的儒生说："予用英雄，有如饥渴。方广揽群策，救民涂炭，共成康济之功。"

元至正二十年（1360）三月，征讨浙东主帅胡大海向朱元璋推荐"浙东四先生"——刘基、宋濂、叶琛、章溢四大名士。朱元璋随即派人带着礼物和邀请函专程前往浙江，邀请四先生出山，到应天府辅佐他成就一番大业。四先生到应天后，朱元璋亲自召见，并诚恳地对他们说："我为天下屈四先生，今天下纷纷，何时定乎？"四先生之一的章溢回答："天道无常，惟德是辅，惟不嗜杀人者能一之耳！"话不多，却大有深意，朱元璋听了肃然起敬。

一天，朱元璋问其亲信陶安："这四个人同你相比，怎么样？"陶安回答："臣谋略不如刘基，学问不如宋濂，治民之才不如章溢、叶琛。"于是，朱元璋命刘基参谋政务，任宋濂为江南等处儒学提举，兼做长子朱标的老师，任命章溢、叶琛为营田司佥事，负责民事，并专门建造礼贤馆供他们居住，对他们恩礼备至。

朱元璋收揽以四先生为代表的浙东儒生，成为决定他一生事业成败的关键。《明

史》对“四先生”有如下的总评:“若四先生者，尤为杰出。基、濂学术醇深，文章古茂，同为一代宗工。而基则运筹帷幄，濂则从容辅导，于开国之初，敷陈王道，忠诚恪慎，卓哉佐命臣也。至溢之宣力封疆，琛之致命遂志，宏才大节，建竖伟然，洵不负弓旌之德意矣。”四位先生中，以刘基的功业最大。他足智多谋，被喻为魏徵、诸葛亮再世，是杰出的政治家、军事家、文学家，他以其卓越的才干辅佐朱元璋完成了统一中国大业，建立了明朝。

刘基像

刘基（1311—1375），字伯温，浙江青田县（今属文成县）人，他“虬髯，貌修伟，慷慨有大节，论天下安危，义形于色。”幼年有“神童”之誉。他读书涉猎范围极广，经史子集、天文兵法无所不读，“尤精象纬之学”。元朝元统元年（1333）中进士。曾任江西高安县丞、江浙儒学副提举，因秉性耿直，得罪上司，被迫多次弃官归隐家乡。有一天，朱元璋对他的亲信李善长说：“你常比我为汉高祖，你是酂侯（萧何）。至于徐达，也比得上淮阴侯（指韩信）。可留侯（张良）在哪里呢？”李善长回答：“金华人宋濂博闻强记，又兼通象纬，可当此任。”朱元璋不以为然：“据我所知，通象纬者，莫如青田刘基。”

在投入朱元璋幕府后，向朱元璋呈《时务十八策》，建议朱元璋：先消灭陈友谅，后灭张士诚，进而消灭群雄，夺取天下。他在朱元璋幕府8年，充当军师与谋士，料事如神，屡出奇招妙策，被公认为是一代“神算军师”，为朱元璋夺取天下立下奇勋。《明史·刘基传》称：“其后太祖取士诚，北伐中原，遂成帝业，略如（刘）基谋。”一向以汉高祖刘邦自诩的朱元璋将他与刘基的关系比做刘邦与张良，对刘基“常呼为老先生而不名，曰：吾子房也”。

明朝建立后，刘基先后任御史中丞兼太史令、开国翊运守正文臣、资善大夫、上护军，封诚意伯。后发现朱元璋对开国功臣猜疑心极重，政治环境险恶，使他忧心如焚。“风雨茫茫兮，蛟龙怒瞋。”为远嫌避祸，于明洪武四年（1371）三月主动告老返乡。朱元璋特作《赠刘伯温》以表彰他的功绩：“妙策良才建朕都，亡吴灭汉显英谟。不居凤阁调金鼎，却入云山炼云炉。事业堪同商四老，功劳早贱管夷吾。先生此去归何处，朝入青山暮泛湖。”但是，刘基最终还是没有逃脱残酷寡恩的朱元璋的暗算，被朱元璋毒死了，刘基的儿子后来又受胡惟庸案的牵连。刘基著述由后人辑为《诚意伯文集》20卷行于世。

宋濂（1310—1381），字景濂，原籍金华，后迁居浦江。早年先后师从当地名儒吴莱、柳贯、黄缙等先生，学问大进。元朝至正年间，曾被推荐为翰林院编修官，力辞不就，入当地龙门山著书。朱元璋攻克金华后，被聘为五经师，后应邀至应天府，授江南儒学提举，教授太子朱标学习经学，后改任起居注，成为朱元璋的文学侍从与顾问，负责向这位未来的皇帝讲授儒家经典学问，传授帝王所应该懂得的大经大法，并为朱元璋起草了北伐檄文，向天下昭示北伐的目标是：“予恭承天命，罔敢

宋濂像

阅读链接：
白寿彝主编：《中国通史》（第16卷），上海人民出版社，1994年版。
金普森、陈剩勇主编：《浙江通史》（第7卷），浙江人民出版社，2005年版。
周群：《刘基评传》，南京大学出版社，1995年版。

自安？方欲遣兵北逐胡虏，拯生民于涂炭，复汉官之威仪。虑民人未知，反为我仇，挈家北走，陷溺犹深，故先谕告：兵至，民人勿避。予号令严肃，无秋毫之犯，归我者永安于中华，背我者自窜于塞外。盖我中国之民，天必命我中国人以安之，夷狄何得而治哉？予恐中土久污膻腥，生民扰扰，故率群雄奋力廓清，志在逐胡虏，除暴乱，使民皆得其所，雪中国之耻，尔民等其体之！如蒙古、色目，虽非华夏族类，然同生天地之间，有能知礼仪、愿为臣民者，与中华之人抚养无异。故兹告谕，想宜知悉！”

明朝建立后，宋濂奉命知制诰，修日历，修宝训，主持纂修《元史》。明王朝“郊社宗庙山川百神之典，朝会宴享律历衣冠之制，四裔贡赋赏劳之仪，旁及元勋巨卿碑记刻石之辞”，大多出自宋濂之手。宋濂因此被推为明朝“开国文臣之首”。朱元璋称赞他“学通古今，性淳而朴实，有古人之风”。朱元璋还说：“宋景濂事我十九年，未曾讲过一句谎话，未曾批评过一个人的短处，宠辱不惊，始终若一，他不只是个君子，可以说是贤人了。”

但就是这样一个被朱元璋赞为“贤人”的功臣也最终未能逃脱朱元璋的魔掌。洪武十三年（1380），宋濂被牵连进胡惟庸谋逆案，一子一孙惨遭杀害，朱元璋本想连宋濂也一起处死，经马皇后、皇太子朱标极力营救，才改为举家流放茂州（今四川茂县汶川一带）。71岁的宋濂拖着衰弱的躯体上路，于次年五月病死在夔州（今重庆奉节县）。后恢复官职，追谥“文宪”。

著述被今人辑为《宋濂全集》出版。

叶琛(1314—1362),字景渊,处州(今丽水)人。"博学有才藻",早年游学京都,入通政院任职。后任歙县县丞、处州路总管府判官,曾积极协助元将石抹宜孙镇压处州农民起义,后任行省元帅。朱元璋攻占处州后,随石抹宜孙避走福建建宁。投奔朱元璋后,初授营田司佥事,后任洪都(今江西南昌)知府。元朝至正二十二年(1362),元军降将祝宗、康泰举行反朱元璋的叛乱,叶琛被俘,随即被叛军杀害。明朝洪武元年(1368),朱元璋追封他为南阳郡侯,入祀于功臣庙。

叶琛像

章溢(1314—1369),字三益,号匡山居士,龙泉人。"始生,声如生中",元末在家乡组织地主武装,协助元将石抹宜孙镇压农民起义军。因功先后被授予龙泉县主簿、浙东都元帅府佥事,章溢力辞不受,退隐龙泉与浦城交界之匡山读书。龙凤六年(1360)投奔朱元璋幕府后,初授营田司佥事,巡行江东、两淮,推行按田分等纳税。后任湖广按察佥事,倡导分兵屯田。龙凤十一年(1365),升任浙东按察副使,巡视处州。章溢以处州山多、田少、民贫,课税累重,奏准仍按旧额。浙东建造海船,向处州征集巨材,章溢力谏罢征。洪武元年(1368),官至御史中丞、赞善大夫。当时朝廷大臣中,惟有他持政平和。后因母丧守制,不久病死,终年56岁。著有《龙渊集》。

章溢像

文武之道，恩威并施

——清朝前期的治浙方略

清朝是我国东北边陲少数民族满族建立的政权。这个人口极少的民族建立政权，基本上是以武力开道，建立在血腥屠杀与征服的基础之上的。清朝统治者入浙后，强制推行剃发易服，并实行“留头不留发，留发不留头”的野蛮征服与歧视政策，

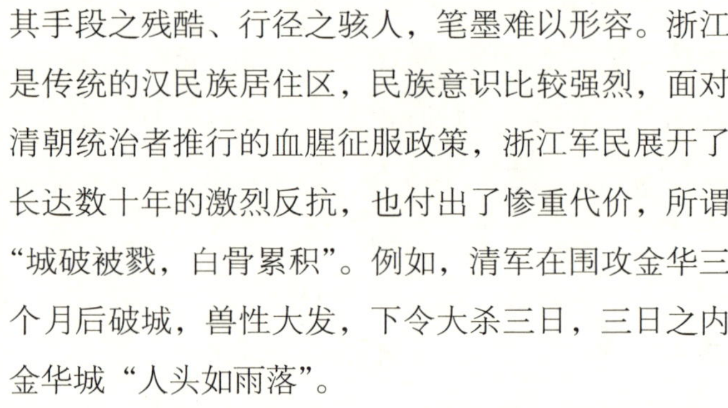

其手段之残酷、行径之骇人，笔墨难以形容。浙江是传统的汉民族居住区，民族意识比较强烈，面对清朝统治者推行的血腥征服政策，浙江军民展开了长达数十年的激烈反抗，也付出了惨重代价，所谓“城破被戮，白骨累积”。例如，清军在围攻金华三个月后破城，兽性大发，下令大杀三日，三日之内金华城“人头如雨落”。

顺治像

在大陆上的抵抗被镇压下去后，清朝统治者又在浙江等东部沿海地区推行迁界禁海政策，以隔绝东南沿海地区与台湾（当时由汉族抗清将领郑成功统治）及海外的所有联系渠道。清朝顺治十三年（1656）六月，清政府颁布《申严海禁敕谕》，规定：“不

雍正像

许片帆入口，一贼登岸。”次年，清军以舟山不可守，决定放弃，同时毁城迁民，将岛上居民全部驱逐。顺治十八年（1661），又颁布迁界令，规定：浙江与福建、江南、广东、山东等五省沿海居民一律向内地迁移三十至五十里，迁移区内的村庄、民房、船只等全部销毁，并筑墙立界，派兵驻守，凡是出界者格杀勿论。这个政策使浙江宁波、温州、台州三府沿海居民遭受空前的灾难，无数人流离失所，死亡惨重。

清朝在浙江的统治秩序确立后，为了消除汉族知识分子的反抗与不合作思想意识，康熙、雍正、乾隆、嘉庆 4 代皇帝在长达 100 多年的时间里推行恐怖的文字狱，以捕风捉影、望文生义的手法，深文周纳，罗织罪名，无辜株连屠杀，制造恐怖高压的政治气氛，以震慑汉族知识分子的心灵，让人产生不寒而栗的感觉，迫使汉族知识分子就范，屈服于清王朝的高压淫威统治。浙江一直是清王朝制造文字狱的重灾区，震惊全国的三个文字大狱有两个发生在浙江，至于规模较小的文字狱案件，更是数不胜数。其中，庄廷钺《明史》案，70 余人被杀害，被充军、流放者数以百计（另一说，被处死者 220 余人，牵连入狱者达 3000 余人）。

与文字狱连在一起的是大规模的禁书、改书、焚书，凡是犯清朝统治者忌讳的书籍，一律加以删改或者干脆一烧了之。乾隆三十八年（1773）下令开设四库全书馆，以修《四库全书》为名，开展了一个长达 19 年的改书、禁书、焚书的高潮，被毁灭的文化典籍无法统计。

上述所说的是清王朝以“威”治浙的方方面面。

当然，清朝统治者还有另一手，以“恩”来怀柔、安抚浙江人民，特别是知识分子、绅士阶层。康熙十二年（1673），下令荐举山林隐逸。康熙十七年（1678），以修《明史》

阅读链接：

本书编写组编：《清史简编》（上、下），辽宁人民出版社，1980年版。

中国人民大学清史研究所编：《清史编年》，中国人民大学出版社，2001年版。

叶建华：《浙江通史·清代卷》（上册），浙江人民出版社，2005年版。

吕留良像

为名，设立博学鸿词科，招揽在野的知识分子，授予翰林院官职。招揽知识分子，大搞各种文化工程，如编辑《古今图书集成》《康熙字典》《全唐诗》《朱子全书》“续三通”、《通鉴辑览》《四库全书》等，以及武英殿十三经、二十一史的校勘等。这些措施虽然不是专门针对浙江的，但浙江读书人多，受招抚的知识分子自然也比他省较多。清朝还大肆鼓吹“稽古右文”，提倡历史考据学，引导大批知识分子埋头于浩如烟海的古籍之中，皓首穷经，两耳不闻窗外事。最重要的措施，则是通过科举考试制度牢笼知识分子。清代浙江进士、状元的数量仅次于江苏，排在全国第二位，大批知识分子通过科举考试金榜题名，学而优则仕，成为朝中大臣、翰林学士，跻身统治阶级行列，这样一来，知识分子中反清的思想意识很快烟消云散。

清朝恩威并施的政策是成功的。清咸丰三年（1853），洪秀全领导的太平天国反清革命运动爆发，祺祥元年（1861），太平军大举进入浙江。对于太平军，浙江的知识分子、士绅阶层普遍站在了清王朝一边，与太平军作对。太平军之所以无法在浙江巩固其统治，与浙江知识分子、士绅阶层的不合作紧密相关，这也从另一个方面说明了清朝统治者的怀柔政策是成功的。

劳民伤财，作无益害有益

——康乾南巡与浙江

清朝康熙、乾隆两位皇帝在位 121 年，史称“康乾盛世”。这个时期，有一件大事，就是两位皇帝各 6 次（加起来共 12 次）从北京南下山东、河南、安徽、江苏、浙江等省巡视，即康熙、乾隆南巡。

康熙像

康熙皇帝，名爱新觉罗·玄烨（1654—1722），是清朝入关后的第二位皇帝，年号康熙，在位 61 年（1661—1722），庙号圣祖，是中国历史上在位时间最长的一位皇帝。他 6 次南巡，具体时间分别是：康熙二十三年（1684）九月二十八日至十一月二十九日（31 岁），二十八年（1689）正月初八日至三月十九日（36 岁），三十八年（1699）二月初三日至五月十七日(46 岁),四十二年(1703)正月十六日至三月十五日(50 岁),四十四年(1705)二月初九日至闰四月二十八日（52 岁），四十六年（1707）正月二十二日至五月二十二日（53 岁）。有人统计，康熙 6 次南巡的时间加起来有 520 天。除第一次南巡，只到江苏江宁府（今江苏南京）外，其余5次均到浙江杭州。康熙二十八年（1689）二月第2次到杭州后，还渡过波涛汹涌的钱塘江，到绍兴祭祀大禹陵、大禹庙。

乾隆像

乾隆皇帝，名爱新觉罗·弘历（1711—1799），康熙之孙、雍正之子，在位60年（1735—1796），年号乾隆，庙号高宗。乾隆效仿并超过祖父，多次全方位出巡。他东游山东，登泰山、拜谒孔庙；游东北，拜谒祖陵；西边三幸山西五台山。在此前后，乾隆6次南巡，其具体时间分别是：乾隆十六年（1751）正月十三日至五月初四日（41岁），二十二年（1757）正月十一日至四月二十六日（47岁），二十七年（1762）正月十二日至五月初四日（52岁），三十年（1765）正月十六日至四月二十一日（55岁），四十五年（1780）正月十二日至五月初九日（70岁），四十九年（1784）正月二十一日至四月二十三日（74岁）。乾隆6次南巡，每次均以浙江杭州为目的地。

康熙、乾隆两代皇帝的南巡，历时整整100年，由于时代不同，南巡的目的有相同的地方，也有不同的地方：第一，康熙南巡最主要目的是治理黄河、淮河、运河。江苏淮安是当时黄河、淮河、运河三水交汇之地，因此，淮安地区是清代治理三河的关键，康熙帝每次南巡必到淮安视察，指授治理方略。到了乾隆朝，除了继续治理黄河与运河外，还增加了修建浙江

海塘工程的艰巨任务。乾隆6次南巡，5次视察黄河治理工程，4次巡视浙江海塘工程。乾隆在南巡前曾发布上谕说："浙江海塘为捍卫民生要务，朕明春巡幸浙省，意欲亲临阅视。"（《海塘录》卷首一）乾隆后赋诗云："如杭第一要，筹奠海塘澜。"乾隆在多次视察后，亲自拍板将过去的柴塘改建成鱼鳞石塘，使清代的海塘技术有了大的提升。清代康熙、雍正、乾隆、道光四朝，特别是乾隆朝，举全国之财力、投入数千万两白银，修建了比较完善的海塘工程，基本上结束了浙江钱塘江北岸海潮为患的历史。第二，康熙、乾隆南巡，还有一个目的，就是拉拢汉族地主阶级、知识分子和士绅。众所周知，以江苏、浙江为核心的东南部是当时经济、文化的重心所在，也是当初抵抗满族统治最激烈的地区之一，在清朝统治确立以后，有必要通过各种拉拢手段改善与汉族地主阶级知识分子士绅阶层的关系，也就是交流感情。

杭州孤山行宫图

阅读链接：
《清实录》，中华书局影印本，1986 年版。
蔡美彪等：《中国通史》（第九、十册），人民出版社，1992 年版。
叶建华：《浙江通史·清代卷》（上），浙江人民出版社，2005 年版。

康熙南巡时所到之处有八赐，即“赐匾、赐字、赐宴、赐食、赐银、赐物、赐见、赐官”，非常慷慨。乾隆也是如此。乾隆南巡时，4 次到海宁视察海塘工程，每次都下榻在当地官宦世家陈阁老的家中，并且为陈阁老家题写了“爱日堂”“春晖堂”匾额，以致民间长期流传乾隆是陈阁老儿子的故事。

对于浙江来说，康熙、乾隆南巡带来的好处不止以上两点。第一，康熙、乾隆 12 次南巡，有 11 次到浙江，均以杭州为目的地，两位皇帝的御驾遍及嘉兴、杭州、绍兴三府，尤以杭州停留的时间最长。西湖的山山水水，都留下了这两位封建时代著名皇帝的足迹，风景名胜均经他们祖孙俩品评题词、赋诗，至今在

康熙御笔

康熙御题

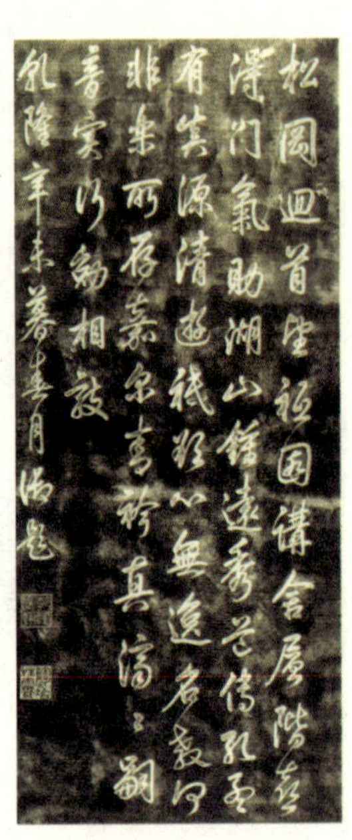

乾隆皇帝为杭州敷文书院题诗

西湖风景区仍能见到他们题写的众多石碑，这在全国风景区可以说是罕见的景观。第二，提高了杭州土特产及餐饮的知名度。例如龙井茶之所以能够成为中国名茶之首，与两位皇帝的品评自然有极大关系。第三，提高了浙江的教育文化水平。康熙曾下令提高江苏、浙江两省官办学校的学额。清朝《四库全书》修成后，乾隆下令分抄四部，盛京、杭州、镇江、扬州各收藏一部，杭州修建了文澜阁专门收藏此书，浙江士子可以到这里来学习。

康熙、乾隆南巡也有不好的一面，开启了“糜费之端”。康熙南巡时还是比较节俭的，与他随行的只有300余人，一路上主要是住在地方官府机关或者官员的官邸，只在扬州、杭州等地，建造了几处行宫。康熙5次到杭州，前3次住在杭州城内的太平坊，后在孤山修建行宫。康熙南巡，“每处所费不过一二万金”。但好大喜功的乾隆南巡时，排场远远超过了康熙。从北京到杭州，沿途建造了30处行宫。乾隆乘的御舟称为安福舻、翔凤艇，共有5艘，制作工艺极其精美。整个南巡船队共约有1000多只船。一路上吃的、用的，就连喝的水，都由沿途各地事先做好准备。如水只用北京玉泉山、济南趵突泉及杭州虎跑泉的水。乾隆的南巡游乐色彩更加浓重，所经之处，上下虚耗，竞尚奢侈，带来巨大的糜费。有人估计，乾隆6次南巡，各项花费总数达2000万两白银。乾隆南巡，不仅耗费了前几代积聚下来的财物，也助长了地方官吏敲诈勒索、贪污受贿等种种不良政治风气。到乾隆晚年，所谓的“康乾盛世”已经是日薄西山，清朝已经开始走下坡路了。乾隆六十年（1795），乾隆准备退位前，当着储君（即嘉庆皇帝）的面，对军机章京吴熊光说：“朕临御六十年，并无失德。惟六次南巡，劳民伤财，作无益害有益。后来皇帝如有南巡而汝不阻止，必无以对朕！”

嘉庆以后的历代皇帝牢记乾隆的遗训，再也没有作南巡之举。

我劝天公重抖擞，不拘一格降人才

——龚自珍的千古呐喊

九州生气恃风雷，万马齐喑究可哀。

我劝天公重抖擞，不拘一格降人才。

这是晚清杭州著名学者、思想家龚自珍《已亥杂诗》中的第220首。农历已亥年是清朝道光十九年（1839），这是鸦片战争发生的前一年。时距清朝1644年入关已将近200年，长期的封建专制统治，造成了国内“万马齐喑”的可悲局面，作者真诚地希望天公能重新振作精神，不要拘守死板陈腐的规则，不拘一格地发现与提拔英才，以改变整个社会死气沉沉的现实，使中国社会变得生机勃勃。

龚自珍像

在龚自珍看来，当时的清王朝已经是典型的“衰世”，人才极度匮乏。他形容当时的状况是：“左无才相，右无才史，阃无才将，庠序无才士，陇无才民，廛无才工，衢无才商，抑巷无才偷，市无才驵，薮泽无才盗；则非但鲜君子，抑小人甚鲜。”（龚自珍《乙丙之际箸议》第九）用现代人的话来说，就是朝廷没有像样的宰相，军队没有像样的将军，学校没有像样的读书人，田野

没有像样的种田人，工厂没有像样的工匠，街市没有像样的商人，民间没有像样的盗贼，不仅找不到多少像样的君子，就连像样的小人也变得稀罕。其言外之意，举世都是平庸窝囊、浑浑噩噩之人。

龚自珍认为，这种人才极度匮乏的局面首先是封建专制制度造成的。他在《古史钩沉论》中指出，在封建君主专制制度下，君主（皇帝）一人专制，“一人为刚，万夫为柔”。皇帝可以随心所欲，独断专行，“君叫臣死，臣不得不死”，任何人只能做俯首贴耳的顺民；否则，就是大逆不道。轻者贬谪、丢官、下狱、充军流放；重者处死，甚至诛灭九族。封建专制统治下“万马齐喑”的局面，正是“一人为刚”的专制制度“摧锄天下廉耻”的必然结果。当然，旧式君主的表现也不是完全相同的。春秋战国时代燕国大臣郭隗曾经对燕昭王说：“帝者与师处，王者与友处，霸者与臣处，亡者与役处。”这就是说，在历史上成就了帝业、王业、霸业的开明君主，他们往往是把大臣当作师长、良友来看待的；而那些亡国的昏君呢，则往往把大臣当作奴才来驱使。

杭州龚自珍纪念馆

阅读链接：

《龚自珍全集》，中华书局，1959年版。

孙文光、王世芸编：《龚自珍研究论文集》，上海书店，1992年版。

麦若鹏：《龚自珍传论》，安徽大学出版社，2005年版。

龚自珍认为，造成封建社会人才极度匮乏的另一重要原因是科举取士，即论资格制度。他说："今之士进身之日，或年二十至四十不等，依中计之，以三十为断。翰林，至荣之选也，然自庶吉士至尚书，大抵须三十年或三十五年；至大学士又十年而弱。非翰林出身，例不得至大学士。而凡满洲、汉人之仕宦者，大抵由其始宦之日，凡三十五年而至一品，极速亦三十年。贤智者终不得越，而愚不肖者亦得以驯而到。此今日用人论资格之大略也。夫自三十进身，以至于为宰辅，为一品大臣，其齿发固已老矣，精神固已惫矣，虽有耆寿之德，老成之典型，亦足以示新进；然而因阅历而审顾，因审顾而退葸，因退葸而尸玩，仕久而恋其籍，年高而顾其子孙，傫然终日，不肯自请去。或有故而去矣，而英奇未尽之士，亦卒不得起而相代。此办事者所以日不足之根源也。"在这里，龚自珍指出了用人"论资格"制度的严重弊端。他引用当时北京城里流传的一则谚语说："新官忙碌石呆子，旧官快活石狮子。"如果论资格，谁都不如"柱外石狮子"，因为它们已经"具形向坐数百年"，"论资当最高也"，岂不是做大官的最好材料吗？龚自珍认为"论资格"正是人才"尽奄然而无生气"的又一重要原因，是需要"变通"的（龚自珍《明良论三》）。

自古以来，打天下的时候不论资格，而是贤者、能者上，但到了坐天下的时候，则必须制订一套严密的制度，论学历、论年龄、论资格、论性别、论族群、论籍贯等等。所谓"不拘一格降人才"，往往因为缺乏可操作性而成为一句空话。龚自珍的呐喊，实际上给后人留下了一个千古难题。

若使劾袁功得就，岂看龙劫血斑斑

——瞿鸿禨悲剧的启示

瞿鸿禨像

在杭州灵隐寺西侧石笋峰下的山腰有一座规模不大的墓，是杭州市人民政府近年重修的，那是晚清最后一位清流领袖瞿鸿禨长眠的地方。

晚清统治集团内部，长期有清流（清官）、浊流（贪官）之分。两派长期明争暗斗，但因为双方背后有一个巨大的权威——慈禧太后充当仲裁者，他们谁也吃不掉谁。但清光绪三十三年（1907）发生的清流与浊流的总决战（史称“丁未政潮”），清流全军覆灭，浊流一统天下，形成令人扼腕的结局。

清流派最后一位领袖瞿鸿禨（1850—1918），字子玖，号止庵，湖南善化（今湖南长沙）人。清同治十年（1871）中进士，授翰林院编修。光绪元年（1875）大考，瞿鸿禨列一等第二名，擢为侍讲学士。光绪二十三年（1897），升为内阁学士。历任福建、广西乡试考官及河南、浙江、四川、江苏四省学政，后任礼部右侍郎。他为官一直保持清正廉洁的作风，不与当时的腐败风气同流合污。在浙江学政任上，选拔了蔡元培、张元济、汪康年等一批人才。1900年后，得到慈禧太后赏识，先后

任工部尚书，军机大臣，政务处大臣，外务部会办大臣、尚书，内阁协办大学士。他为官清正廉洁，勇于任事，颇负清望，自然成为清流派的领袖。

当时的军机处首席军机大臣是庆亲王奕劻，他为人平庸，但十分贪婪，卖官、受贿无所不做，时人将庆王府称作“庆记公司”。奕劻与权倾朝野的直隶总督兼北洋大臣袁世凯内外勾结，形成浊流集团，操纵朝政。于是，以江春霖、赵启霖、赵炳麟（人称“三菱公司”）为首的不畏权贵的御史、监察道官员前赴后继、不断地上奏皇帝与太后，检举弹劾奕劻、袁世凯结成权奸集团为非作歹的种种罪状，要求罢免他们。因为志趣相投，这些御史、监察道官员自然而然地将瞿鸿禨视作宗主。这样，清流与浊流的界限就非常分明了。

庆亲王奕劻像

开始时，奕劻、袁世凯想方设法拉拢腐蚀瞿鸿禨，袁世凯先是派人表示要向瞿鸿禨递门生帖子，拜他为老师（瞿任河南学政时与袁世凯的弟弟有师生名分），瞿以受宠若惊、万不敢当却之；袁世凯继又托人询问是否愿意换帖，两人结为异姓兄弟，瞿又以自己从不与人结拜为由，婉言谢绝；之后，袁世凯又借瞿鸿禨二儿子结婚的机会，送了一份厚礼，瞿鸿禨将礼金原封退回。光绪三十二年（1906）清朝酝酿中央管制改革时，袁世凯主动提出，由奕劻任内阁总理大臣，瞿鸿禨与袁世凯任副总理大臣，共同组阁，瞿鸿禨仍不买账，并且将袁世凯的方案

密告太后。袁世凯见瞿鸿禨不与他们同流合污，就与奕劻密商，必须将瞿鸿禨赶出朝廷，以除后患。瞿鸿禨也有类似想法，认为奕劻和袁世凯结党擅权，心腹党羽遍布朝列，若任由他们的势力发展下去，必然危及社稷。于是，两派展开生死较量。

袁世凯像

第一个回合，是光绪三十二年（1906）的“新官制改革”，瞿鸿禨利用慈禧太后害怕大权旁落的心理，使袁世凯的图谋遭到重创，不得不交出部分兵权及兼差以求自保，瞿鸿禨获胜。第二个回合，是次年春针对庆亲王奕劻及其儿子载振的“大参案”。当瞿鸿禨联合新任邮传部尚书岑春煊等向奕劻猛攻而使奕劻几乎下台的时候，慈禧太后的态度突然发生了180度的大转变。最后，袁世凯与奕劻合谋，指使爪牙在上海利用合成术伪造瞿鸿禨与康有为、梁启超的合影照呈给太后，作为瞿鸿禨“勾结乱党”的证据。康、梁在戊戌变法维新中曾经策划让袁世凯劫持并杀掉太后，因此康、梁成为太后不共戴天的仇敌，太后看到奕劻、袁世凯呈上来的合影照，加之瞿鸿禨此前曾经多次密请太后赦免康、梁，当即气得七窍生烟，也不辨真伪，立即下令罢免瞿鸿禨所有官职，让他回籍闲居。清流派的大佬岑春煊等也相继被赶出朝廷。清流彻底失败，浊流当道，清王朝的气数马上就要走到尽头了。5年后，辛亥武昌起义的枪声响起，清王朝土崩瓦解。

瞿鸿禨罢官之后回到湖南长沙，闭门不出，也不再谈国家大事。宣统三年（1911）武昌起义爆发后移居上海。民国成立后，窃取辛亥革命果实的袁世凯成为中华民国的大总统，袁世凯多次拉瞿鸿禨出山，瞿鸿禨始终不为所动。上海与杭州近在咫尺，

浙江又是瞿鸿禨旧日为官之地，浙江的门生故吏甚多，西湖是瞿鸿禨最喜爱的地方，他几乎走遍了西湖边有名的景点。面对西湖的秀丽风光，他不禁发出感慨，希望死后能安葬在杭州，可以永远与秀美的西湖为伴。1918 年农历三月十五日，瞿鸿禨在上海寓所去世，家人遵照他的遗愿，于 1919 年 11 月将其安葬在杭州石笋峰下永福寺侧，距灵隐寺仅半里之遥。瞿鸿禨墓前牌坊上有钱塘人、宣统帝师吴士鉴所书“瞿文慎公墓道”6 个大字。墓门两侧，有瞿鸿禨门生朱彭寿（浙江海盐人）所撰对联：“耿耿矢孤忠，继曾文正、左恪靖入相中朝，别有精诚贯金石；葱葱郁佳气，与林处士、岳鄂王结邻异地，长留名迹

瞿鸿禨墓

壮湖山。”

瞿鸿禨去世两年后，维新派领袖康有为在杭州西湖边的“一天庐”见到瞿鸿禨遗像，他感于这位政坛前辈的知遇之恩，饱含热泪，在遗像背面题诗三首。其中两首云:“十年黄阁事艰关,去佞之难过拔山。若使劾袁功得就,岂看龙劫血斑斑？”“三犯龙鳞敢举仇,爱才爱国有深忧。频陪绿野须眉古,遗像清高憾未酬。”在康有为看来，如果瞿鸿禨为首的清流不失败的话，神州大地至少可以少些血迹斑斑的劫难，清朝的命运也许是另外一种局面。

但是，历史的残酷就在于，它从来不允许假设。

智言慧思

我劝天公重抖擞，不拘一格降人才。

——（清）龚自珍《己亥杂诗》

礼义治人之大法，廉耻立人之大节。不廉不耻，则祸败乱亡，无所不至。

——（清）章太炎《革命之道德》

阅读链接：

谌东飚校点：《瞿鸿禨集》，湖南人民出版社，2010年版。

侯宜杰：《袁世凯全传》，当代中国出版社，1994年版。

旧时军令何严肃，一月惟教一日闲

——从杭州旗营的演变说起

杭州湖滨旗营，是清朝八旗兵在杭州的兵营区。清顺治五年（1648）春，清朝决定“专设镇守将军驻防杭州”。开始，散居民屋，到顺治七年（1650）筑成城墙，与汉人居住区隔离开来。城高一丈九，厚约七尺，城上能并排跑两匹马。旗营的范围，南起开元路，北至庆春西路，东面沿青年路、岳王路为界，西到南山路、湖滨路，周长约九里。杭州人称它为“旗下营”，即八旗驻防营，营内有正红、正黄、正蓝、正白、镶红、镶黄、镶蓝、镶白，八种色彩不同的鲜艳大旗飘扬。旗营是清朝统治者征服和统治一个地区的主要依靠力量，旗营的最高领导人称杭州将军，将军署在将军路（曾改名人民路）中段，即现在元华商场一带。

驻防的八旗兵是带家属的，这样旗营既是兵营，也是旗人的生活区，旗人一生下来就有俸禄，不用生产劳动。旗营内，与外面的汉人居住区是两个完全不同的世界，连女人穿的旗袍，无论贫贱，都有高及耳背的竖领。旗营有城门五座，正门延龄门，位于现延安路开元路交叉口西南侧，门外有吊桥早落晚起。当

年，此地有一条南北向的街叫“闹市口”，街的北头相当开阔，名“营门口”，因延龄门的出口而得名。现解放路与青年路口，是迎紫门；岳王路平海路北侧，是平海门；庆春西路庆丰巷口，是拱宸门。清时，钱塘门为瓮城，有内外城门，内城门，即旗营的西门，称承乾门。另外，在原浣纱河和西河上还有水门三座。旗营驻兵常年保持四千人规模。旗营男丁无论老小按人头领取俸银，不满 16 岁的幼丁属养育兵，即预备兵。初时，旗营须日日操练，每月初一放假一天，每三年还要举办一次大阅兵。《柳营谣》唱：“鼓角声残大阵还，八旗兵马拥城湾。旧时军令何严肃，一月惟教一日闲。”城湾，即现在的湖滨公园。

杭州湖滨旗营内的杭州将军辕门

辛亥革命后被民军占领的杭州将军衙署

满族历来有重视骑射、崇尚勇武的传统，早期的历代帝王也都熟练掌握骑马射箭。乾隆三十八年（1773）三月，乾隆皇帝第三次南巡到杭州，特地在湖滨旗营举行了盛大的阅兵校射仪式。乾隆本想通过阅兵，向江南人民显示大清朝的武力，但没想到，阅兵闹了许多笑话，官兵射箭箭虚发，骑马人坠地，表明这时的八旗兵已经腐败不堪。

19 世纪中期，太平军两次攻克杭州城，旗营受到毁灭性打击。太平军失败后，

乾隆大阅图

旗营只剩下46人。后重建旗营，从乍浦、福州、荆州、成都、青州、德州等地抽调旗人填补空额。到1883年，在册的官兵有5330人，其规模一直保持到被推翻为止。到清朝末期，旗营的操练渐渐连做样子都免了，无论贵贱，都成了闲人和废人。玩高雅的，好琴棋书画；粗鲁的，吃喝嫖赌抽。暖日清风的日子，能看到的尚武，就剩调鹰放鸽子斗蟋蟀。一只迫饥就范的鹰隼，调教得好，价值“数金”。这样的八旗兵战斗力已经十分微弱。

辛亥革命时，杭州起义军在攻克巡抚衙门以后，集中全部兵力包围旗营，并将炮兵拉到城隍山（吴山）上，打算炮轰旗营。旗营官兵开枪抵抗，子弹横飞。起义军命令被俘的增韫给杭州将军德济写信，劝其投降，但德济与协领贵林不仅拒绝投降，而且把来旗营送信的使者杀害了。起义官兵十分愤慨，城隍山上的炮兵向旗营连开数十炮，并击中德济的将军府衙门，击毙击伤旗营官兵二十余人，旗营顿时大乱，人心惶惶。

当时，以浙江省谘议局议长陈黻宸为代表的浙江士绅不希望满汉之间发生大规模流血冲突，极力主张劝降。据说，在杭州起义前陈黻宸与掌握旗营实权的协领贵林之间有旗、汉不战之约。在杭州起义后，陈黻宸极力保证：“我能力致贵林，贵林降，

旗兵不能战也。”1911 年 11 月 5 日上午，陈黻宸将杭州起义总司令周承菼请到省谘议局，建议旗营谈判解决问题。同时，打电话给杭州将军德济，要他派代表出来与起义军谈判。德济随即派贵林率领穆克德春于当天下午 1 时出来与周承菼谈判。当天，贵林的着装很奇特，身着马装（八旗官兵武装，两边挂着白绸黑字的“忠孝带”），周承菼则一身戎装，双腿盘成八字，双手按住宝剑，俨然一副大将军模样。谈判开始，贵林即提出满营全体缴械，不戮一个满人，并准其携带私人财物出境散居。双方时有争议，正在相持不下的时候，立宪派领袖汤寿潜来到了会场。汤寿潜也是极力主张满汉和平解决的，与贵林也是故交，所以当汤寿潜跨进会场，贵林就站起来大声说：“汤蛰老来了，只要他一句话，我无不从命。”这时，周承菼起来让座，汤寿潜也不客气，坐在主位上，行使浙江都督的职权来了。他将条款粗粗看了一遍，说“好”，便在上面签了字。根据双方达成的协议，规定：晚七点前旗营缴出所有枪械弹药；旗民自此编入民籍；允发旗兵三个月薪饷，三个月后自筹生计。当晚 7 时，起义军代表傅孟、楼守光至旗营点验枪械。至此，省城全部光复。

是日，杭州各界在省谘议局开会，选举汤寿潜为浙江都督。11 月 7 日，杭州召开各界代表大会，宣告浙江军政府成立，标志着

乾隆题诗碑

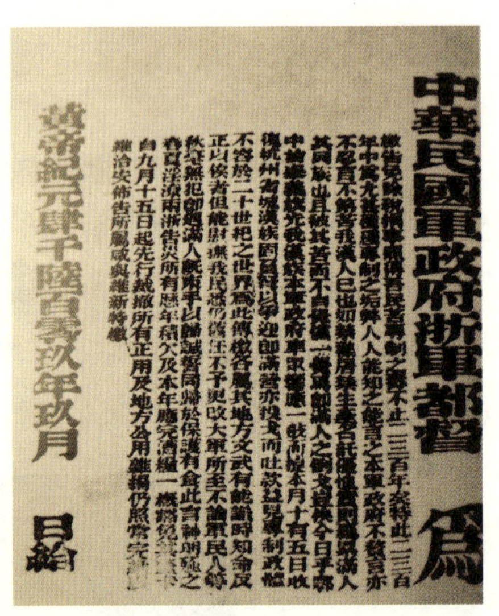
中華民國軍政府浙軍都督 為

黃帝紀元肆千陸百零玖年玖月 日給

辛亥革命后中华民国军政府浙军都督布告

浙江资产阶级革命的胜利。1912 年 2 月 16 日，浙江省政事部长褚辅成与旗营代表德济签订《浙省旗营善后办法》。主要内容是：（1）没收旗营公产、牧地、旗地、营地、坟地、土地等作为官产。（2）旗民生计，与一般人民，一律妥为筹划。除以前已给恩饷外，再给旗民三月恩饷，共计九万余元。（3）佐领以下公署及兵房，准再住四个月，限期交还。自造私宅，其房产准归本人所有。（4）已迁出旗民，与一般人民同有承垦承买之权，未迁出营者，有纳警察捐的义务。至此，旗营基本得到解决。1913 年，旗营沿西湖一侧的城墙被拆除，开辟新市场，从此，西湖与杭州城区被城墙分割的历史结束，促进了商业与旅游业的发展。

兄弟阋墙，外御其侮

——第二次国共合作的意义

《诗经・小雅》有句名言："兄弟阋于墙，外御其侮。"意思是说，兄弟因为家务事争吵，但当遭遇外来的势力入侵与侮辱时，兄弟能够携手共同抵御。这也是中国人历代坚守的理念之一。20 世纪 30 年代，面对日本帝国主义的野蛮入侵，打了整整十年内战的国民党与共产党再度携手，建立起最广泛的抗日民族统一战线，成为履行这一理念的经典范例。

1924 年，在孙中山先生的主持下，国民党与共产党以党内合作的形式达成第一次国共合作。这次合作，极大地推动了中国革命的进程，短短两年后，开始了轰轰烈烈的北伐战争，相继打败吴佩孚、孙传芳北洋军阀集团。但可惜的是，在北伐战争即将胜利的时候，国共关系破裂，从此进入十年内战时期。虎视眈眈的日本帝国主义乘机加快了侵华步伐。1931 年 9 月 18 日，日本关东军悍然进攻沈阳，正在忙于内战的国民党当局无力抗战，实行不抵抗主义，致使东北三省不战而沦陷于敌手。1932 年 1 月 28 日，日军进攻上海，国民党当局在进行有限的抵抗后最终妥协，签订《淞沪停战协定》。1933 年，日军入侵华北，

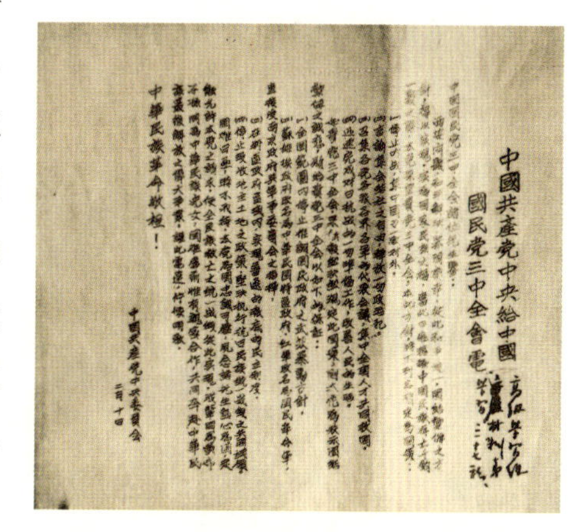
中國共產黨中央給中國國民黨三中全會電

1937 年，中国共产党就团结抗日提出要求

步步为营，到 1935 年《何梅协定》签订后，华北五省二市名存实亡。国共内战造成亡国灭种的危机。

国难当头，中国共产党以民族存亡的大义为重，首先逐步改变了敌视国民党的政策。自 1931 年“九一八事变”起，中共中央发表了一系列关于反对日本帝国主义侵略、呼吁国内团结抗日的宣言，但因为王明关门主义在中共中央的统治地位，这些宣言的精神没有得到真正的贯彻执行。1935 年 8 月 1 日，中共中央与中华苏维埃共和国临时中央政府联合发表《为抗日救国告全体同胞书》（即“八一宣言”），明确宣布：“只要国民党军队停战进攻苏区行动，只要任何部队实行对日作战……红军不仅立刻对之停止敌对行为，而且愿意与之亲密携手共同救国。”（《中共中央文件选集》第 9 册，第 486 页）中共中央到达陕北后，全面调整内外政策，以便为实现第二次国共合作创造条件。中央中央及时将“抗日反蒋”改为“逼蒋抗日”。1936 年 1 月底，中共中央负责人毛泽东、王稼祥在与《红色中华》社记者谈话时公开宣布：“中国苏维埃政府对于蒋介石的态度非常率直明白，倘蒋能真正抗日，中国苏维埃政府当然可以在抗日战线上和他携手。”（《救国日报》，1936 年 1 月 29 日）

1937 年 7 月 17 日，蒋介石在庐山发表谈话，向全国人民表明了全面抗战的决心

面对民族危机日益加深的严重局面，国民党领袖蒋介石也不

1937 年春，国民党中央考察团成员在延安与中共领导人毛泽东（右 2）、朱德（右 4）、叶剑英（右 6）合影

得不调整其“先安内后攘外”的政策。从 1935 年冬开始，蒋介石在继续调兵遣将“围剿”红军的同时，也派人与中共接洽，试图用谈判的办法“收编”共产党及其领导的红军。周恩来后来说：“国民党蒋介石对谈判的想法实在怎样呢？那时他是把我们当投诚看待，想收编我们，直到西安事变以前，还是这样的想法，要把我们的军队顶多编三千人到五千人。”（《周恩来选集》上卷，第 193 页）

真正促成第二次国共合作的是救国会领导的抗日救亡运动，以及在此运动推动下爆发的西安事变。西安事变后，蒋介石被迫反思其过去的政策，对中共代表周恩来表示：停止剿共，联红抗日，统一中国，受他指挥。由宋子文、宋美龄全权代表他与中共解决一切问题。他回南京后，周恩来可直接去谈判。蒋在离开西安前还对张学良、杨虎城表示：“今后我决不剿共。”蒋介石能够从中华民族的最高利益出发，改变长期坚持的先安内后攘外的错误政策，是非常明智的，也是值得肯定的。这与国民党内始终坚持反共立场不变的汪精卫之流比起来，其高下不可同日而语。

西安事变的和平解决成为时局的重要转折点。蒋介石从西安回到南京后发表的文告指出：“自经此次事变，我全国同胞一致爱护国家之热忱，已显示伟大无比的力量，此种威力在将来必为我民族复兴成功之保障，此则中正疚愧之余，敢为国家

阅读链接：

《第二次国共合作的形成》，中共党史资料出版社，1989 年版。

《中共中央抗日民族统一战线文件选编》，档案出版社，1986 年版。

《中国共产党历史》（第一卷），中共党史出版社，2011 年版。

称庆者也。”（《中央日报》，1936 年 12 月 27 日）毛泽东 1937 年 3 月与美国记者史沫特莱的谈话也指出：没有西安事变的和平解决，“则和平就不可能，兵连祸结，不知要弄到何等地步”（《新中华报》第 342 期）。

西安事变后，国共两党经过艰苦的谈判，终于达成团结抗日的协议。1937 年 8 月中旬，蒋介石同意将在陕北的中央红军改编为国民革命军第八路军（简称八路军）。9 月 22 日，国民党中央通讯社发表了《中共中央为公布国共合作宣言》。23 日，蒋介石发表谈话承认共产党的合法地位。10 月间，又将在南方 13 个地区的红军游击队改编为国民革命军新编第四军（简称新四军），至此抗日民族统一战线正式形成，第二次国共合作开始。

2005 年 9 月 3 日，国家主席胡锦涛在纪念中国人民抗日战争暨世界反法西斯战争胜利 60 周年大会上的讲话明确指出：“中国国民党和中国共产党领导的抗日军队，分别担负着正面战场和敌后战场的作战任务。”从抗日战争的进程来看，国民党领导的正面战场与共产党领导的敌后战场是相互支持、相互依赖的关系。可以说，没有正面战场的支撑，敌后战场就不能发展起来并得到巩固；同样，没有敌后战场的屏障作用，正面战场迟早也会崩溃。没有国共两党团结抗日的局面，中国的抗日战争就不可能取得最后胜利。

抗日战争的胜利，是中华民族从百年沉沦走向复兴的起点。从这个意义上说，无论怎样评价第二次国共合作的意义，都不会过分。

名臣良吏

在中国传统文化的观念里，好官的标准简而言之就是立德、立功、立言。德是基础，在立德的基础上能够立功或者立言的，就是好官；立德、立功、立言三者俱备的，就是『三不朽』。

引　言

自古为官而能为后世留下名声者，无非两种人：一是流芳千古的好官（即史书上的名臣良吏），一种是遗臭万年的坏官（即史书上的贪官奸佞）。好官的标准是什么，简而言之就是立德、立功、立言。德是基础，在立德的基础上能够立功或者立言的，就是好官；而立德、立功、立言三者俱备的，那就是为官的最高境界了，史称“三不朽”。

中国历朝历代都十分重视官德，逐步形成了一套完整的规范，概括言之，就是公（公正无私），仁（为政以仁），清（清廉），慎（谨慎），勤（勤政），忠（忠诚），孝（孝亲），信（诚信），节（节制、节俭），直（正直）。自古从政为官，立德最重要。“为政以德则治，不以德则乱”。但是，立德最难，要摆脱各种层出不穷的诱惑才能达到立德的境界。

名臣良吏是国家民族的宝贵财富，相反贪官奸佞则是国家民族的祸害。诸葛亮《出师表》云：“亲贤臣，远小人，此先汉所以兴隆也；亲小人，远贤臣，此后汉所以倾颓也。”南宋无名氏所编《大宋宣和遗事·引子诗》亦云：“常叹贤君务勤俭，深悲庸主事荒淫。致平端自亲贤哲，稔乱无非近佞臣。”

古代中国治乱兴废的历史，足以证明，如果能够亲近贤臣、贤哲（好官），国家就会兴盛太平；反之，如果亲近小人、佞臣（坏官），就会导致天下大乱，甚至社稷倾覆。

先生之风，山高水长

——东汉名士严光

公元 25 年，刘秀（字文叔）在洛阳称帝，建立东汉王朝。刘秀做了皇帝，所有文武功臣封官加爵，可以说是皆大欢喜。有一天，刘秀突然想起了早年同学、才华横溢的严光，但遗憾的是，自从刘秀发迹乃至做了九五之尊的皇帝以后，这个人就没了任何音信，好像从人间蒸发了一样。刘秀毕竟是皇帝，他有的是办法，他命令各级官吏派遣大批人员分头去寻找。那么，刘秀不惜代价寻找的严光究竟是一个什么人呢？

严子陵像

严光（前 37—43），字子陵，会稽郡余姚县（今余姚市）人。少年时代就到外地投师问学，曾经与南阳郡蔡阳（今湖北枣阳）人刘秀（汉高祖刘邦九世孙）同学，两人白天探讨学问，晚上抵足而眠，结下深厚友谊。当时因西汉朝廷腐败，王莽篡位，赤眉、绿林纷纷起义，严子陵见天下大乱，便回到了老家

余姚，隐居不出。而他的同学刘秀后来加入绿林军，并且脱颖而出，削平群雄，统一天下，做了东汉开国皇帝。严光估计，他这位同学做了皇帝后一定会来找他，于是干脆隐姓埋名，躲避了起来。

光武帝刘秀像

有一天，光武帝派出的寻访人员发现有个成年男子反穿裘皮袄在河泽中钓鱼，觉得有点奇怪，就报告了光武帝。光武帝猜测这个人十有八九就是严光，急忙派遣使者，备上华丽的车马，前往邀请严光出山。接连请了三次，严光不好再推辞，只好跟着使者到东汉首都洛阳走一趟。光武帝亲到严光下榻的馆舍来看望，严光竟躺在床上假寐不起，光武帝走到他的身边，抚着他的肚腹说："子陵，我竟不能让你屈就吗？"严光翻身坐起，答道："从前尧帝那样有德有能，也还有巢父那样的隐士不愿出去做官，读书人有自己的志趣，你何必一定要逼我进入仕途呢？"光武帝听了直摇头，说他是"狂奴故态也"。

一天，光武帝把严光请进宫中，促膝谈心，向他请教治国之道。严子陵滔滔不绝，口若悬河。光武帝听他论古涉今，说理精辟，喜得眉飞色舞。在谈话中，刘秀还特意问严光："我比从前怎么样？"严光不卑不亢地回答："陛下比以前稍有进步！"

两人一直谈到深夜，光武帝便留他同床睡觉。严子陵也不推辞，躺在床上，叉开双腿，沉沉入睡。睡到半夜，竟把一条腿搁到皇帝身上，光武帝为了不惊动他，竟一夜没有睡好。次日清晨，严子陵还在梦乡，光武帝就起了床。这时，钦天监惊慌失措地闯进来奏道："臣昨夜仰观天象，发现有客星冲犯帝座很急，恐怕于万岁不利。"光武帝听了哈哈大笑道："朕与故人严子陵共卧耳！"从此，严子陵"客星"的雅号就名扬四海。所以，余姚四碑亭的严子陵碑文中，有"依然城郭客星高"之句。

光武帝十分钦佩严光的人品才学，执意要他留在京师担任位高权重的谏议大夫，但严光无论如何不肯接受。在洛阳住了一段时间后，就不辞而别，回到家乡余姚隐居去了。

建武十七年（41），光武帝再次派使者到余姚请严光进京做官，严光听到消息，赶紧躲避起来，使者只得怏怏而返。为了避免朝廷再找麻烦，他索性带着家人，迁居桐庐富春江边以种田为生，闲时在富春江边钓钓鱼。他钓鱼的地方后人称之为

余姚严子陵牌坊

“子陵滩”。“严子陵钓台”至今遗迹犹在。严子陵晚年回到余姚老家，80岁那年去世。对于严子陵之死，“帝伤惜之，诏下郡县赐钱百万，谷千斛”。严子陵死后葬于余姚陈山（后改名为“客星山”），还有一座桥被称作“客星桥”。

现在看来，刘秀与严光其实是一个双赢的故事，刘秀对严光的征召与严光拒绝征召，都为对方赢得了好名声。从刘秀来说，他贵为皇帝，却念念不忘微时故人，让人感到难能可贵。正如清朝诗人洪昇在《钓台》一诗中所称赞的：“千秋一个刘文叔，记得微时有故人。”另一位诗人吴伟业在《钓台》一诗中也说：“高皇（汉高祖刘邦）旧识屠沽辈，何似原陵（刘秀墓称原陵，此指刘秀）有故人。”诗的意思说，汉高祖刘邦的早年朋友都是屠夫小贩一类的粗野之人，而光武帝刘秀的总角之交却有学者高士，两人高下立判。

从严光来说，屡次拒绝皇帝的征召，对唾手可得的高官厚禄不屑一顾，其孤高正直，不与流俗同流合污，视富贵、名利如浮云的气节，千百年来一直受到人们的敬仰。唐代大诗人李白在《古风》中写道：“松柏本孤直，难为桃李颜。昭昭严子陵，垂钓沧波间。身将客星隐，心与浮云闲。长揖万乘君，还归富春山。清风扫六合，邈然不可攀。使我长叹息，冥栖岩石间。”这首诗对严光的孤高正直、不慕名利的境界给予了高度评价，并表达了作者对前辈的仰慕与钦佩之情。

北宋名臣范仲淹在任睦州（今建德）知州时，重修了严光祠，并写了一篇传颂千古的《桐庐郡严先生祠堂记》：

先生，汉光武之故人也。相尚以道，及帝握赤符，乘六龙，得圣人之时，臣妾亿兆，天下孰加焉？惟先生以节高之。既而动星象，归江湖，得圣人之清，泥涂轩冕，天下孰加焉？惟光武以礼下之。在《蛊》之上九，众方有为，而独“不事王侯，高尚其事”，先生以之。在《屯》之初九，阳德方亨，而能“以贵下贱，大得民也”，光武以之。盖先生之心，出乎日月之上；光武之量，包乎天地之

外。微先生，不能成光武之大；微光武，岂能遂先生之高哉？而使贪夫廉，懦夫立，是大有功于名教也。某来守是邦，始构堂而奠焉。乃复其为后者四家，以奉祠事，又从而歌曰：云山苍苍，江水泱泱。先生之风，山高水长。

“先生之风，山高水长”。从此，严光的“高风亮节”闻名于天下。

阅读链接：

谈山雨：《严子陵传奇》，浙江古籍出版社，1995 年版。

余巨平：《历代诗人咏严子陵》，甘肃人民出版社，2012 年版。

居官莫道一钱轻，尽是苍生血作成

——清廉太守刘宠

刘宠像

刘宠，字祖荣，东汉东莱牟平县（今山东省烟台市牟平区）人，汉高祖刘邦之子齐悼惠王刘肥的后代。刘肥的孙子刘渫被封为牟平侯，其子孙世代居住在这里。刘宠的父亲刘丕，精通儒学，号称“通儒”。刘宠少年时代跟随父亲学习，后因“明经”被举为孝廉，任济南郡东平陵县县令，因为仁惠，得到老百姓的爱戴。后因母疾辞官，回老家侍候母亲，老百姓闻讯后立即从四面八方赶来送别，结果道路堵塞，刘宠乘坐的车子不能前进，不得不改穿便服从小道悄悄地离开东平陵县。

刘宠后来再次出山为官，四迁升任豫章太守。东汉桓帝时，调任会稽太守。当时的会稽郡，已与吴郡分治，以钱塘江为界，会稽郡辖钱塘江以东 14 县，郡治设在山阴县（今绍兴市）。刘宠主政之前，会稽郡官员们胡作非为，横征暴敛，百姓不堪其扰，纷纷遁迹于深山老林，甚至到了“白首不入市井”的地步。所谓“白首不入市井”，就是说有的百姓一辈子没有到过集市、城镇。刘宠到任后，“简除烦苛，禁察非法”。同时，“体恤民瘼，兴修水利，重视农桑，奖励耕织”。尽管汉末多数地方官吏贪赃枉法，祸国殃民，以致各地社会动荡，民不聊生，而会稽郡却吏治清明，百姓安居乐业，“郡中大化”。刘宠不仅爱民如子，而且十分清廉。他曾说：“为

官之道，舍一分则民多一分赐。”因为清廉，他尽管为官多年，却“家无积资”。

3年任职期满，刘宠奉召入京。离开山阴时，依然是两袖清风，除了随身携带的衣服被褥等外，别无他物。会稽的老百姓感戴太守的恩德，扶老携幼到江边的十里长亭处顶香跪送。刘宠带着两名随从来到江边十里长亭处，准备登舟启程，见到跪送的父老乡亲，连忙抱拳作揖：“刘宠有何功德，敢受乡亲父老如此送行，快快请起！”他亲手将跪送的父老乡亲扶起，互道珍重。正准备登舟离去，只见五六位“龙眉皓发”的长者，气喘吁吁地从老远的若邪山谷赶来送行，每人带了百文钱给太守壮行。刘宠执意不收，对几位长者说：“各位父老何必这样呢？”长者们回答说：“山野无知识的人，没有见过郡守。别的太守在任时，派官吏到民间搜求财物，白天黑夜不断，有时狗叫通宵，闹得百姓不得安宁。自从您到任以来，夜里听不见狗叫声，百姓看不到勒索的官吏。我们难得逢此清平盛世，现在听说您要离开我们而去，特意来相送。”刘宠再三推辞不受，但见几位长者长跪不起，感到盛情难却，只好退一步，于是在每人手里象征性地挑了一枚大钱作为纪念。因此，后人称他为“一钱太守”。

刘宠感到，要是真的带走这几文钱，也有违他“两袖清风，一尘不染”的为官原则，于是在行至山阴县西小江时，刘宠把这几枚钱币扔到了江中，以示还给绍兴老百姓。据说，奇迹发生了！原本浑浊的江水立刻变得清澈起来。后来人们为纪念这

位勤政清廉、为民造福的太守，就把那个地方叫做“钱清”（今绍兴钱清镇），把这段江称为“钱清江”（在今绍兴市境内），并建“一钱太守庙”纪念，在临江建一亭，取名“清水亭”，当地人称“选钱亭”、“一钱亭”。

刘宠入京后，历任宗正、大鸿胪、司空、将作大匠、司徒、太尉等职，继续保持其清廉奉公的本色，“家无货积”。东汉灵帝建宁二年（169），刘宠因测算日食有误而被免官，回归乡里。后以老病在老家去世。

刘宠清廉简朴的美德，载入《后汉书·循吏传》，被后世奉为从政楷模。清初，监察御史、邑人杨维乔在莒岛刘宠墓前题诗：“居官莫道一钱轻，尽是苍生血作成。向使特来抛海底，莒波赢得有清名。”清代文人宋克智也曾赋诗云：“冷落东牟汉室亲，坚持清节作名臣。到今千有余年后，占得五乡第一人。”

清乾隆十六年（1751）三月，乾隆皇帝南巡，在杭州游玩后，渡过钱塘江到绍兴祭祀大禹陵、大禹庙。在路过“钱清”这个地方时，有感于当年刘宠的清廉，当场挥笔题七绝一首：“循吏当年齐国刘，大钱留一话千秋。而今若问亲民者，定道一钱不敢留。”

智言慧思

官之得民，要在清、勤、慈、惠。

——（清）汪辉祖《佐治药言》

欲为清白吏，必自节用始。

——（清）汪辉祖《学治臆说》卷下

阅读链接：

（南朝宋）范晔：《后汉书·循吏传》，中华书局，1965年版。

坚守正义，不畏豪强

——东汉太尉郑弘

郑弘（？—86)，字巨君，东汉会稽郡山阴县（今绍兴市）人。西域都护郑吉从孙。早年曾任本县某乡的啬夫（相当于乡长），因为办事公道，爱民如子，受到郡太守第五伦的赏识，被举为孝廉，从此官运亨通。

郑弘为人宽厚，体恤民间疾苦。任兖州县令时，“政有仁惠，民称苏息”。任临淮太守时，“修身率下，临事详慎。消息繇赋，政不烦苛”。

建初元年（76）被任命为尚书令。按照东汉官制，尚书郎任职期满后才能出任县令。郑弘到职后认为，尚书郎职权虽重，也很受人尊敬，但薪水太少，只有四百至六百石，以至于每次朝廷考选尚书郎时，很少有人问津。郑弘上奏章帝刘炟，请皇上恩准尚书郎任职期满后可出任秩千石的县令。刘炟采纳了他的建议。郑弘前后多次提出的有益于王政的建议，都被著于竹简、丝帛上，收藏在皇帝居住的南宫之中。

后来，郑弘出任平原国（今山东平原县西南）相，成为镇守一方的封疆大吏。郑弘到任后，通过微服私访，实地考察民间疾苦，然后有针对性地采取措施，发展生产，救济有困难的农户。遇到天气大旱，则带头求雨。郑弘为官清廉，不妄取民间一物，因而得到当地百姓的爱戴与崇敬。有一次，郑弘在民间私访时，有两只白鹿随车而行，他感到特别惊奇，就问随从的主簿黄国："白鹿出现是吉还是凶？"黄国庄重地回答："这是您将来成为宰相的吉兆。"对此解释，郑弘笑而不答。

建初八年（83），郑弘升任大司农。当时，交趾（今越南北部）七郡向洛阳进贡的物资，都要通过福建泉州，从海路运送北上，再经黄河船运至京师洛阳。海上风急浪高，常常发生船沉人亡的惨剧，郑弘经调查后，上奏章帝请求开辟零陵（今湖南永州市内）、桂阳（今湖南郴县）之间的峤道，使之成为交趾七郡与中原地区贸易往来之捷径。这条陆路，既安全，又节省了人力。郑弘任大司农两年，节省的费用达"三亿万计"。有一年大旱，不少地方粮食不足，发生饥荒，而朝廷帑藏充足，郑弘建议朝廷减免地方贡献，减徭役，以减轻灾民负担，得到皇帝的采纳。

元和二年（85），郑弘升任太尉。他举荐第五伦为司空。第五伦曾是郑弘的上司，且有恩于郑弘，尽管司空职位低于太尉，但郑弘每日早朝之时都要向昔日的长官第五伦行礼，使第五伦十分不安。章帝问明原委后，特令设云母屏风一座，将两人隔开来，免得二人为礼节而犯难。

郑弘任太尉后，依然刚正不阿，坚守正义，不畏豪强，深得人心。

郑弘任太尉4年，正身立朝，"贪残赃秽者惧"。当时外戚窦宪专权，郑弘不惧权贵，经常上书章帝请求及早处置。章帝碍于窦皇后的面子，一直未采取行动。章和元年（87），郑弘上书章帝，称尚书张林依附窦宪，平时行为多有不检，恶迹昭彰。同时还弹劾洛阳令杨光贪赃枉法，无所不为，不宜再任洛阳令。杨光是窦宪的门客，闻言大惊，立即向窦宪求救。窦宪得报立即进宫面见章帝，诬陷郑弘泄露国家机密。章帝被蒙蔽，当即下诏责罚郑弘，并收缴了他的太尉印绶。郑弘请求辞官归田，章帝又不允许，郑弘积愤成疾，卧床不起，奄奄一息。临终前郑弘“上书陈谢，并言窦宪之短”。章帝看了奏章后有所醒悟，立即派御医去给郑弘治病。当御医到达时，郑弘已溘然长逝。

郑弘的妻子、儿女遵照他的遗嘱，将朝廷历年所赐之物全部归还，以布衣入殓，素木为棺，轻车简从，扶柩还乡。

阅读链接：

（南朝宋）范晔：《后汉书·郑弘传》，中华书局，1965 年版。

盗贼尽，吏皆休

——张霸治会稽

张霸，字伯饶，生卒年不详，东汉蜀郡成都县（今四川成都）人。7 岁能通读《春秋》，后拜樊儵为师，博览群书，通五经。张霸后举孝廉，授光禄主事。东汉和帝永元中任会稽太守。

张霸初到会稽时，境内盗患严重，百姓不得安宁。张霸对盗匪“晓以祸福，严明赏罚，不烦士卒之力，盗匪皆归附”。当时有一首童谣唱道：“弃我戟，捐我矛，盗贼尽，吏皆休。”

平定匪盗之风后，张霸重用有真才实学之士兴学，培养人才。他所重用的人，如处士顾奉、公孙松等都是具有很高声望的地方名流，其他有学行者也一律任用。从此郡人争励志节，习经者多，道路但闻读书声。有一首民歌唱道：“城上乌，哺父母，府中诸吏皆孝子。”

张霸治理会稽郡 10 年，使会稽地区大治。后以病辞会稽太守，先后被授予议郎、侍中等闲职，70 岁那年病逝，葬于河南梁县，谥宪文。《后汉书》《华阳国志》有传。

阅读链接：

（南朝宋）范晔：《后汉书·张霸传》，中华书局，1965 年版。

（东晋）常璩：《华阳国志》。

政清人和，为诸郡首

——诸葛恢在会稽

诸葛恢（284—345），字道明，琅琊郡阳都县（今山东沂南县）人。曹魏征东大将军、司空诸葛诞之孙，吴大司马诸葛靓之子。曾多次在地方任职，治绩极佳。

诸葛恢在任临沂县令时，因发生西晋八王之乱，北方局面十分混乱，于是南渡钱塘江以东避难。

到江东后，时任安东将军的晋元帝任命诸葛恢为主簿，后任江宁县令。永嘉五年（311），协助讨伐与当朝的司马越不协的镇东将军周馥，因功封博陵亭侯。同年，晋元帝任镇东大将军，诸葛恢迁任镇东参军。

建兴元年（313），西晋愍帝司马邺在长安（今陕西西安）即位，征诸葛恢为尚书郎，但晋元帝司马睿以诸葛恢是经天纬地之才，上表请求将诸葛恢留下，后委任诸葛恢担任会稽内史。临行前，晋元帝特设酒宴为诸葛恢饯行，并对诸葛恢说："今之会稽，昔之关中，足食足兵，在于良守。以君有莅任之方，是以相屈。四方分崩，当匡振圮运。政之所先，君为言之。"诸葛恢遂借机向晋元帝进言说："今天下丧乱，风俗陵迟，宜

尊五美，屏四恶，进忠实，退浮华。”晋元帝认为诸葛恢说得有理，表示完全采纳。

诸葛恢没有辜负晋元帝的托付，在短短的3年任期内，改变了会稽的面貌。在官吏考评时，诸葛恢政绩被列为全国第一，晋元帝下诏褒扬：“自顷多难，官长数易，益有诸弊，虽圣人犹久于其道，然后化成，况其余乎！汉宣帝称‘与我共安天下者，其惟良二千石’，斯言信矣。是以黄霸等或十年，或二十年而不徙，所以能济其中兴之勋也。赏罚黜陟，所以明政道也。会稽内史诸葛恢莅官三年，政清人和，为诸郡首，宜进其位班，以劝风教。今增（诸葛）恢秩中二千石。”

不久，诸葛恢因母亲去世离职丁忧，期满后改拜中书令。太宁二年（324），晋明帝司马绍讨伐企图篡位的权臣王敦，任命诸葛恢为侍中，加奉车都尉。王敦之乱被平定后，诸葛恢进封建安伯，先后任左民尚书、武陵王师、吏部尚书、尚书右仆射、尚书令等。咸康八年（342），晋成帝司马衍遗诏以诸葛恢与武陵王司马晞、会稽王司马昱、中书监庾冰及中书令何充一为顾命大臣。同年，晋康帝司马岳即位，加其为侍中、金紫光禄大夫。永和元年（345）逝世，享年六十二。朝廷追赠左光禄大夫、开府仪同三司，谥号为敬。

智言慧思

不饮浊泉水，不息曲木阴。所逢苟非义，粪土千万金。

——（唐）白居易《丘中有一土》

上苟好奢，则天下贪冒之吏将肆心焉；上苟好利，则天下聚敛之臣将置力焉。

——（唐）白居易《人之困穷由君之奢侈》

阅读链接：

（唐）房玄龄等：《晋书·列传第四十七》，中华书局，1974年版。

惟资公俸，食不兼味

——江革清廉高洁

江革像

江革（？—535），字休映，南朝济阳考城（今河南兰考）人。其家族是南朝士族，南朝才子江淹之族侄。江革幼年很聪慧，6岁就能作文。其父江柔之欣慰地说："这个孩子将来肯定能光大吾门。"9岁时父亲去世，江革和弟弟江观互相激励，刻苦读书。后来兄弟俩同时入太学，补为国子生，历次考核成绩均是优秀。大司徒、竟陵王萧子良认为江革是个人才，引荐他为西邸学士。江革举南徐州秀才后，被仆射江祏引荐为府丞。江革为人正直，刚直不阿，其优秀品德闻于朝野。

南朝梁武帝年间，年轻的武陵王萧纪出镇东州（即东扬州，治所在今绍兴）后，年少任性，所行多有不法，而辅佐武陵王的王府长史臧盾性格懦弱，对于武陵王的胡作非为束手无策。这时，梁武帝萧衍想起了贤能的江革，决定让江革去辅佐武陵王。于是，梁武帝召见江革，对他说："武陵王年少，臧盾性弱，不能匡正他的过失，我想用爱卿去接替臧盾。此事非爱卿不可，不得推辞。”梁武帝随即任命江革为折冲将军、东中郎将、武陵王长史、会稽郡丞，行府州事，实际主管东州辖区内的政务。

江革赴任途中，其门生故旧纷纷拿着礼物沿途迎候，江革见此情景，决定不接受任何人的馈赠，并对前来迎候的人声明:“我不接受任何馈赠，不容独当故人筐篚。”

到任以后，江革清廉自律，除了朝廷规定的微薄俸禄外，锱铢不取，过着十分清苦的生活，食不兼味，寝无锦绣。处理政务时，“功必赏，过必罚”。审理司法案件时，秉持公正公平的原则，决不冤枉一个好人，也不放纵一个坏人。江革上任不久，东州大治，百姓安堵，官吏敬畏，作奸犯科之徒闻风而逃。东州治所所在地山阴县令、琅琊人王骞本是贪赃枉法、声名狼藉之徒，江革履任后，王骞久闻江革清正廉明，担心江革拿他开刀，便自动弃职而去，以逃脱惩处。

江革在治理东州的同时，以他渊博的学识开导年轻的武陵王，每次陪武陵王出席宴会，总是引用《诗经》《尚书》等儒学经典，言辞高雅，让武陵王十分折服，从前骄纵妄为的毛病改了不少。日子长了，武陵王也养成了好学的习惯，写诗作文的水平大为提高。后来，有人将武陵王的诗作呈给梁武帝，梁武帝看了十分满意，高兴地对尚书仆射徐勉说：“江革果能称职。”

江革因治理东州政绩突出，被提拔为都官尚书。离任时，东州百姓为表达感激之情，送来大量礼物，江革仍与来时一样一律不收。坐朝廷派来的官船离开东州时，由于他不置财产，船轻，在水面上摇摆不定，为了安全起见，有人对江革说:船轻不稳，在过钱塘江时容易发生倾覆危险，需要堆积一些重物以保持船只的平衡。言外之意，是要他带一些财物进京。江革没有理会，从江边搬来十余块石头压船，其为官清廉如此。

江革后来在任广陵太守时被北魏俘获，北魏徐州刺史元延明仰慕江革的人品才

气，对他厚予优待，不以俘虏对待，准备软化他，让他为北魏效劳。元延明命江革作《丈八寺碑》和《祭彭祖文》，江革以拘捕日久，没有心思为由推辞。元延明反复逼迫，江革厉声回答道："江革行年六十，不能杀身报主，今日得死为幸，誓不为人执笔。"元延明见江革软硬不吃，就下令每天只给他 3 升糙米，让他仅能维持生命。后来，北魏提出以中山王元略交换江革，得到梁朝的同意。江革得以回到梁朝，梁武帝亲自设宴为江革压惊，席间称赞道："今日始见苏武之节。"

江革一生在地方历任八府长史，辅佐四王，三任郡守，在中央任过尚书左丞、司农卿、御史中丞、少府卿、都官尚书、度支尚书，为官数十年，"傍无姬侍，家徒壁立"，始终保持清廉本色。《梁书》评论说："江革聪敏亮直，亦一代之盛名欤！"

梁朝大同元年（535），江革逝世。有集二十卷，流传于世。

阅读连接：

（唐）姚思廉：《梁书·江革传》，中华书局，1973 年版。

（唐）李延寿：《南史·江革传》，中华书局，1975 年版。

皆若世南，天下何忧不治

——凌烟阁功臣虞世南

唐朝贞观十七年（643），太宗李世民下令在京师长安太极宫三清殿旁修建凌烟阁，命著名画家阎立本将24位开国文武功臣像画在凌烟阁内，以便随时观瞻怀念，这就是历史上著名的《凌烟阁二十四功臣图》。在这24位功臣中，有一位是越州余姚县（今余姚市）人，他的名字叫虞世南。

虞世南像

虞世南（558—638），字伯施，生于当地一个世家大族。其祖父虞检，曾任南梁始兴王府咨议；其父亲虞荔，曾任南陈太子中庶子，均是知名之士。虞世南与其兄虞世基继承家学，又先后拜名家为师，在经学、文学、书法上都有很高的造诣。陈朝灭亡后，虞世南兄弟从建康来到长安，双双被隋朝晋王杨广招致门下。604年，杨广弑父登基，是为隋炀帝。隋炀帝先后任命虞世南为秘书郎、起居舍人。隋炀帝虽然看重虞世南的才学，但因为他为人正直，不善于曲意逢迎，不大喜欢他。虞世南在隋炀帝身边10年之久，始终是个七品官。而其兄虞世基品性不同，善于阿谀奉承，深得隋炀帝的宠信，官至内史侍郎，颇有权势。隋大业十四年（618），虞世基与隋炀帝一起在扬州被宇文化及杀害后，虞世南随宇文化及北上山

东，后被农民起义领袖窦建德擒获，被任命为黄门侍郎。621 年，窦建德被唐朝秦王李世民击败，虞世南随即投奔李世民，先后任秦王府参军、记室，并授弘文馆学士。李世民被立为太子后，虞世南任太子中舍人。626 年，李世民登基，虞世南任著作郎，仍兼弘文馆学士。此时，虞世南已年近七旬，以年老为由多次向唐太宗请求退休，太宗不许，升迁虞世南为太子右庶子，虞世南辞谢，改任秘书省少监。贞观七年（633），任秘书监。赐爵永兴县子，次年，晋爵永兴县公。故世称“虞永兴”。

虞世南不仅学识渊博，才华横溢，而且品行端正、刚正不阿，因此而深得一代明君唐太宗的赏识与器重。唐太宗称赞虞世南有“五绝”：“一曰德行，二曰忠直，三曰博学，四曰文词，五曰书翰。”（《新唐书·虞世南传》）唐朝人所著《隋唐嘉话》盛赞虞世南“兼是五善，一人而已”。

虞世南在陈、隋、唐三朝均以博学文采著名，书法成就更是一流，与欧阳询、褚遂良、薛稷并称“唐初四大家”。其诗风与书风相似，清丽中透着刚健。

关于他的德行与忠直，在他多年尽心辅佐唐太宗的过程中充分表现了出来。唐太宗每当处理政事有余暇时，往往同虞世南共同翻看经史，并互相讨论。每当唐太宗向他询问时事或者君臣议论古代帝王处理政事的得失时，虞世南都能直言敢谏，并且因势利导，提出一些兴利除弊的意见。贞观八年（634），陇右地区发生山崩，山东与长江、淮河流域相继发生水灾，好几处地方出现大蛇，对此接连出现的灾异现象，唐太宗深感忧

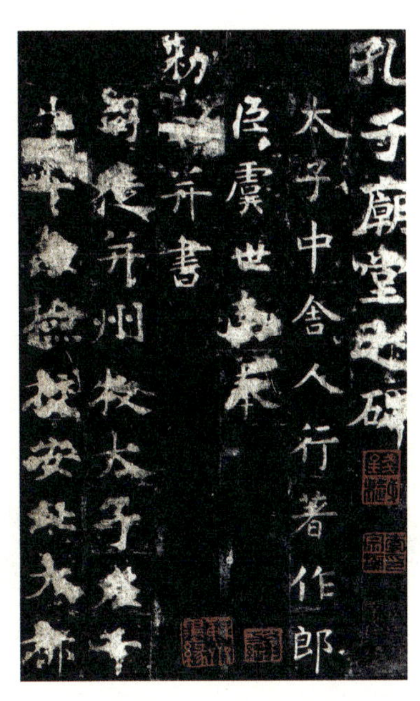

唐　虞世南《孔子庙堂碑》局部

虑不安，向虞世南询问看法。虞世南列举历史上发生的山崩地震、洪水泛滥以及大蛇出现等种种现象后，指出深山大泽本是龙蛇所居，出现大蛇不足为怪；山崩、地震、洪水都是自然灾害，只要实行德政，施惠于天下，就可以消弭自然灾害。唐太宗认为虞世南说得有理，便派遣官员到各地赈济灾民，以减轻自然灾害对老百姓带来的损失。

唐太宗喜好宫体诗，有一次写了一首命虞世南唱和。虞世南委婉进谏说："圣作虽工，体制非雅，上之所好，下必随之。此文一行，恐致风靡，而今以后，请不奉诏。"唐太宗虚心接受他的意见，并赐给他 50 匹绢作为嘉奖。唐太宗好打猎，虞世南也多次劝告太宗不要因为打猎而耽误政事的处理。

贞观九年（635），太上皇李渊（唐高祖）病故，太宗下令仿照汉高祖刘邦长陵的规模为李渊修建献陵（在今陕西三原县城东 25 千米之土原上），隆重安葬。因陵墓规模大、工期短，需要巨大的人力、物力、财力，劳民伤财，年近八旬的虞世南当仁不让，先后两次上疏太宗，力陈厚葬之弊，劝告太宗"安于菲薄，以为长久万代之计"。终于促使唐太宗决定缩小献陵的规模，以减轻百姓的负担。

总之，虞世南只要看到唐太宗做得不对或不好的事，都要直言进谏，而唐太宗也大多能虚心接受。唐太宗曾对身边近臣说："朕因暇日，每与虞世南商榷古今。朕有一言之善，世南未尝不悦；有一言之失，未尝不怅恨，其恳诚若此，朕用嘉焉。群臣皆若世南，天下何忧不治？"《旧唐书·虞世南传》称赞他"有犯无隐，多类此也"。可以说，虞世南的刚直不阿、直言敢谏，对于纠正唐太宗的过失，对于促成"贞观

之治”盛世的到来，是发挥了重要作用的。

贞观十二年（638），81岁高龄的虞世南再次请求退休，得到唐太宗的批准，数月后病故。唐太宗十分悲伤，他在写给儿子李泰（魏王）的敕文中说：“虞世南于我，犹一体也。拾遗补阙，无日暂忘，实当代名臣，人伦准的。吾有小善，必将顺而成之；吾有小失，必犯颜而谏之。今其云亡，石渠、东观之中，无复人矣，痛惜岂可言耶！”唐太宗诏令赠虞世南礼部尚书，谥号文懿，并给予陪葬昭陵（唐太宗陵墓）的殊荣，以便在九泉之下君臣继续相伴。数年后，唐太宗梦见虞世南，其音容笑貌与生前一模一样。次日，唐太宗下诏书称：“礼部尚书、永兴文懿公虞世南德行淳备，文为辞宗，夙夜尽心，志在忠益。奄随物化，倏移岁序。昨因夜梦，忽睹其人，兼进谠言，有如平生之日。追怀遗美，良增悲叹。宜资冥助，申朕思旧之情，可于其家为设五百僧斋，并为造天尊像一躯。”贞观十七年（643），唐太宗又令将虞世南列入凌烟阁二十四功臣之列。

阅读连接：

（北宋）欧阳修、宋祁：《新唐书·虞世南传》，中华书局，1975年版。

（唐）虞世南：《虞世南诗文集》，浙江古籍出版社，2012年版。

遗泽满杭城

——李泌与杭州相国井

李泌像

李泌（722—789），字长源，是唐朝中期著名的政治家、谋略家，历仕肃宗、代宗、德宗三朝，经历唐王朝由兴盛转向衰落、战乱不息的多事之秋。他凭借自身的经天纬地之才、安邦定国之策，干出了许多扭转乾坤的惊人业绩，尤其是收复两京（西京长安、东京洛阳），再造社稷之功，不在郭子仪之下，成为唐朝历史上有名的宰相。他一生勤政清廉，爱国爱民，无论在什么岗位上，政绩都十分辉煌，在抗御外侮、捍卫国土、平反冤狱、除弊救灾等方面都做出过重大贡献。

由于朝廷内部的奸臣进谗言，李泌一生几次遭贬斥外放。代宗大历十四年（779），李泌被外放为杭州刺史。

李泌任杭州刺史期间，为杭州老百姓办了一件头等好事、实事，并因此永存杭州史册，这就是在杭州城内开凿六口水井，为老百姓提供优质的饮用水。

隋朝开皇九年（589），隋文帝废钱唐郡，改置杭州。两年以后，隋大臣杨素奉命营建杭州城。当时的杭州城，南起吴山，北至钱塘门，东至盐桥河，西抵西湖滨。

到李泌任刺史时，杭州已经建城188年，到唐开元年间城内人口由1万多户增加到86256户,但城内“本江海故地,水泉咸苦,居民零落”。受海潮的影响，地下水一直十分咸苦，不能饮用，老百姓生活十分不便。

李泌上任后，有一天外出巡视，当他来到吴山脚下时，看见男男女女、老老少少背着木桶往山上走，觉得很奇怪，于是上前拦住一个头发花白的老人询问："老人家，您背着一个木桶干什么去？”老人回答："背水去。”“城内河道中不是有很多水吗？为什么还要那么辛苦到山上去背？”老人说："城里的水又苦又咸，难以下咽。”

第二天，李泌带着衙役视察城内水道。他从河中舀了一瓢水，一尝，果真苦涩难咽。原来，河道里的水都与钱塘江相连，钱塘江连着东海,海水上涨时,钱塘江连着海水倒灌河中。因此，特别是天旱时，全城的老百姓便纷纷上山背水。

哪里有淡水呢？李泌派人四处探寻。不久，一名衙役报告："西湖水来自四周山溪，甜美可口。”李泌得到报告后，立即前往勘察，勘察完毕，心中有了解决方案。李泌命人在西湖边挖了六个输水口，再铺暗道（用竹子或瓦做材料）引西湖水进城，在城里居民聚居的地方，挖六个大型蓄水池，砌以砖石，分别命名为相国井（在今杭州井亭桥西）、西井（又名化成井，在相国井西面）、金牛井（在西井西北面）、方井（俗称四眼井）、白龟池（今龙翔桥西）、小方井（俗称六眼井，在今钱塘门内），井与井之间用竹管相连，就这样，西湖水源源不断地流入杭州

今杭州解放路靠近
西湖的相国井遗址

城内，只要西湖水不竭，杭州的供水就不成问题。这是一个很有创意的城市给水系统，李泌因此成为历史上第一个把西湖水用于居民饮水的人。这个给水系统为杭州城市的发展打下了良好的基础。以后白居易、钱镠、陈襄、苏东坡等许多官员，都在李泌开凿六井的基础上，对六井进行了疏浚和修缮，使六井的作用继续得到发挥。直到几百年后，杭州地下水质变好，人们就地掘井涌出的井水也能饮用，李泌开凿的六井的功能减退，才逐渐废弃。1911 年，辛亥革命杭州光复后，人们在井亭桥相国井原址用红砖砌了一个大井栏，留下了一个相国井的标记，使后人记住李泌的功绩。1987 年，杭州市人民政府在原址修建了相国井井圈护栏，并在旁边立石碑记其事。相国井被列为杭州市重点文物保护单位。

阅读链接：

刘荫柏：《李泌》，解放军出版社，1996 年版。
（北宋）欧阳修、宋祁：《新唐书·李泌传》，中华书局，1975 年版。
（后晋）刘昫等：《旧唐书·李泌传》，中华书局，1975 年版。

清廉方正，一文不取

——晚唐名臣钱徽

在晚唐，有一位清廉方正、直道而行的的大臣，不仅朝中贪官污吏对他怒目而视，就连皇帝也要时常提防他三分，这人就是钱徽。

钱徽（755—829），字蔚章，吴郡吴兴县（今湖州市）人。其父钱起是唐天宝十年（751）进士，诗人，被称为“十才子”之一，官至尚书郎。唐德宗贞元初年，钱徽中进士，被派遣到湖北谷城县任职。县令王郢豪爽好客，挥金如土，喜欢结交三教九流，经常用公款请客送礼，案发被革职查办。负责处理此案的观察使樊泽发现涉案的人很多，只有钱徽一文不取，清清白白，案件了结后，樊泽将钱徽带在身边任幕僚。

元和初年，钱徽入朝任左补阙，后升任翰林学士，迁中书舍人，知制诰。元和八年（813），改官司封郎中。他办事干练，举措得当，深得唐宪宗的欣赏。有一次，宪宗召见钱徽，钱徽从容地说：“其他翰林学士也都是精选出来的有识之士，应该都参与机密事务，广泛讨论决断。”皇帝称赞他谨慎厚道，懂得谦恭礼让，于是提升他为中书舍人。十一年(816),因言语有违圣旨，

罢翰林学士，降为太子右庶子。当时宣武军行营兵马使韩公武为了在朝廷求得内助，拿出重金贿赂朝廷官员，也给钱徽送了20万，钱徽坚辞不受。有人劝说道："你又不是朝中掌握实权的人，没有必要谢绝。"钱徽正色回答道："接受别人馈赠，关键在是否合乎道德规范，而不在官职大小。"

长庆元年（821），钱徽任礼部侍郎，负责科举考试。前刑部侍郎杨凭家里收藏了一批书画古董，为了让儿子杨浑之顺利考上进士，他四处托人找门路，最后忍痛将自己收藏的珍贵字画送给同样酷爱古玩的宰相段文昌，段文昌受此重贿后，亲自出面找钱徽为杨浑之说情，然后又写信给钱徽保举杨浑之。其他权贵如李绅等也找钱徽游说。钱徽对此不正之风，决定坚决抵制。当发榜时，段文昌、李绅等保举的杨浑之、周汉宾等都名落孙山。对此结果，段文昌十分愤怒，立即上奏，诬告钱徽所选取的进士都是学识浅薄的官宦子弟，录人惟亲。结果，钱徽以"取士以私"的罪名被贬为江州（今江西九江）刺史。当时，有人为钱徽鸣不平，要求钱徽将段文昌、李绅写给他的信上奏皇上，以洗清自己的冤屈。钱徽说："苟无愧于心，安事辨证邪？"随即命令子弟们将书信烧了。

在江州刺史任上，钱徽仍然保持清廉正直的作风。当时，地方上盛行请客送礼，地方官往往将这些费用转嫁到百姓头上，或者动用公款冲抵。江州府有牛田钱100万，是前任刺史准备用来请客送礼的，钱徽说："这钱本是用来备农耕的，岂可挪做他用？"他下令将这笔钱放回府库，以替代百姓交纳赋税。

钱徽以后历任工部侍郎、潼关防御使、镇国军使、华州刺史、尚书左丞、吏部尚书。

钱徽洁身自好，嫉恶如仇，贪官污吏惧怕他，连皇帝也对他也有几分顾忌。早年他做太子属官时，朝廷表面上多次颁布诏令，严禁地方官吏进献财物，但暗地里皇帝带头广纳各方进贡。投机钻营之徒纷纷投其所好，拼命搜刮钱财，源源不断地往京城送钱送物，蔚然成风。钱徽屡次上书，请求朝廷停止纳贡。皇上听不进去告

诉下属，以后送钱物不要进右银台门，以免被钱徽发觉。

太和三年（829），这位正直清廉的吏部尚书去世。钱徽立身清廉，非分之财一文不取，为后人做了一个很好的榜样。

智言慧思

间有廉能之吏，一意兴利除弊，教养斯民，而知府之意见不同也，司道之威严可畏也，上官掎之，同寅笑之，众庶疑之，必溃其成而后已。

——（清）黄宗羲《明夷待访录》

阅读链接：

（后晋）刘昫等：《旧唐书·钱徽传》，中华书局，1975年版。

（北宋）欧阳修、宋祁：《新唐书·钱徽传》，中华书局，1975年版。

上不负天子，下不负所学

——唐朝宰相陆贽

陆贽像

著名历史学家范文澜主编的《中国通史》称："陆贽是唐朝中期卓越的政治家。"

陆贽（754—805），字敬舆，唐代苏州嘉兴县（今嘉兴市）人。唐朝大历六年（771）中进士。曾任渭南县尉、监察御史。779年唐德宗李适即位后，召为翰林学士。德宗建中四年（783），军阀朱泚发动叛乱，叛军攻陷长安后，宣布拥戴朱泚为帝，改国号为"大秦"，改元"应天"。陆贽随德宗避乱奉天（今陕西乾县），唐朝将领李怀光、李晟等起兵勤王，朱泚叛军退出京师长安。陆贽对德宗说："今盗遍天下，宜痛自咎悔，以感人心。昔成汤罪己以兴，楚昭王出奔，以一言善复国。陛下诚不吝改过，以言谢天下，使臣持笔亡所忌，庶叛者革心。"德宗欣然采纳。784年，德宗宣布改建中五年为兴元元年，并下《奉天改元大赦制》，宣称："朕抚驭乖方……朕实不德，致寇兴祸，使生灵无告，受制凶威。"此后，又连下数道诏书，罪己宥人。诏书下达之后，"虽武夫悍卒，无不挥涕感激"，响应朱泚的田悦、王武俊、李纳等藩镇纷纷宣布取消王号，上表谢罪，朱泚很快

被孤立起来。后来泽潞节度使李抱真入朝，对德宗说："陛下在奉天、山南时，赦令至山东，士卒闻者皆感泣思奋，臣是时知贼不足平。"这些感化藩镇诸侯的诏书，全部出自陆贽的手笔。可以说，陆贽以他的笔杆子挽救了唐王朝。

兴元元年（784），唐将李晟收复长安，朱泚在逃亡途中被杀。朝廷回到长安。陆贽转任考功郎中。后李怀光叛乱，又扈从德宗逃往梁州，转任谏议大夫。长安收复后，还东京，转任中书舍人。

陆贽自任翰林学士后，即参赞机要，负责起草文诏，甚得朝廷倚重，号称"内相"。陆贽忠于职守，常常在德宗面前力争，即使忤逆皇帝，亦无所顾忌。德宗贪财，常要地方官向朝廷贡献财物，地方官则以"贡献"为名向老百姓勒索，大大加重了老百姓的负担。陆贽认为这样做，"减德市私，伤风败法，因依纵扰，为害最深"，屡次要求德宗停止地方官"贡献"，以减轻老百姓的负担。为此常触怒德宗，好心人提醒陆贽不要太过，他坦然回答："吾上不负天子，下不负所学，其他无所恤！"他以天下为己任，敢于矫正人君的过失，揭露奸佞误国的罪恶。

贞元七年（791），陆贽拜兵部侍郎。次年，任中书侍郎、同平章事，为宰相。执政期间，公忠体国，励精图治，具有远见卓识。在当时社会矛盾激化，"四海骚然，靡有宁处"，唐王朝屡屡面临崩溃的形势下，他指陈时弊，筹划大计，为朝廷出了许多善策。他建议皇帝了解下情，广开言路，纳言改过，任贤黜恶，储粮备边，消弭战争。他认为立国要以民为本，对"富者兼地数万亩，贫者无容足之居”的状况不满，同情人民的悲惨生活。他力劝德宗爱人节用，轻徭薄赋，反对横征暴敛，主张使“一代黔黎，跻富寿之域”。陆贽施政的指导原则是“安富恤穷”，在地主阶级和农民阶级之间的矛盾中寻找平衡。但遗憾的是，德宗并不是雄才大略的明君，陆贽的主张“帝所用才十一”。

陆贽身为宰相，却一文不取。德宗对此不理解，曾下密旨责备他“清慎太过”，“如不接受贵重财物，细小物品受亦无妨”。对此，陆贽不以为然，他上疏辩解说：“利之小者，必害于大。鞭靴不已，必及衣裘；衣裘不已，必及币帛；币帛不已，必及车舆；车舆不已，必及金璧。日见可欲，何能自窒于心？”“货贿上行，则赏罚之柄失；贪求下布，则廉耻之道衰。”“伤风害理，莫甚于私。暴物残民，莫大于贿。”（《全唐文》卷四七三）在陆贽看来，拒绝贿赂必须从轻微的礼物做起，防微杜渐。现在看来，陆贽的话是非常有道理的，很多人往往是从接受轻微的贿赂开始，一旦上瘾就会一发不可收拾，而酿成大的悲剧。

陆贽任宰相期间，户部侍郎、判度支裴延龄以谄媚德宗受到重用，“天下嫉之如仇”。陆贽仗义执言，多次上书参奏裴延龄的罪行。有一次，陆贽与宰相赵憬向德宗面陈裴延龄之奸邪，德宗怒形于色，赵憬默然无语，但陆贽不顾这些，毅然写下长达六千言的《论裴延龄奸蠹书》进呈，书中历数裴延龄七大罪状，斥其为旷代所未有的奸佞。德宗不辨忠奸，反而更加信任裴延龄。裴延龄见德宗是非不分，反过来在德宗面前千方百计诋毁陆贽。贞元十年（794）十二月，罢陆贽知政事，为太子宾客。贞元十一年（795）春，复贬忠州（今四川忠县）别驾整整10年，陆贽谪居偏远的瘴疠之乡，仍心念黎民，因当地气候恶劣，疾疫流行，遂编《古今集验方》50篇，供当地人们治病使用。805年唐顺宗即位后，下诏召还陆贽，诏未至而贽已病故，终年52岁。朝廷赠兵部尚书，谥号宣。

在唐朝走向衰落、风气日坏的大背景下，陆贽“欲以片心除众弊，独手遏群邪，

君上不察其诚，宵小共攻其短”，受排挤、不得志于当时是必然的，但他的“高迈之行，刚正之节，经国成务之要，激切仗义之心”，即使在今天仍然闪耀着夺目的光辉。

陆贽有著述多种，流传至今的有《陆宣公集》(亦名《陆宣公翰苑集》《陆宣公奏议》)，关于时政的奏议、制诰等文章，传诵古今，被称为“经世有用之言”，“于古今政治得失之故，无不深切著明，有足为万世龟鉴者”。司马光非常推崇陆贽，在《资治通鉴》中引用陆贽的议论达39处之多，基本上把《陆宣公集》的主要内容都概括了。像这样连篇累牍地记录一个人的政治主张，在《资治通鉴》中独此一例。苏轼称陆贽“才本王佐，学为帝师”，“智如子房而文则过，辩如贾谊而术不疏。上以格君心之非，下以通天下之志。使德宗尽用其言，则贞观可得而复”。并把陆贽的奏议文集进呈给当朝皇帝说：“若陛下能自得师，莫若近取诸贽。”“圣言幽远，末学支离，譬如山海之崇深，难以一二而推择，而贽之论，开卷了然，聚古今之精英，实治乱之龟鉴。”

阅读链接：

(清)董诰等：《全唐文》卷四六〇—四九二。

(后晋)刘昫等：《旧唐书·陆贽传》，中华书局，1975年版。

王素：《陆贽评传》，南京大学出版社，2001年版。

广大诗家推教主，泽民遗爱至今传

——杭州刺史白居易

白居易像

唐朝中晚期伟大诗人白居易（772—846），字乐天，号香山居士。在少年时代，为了躲避安史之乱后持续不断的战乱，曾随父亲避乱于当时还比较安宁的苏、杭一带。“异日苏、杭，苟获一郡，足矣。”江南风景的美丽与物产的丰饶，给少年时代的诗人留下了深刻印象：“甚觉太守尊，亦谙鱼肉美。”他希望将来有朝一日能够出长苏、杭，以实现其“秉国权，治天下”及“救民济世”的理想，造福人民。天遂人愿，白居易在50岁以后先后担任杭州刺史、苏州刺史，成了苏杭两座人间天堂的守主，可谓千秋佳话。清代诗人张维屏《白香山》诗云：“广大诗家推教主，泽民遗爱至今传。”诗中“泽民遗爱”主要指诗人在担任杭州、苏州刺史期间为人称道的政绩。

唐朝穆宗长庆二年（822）七月，白居易由中书舍人外放为杭州刺史，经过数月跋涉，于十月间从长安（今西安）抵达杭州。白居易在任杭州刺史的20个月里，为杭州做了几件实事：一是筑堤保湖，引湖水灌溉农田。据学者考证，白居易所筑之堤并非今日东起断桥、西至平湖秋月的白堤（或白公堤），至于白居易所筑之堤

究竟在何处，说法不一。《新西湖志》称：在今宝石山麓至湖畔居一线。白公堤将西湖一分为二，堤内是上湖，堤外为下湖；上湖蓄水，并建水闸，需要时放水达下湖。这样既可防洪水淹没农田，又可以蓄水，酌情泄流，灌溉千顷农田，同时便利水上运输。二是疏浚前任杭州刺史李泌开凿的六井——相国井、西井、方井（俗称四眼井）、金牛井、白龟池和小方井（俗称六眼井）。三是设立疏浚西湖基金。白居易在离杭时，将自己的大部分俸禄留存官库，作为今后疏浚西湖之用。用去多少，由继任者补足原数。嗣后沿袭成为一种制度，持续了 50 年之久。

白居易像

白居易留给杭州的遗产，更多的体现在精神文化方面。诗人一到杭州，就陶醉于它美丽的风景，“凌晨亲政事，向晚恣游遨”。他或是到明镜般的西湖划船饮酒，或是到西湖周围登山访寺庙长老，或是到郡亭上观赏钱江大潮，在杭州的 20 个月里，他先后创作了描写西湖山水名胜的诗 200 余首，为历代描写西湖风景诗歌最多的诗人。诗中充满了对西湖风景的真情挚爱。“湖上春来似画图，乱峰围绕水平铺。松排山面千重翠，月点波心一颗珠。”“山名天竺堆青黛，湖号钱塘泻绿油。”“春

风来海上，明月在江头。”“灯火家家市，笙歌处处楼。”“孤山寺北贾亭西，水面初平云脚低。几处早莺争暖树，谁家新燕啄新泥？”“乱花渐欲迷人眼，浅草才能没马蹄。最爱湖东行不足，绿杨阴里白沙堤。”“谁开湖寺西南路？草绿裙腰一道斜。”“万株松树青山上，十里沙堤明月中。”这都是诗人妙手神来之笔。白居易为了提高杭州与西湖风景的知名度，还与好友、驻绍兴的浙东观察使元稹之间打了一场笔墨官司：“知君暗数江南郡，除却余杭（即杭州）尽不如。”“可怜风景浙东西，先数余杭次会稽。禹庙未胜天竺寺，钱湖不羡若耶溪。”在他看来，老牌的绍兴风景名胜都不如后起的杭州，当然这是诗人的偏爱了。

当诗人任满离杭时，对杭州表达了深深的留恋和依依不舍：“处处回头尽堪恋，就中难别是湖边。”“未能抛得杭州去，一半勾留是此湖。”“官历二十政，宦游三十

西湖边送别白公雕塑

阅读链接：

褚斌杰：《白居易评传》，人民文学出版社，1980 年版。

余荩：《白居易与西湖》，杭州出版社，2004 年版。

《白居易诗集》，中国国际广播出版社，2011 年版。

秋。江山与风月，最忆是杭州。”直到暮年，诗人仍在殷切盼望有一天能重游西湖：“忆江南，最忆是杭州。山寺月中寻桂子，郡亭枕上看潮头。何日更重游？”白居易的诗歌创作，不仅极大地提高了杭州和西湖的名声，也为后世文人诵唱西湖、描绘杭州开了好头。

当然我们也应看到，当时正是安史之乱后唐王朝全面走向衰败的时代，白居易空手而来，空手而去，虽然在兴修水利方面为杭州人民做了一点工作，但毕竟没有更多的财力物力来为杭州人民做更多的实事，所以，他心里实际上是十分愧疚的。“三年为刺史，无政在人口。唯向郡城中，题诗十余首。”“耆老遮归路，壶浆满别筵。甘棠无一树，哪得泪潸然！税重多贫户，农饥足旱田。惟留一湖水，与汝救凶年。”诗人对自己的无能为力充满了自责，临别仍在为杭州百姓的负担过重而感到难过。

临走之前，“惟向天竺山，取得两片石。此抵有千金，无乃伤清白”。对于这位诗人、父母官的离去，杭州百姓给予了隆重的送别，场面十分感人。白居易辞别夹道送行的杭州百姓，依依不舍地踏上了奔赴洛阳的路程。“自别钱塘山水后，不多饮酒懒吟诗。欲将此意凭回棹，报与西湖风月知。”诗人晚年，魂牵梦绕的依然是杭州的山水名胜，如今，当你看到西湖边上新立的那一组杭城父老箪食壶浆送别白居易的铜像，也许仍会伫足良久。

但愿天下乐，熙熙千万春

——范仲淹在浙江

范仲淹像

毛泽东在研读中国二十四史时，在读完北宋名臣范仲淹传后写下了这样一句话：中国历史上罕有的集诸葛、孔孟而兼办事（建功立业）传教（思想品行影响后世）之人。对北宋历史名人范仲淹给予了高度评价。说起来，范仲淹与浙江关系十分密切，他先后担任睦州、越州、杭州等三州的知州，在浙江大地留下了美好的历史记忆。

范仲淹（989—1052），字希文，苏州府吴县（今江苏苏州）人，北宋真宗大中祥符年间中进士。一生直言敢谏，庆历三年（1043），任参知政事，推行“庆历新政”，因保守派反对，新政被废。多次被贬至地方为官，一生五起五落，颠沛流离，1052年在前往颍州就任途中病故。死后赠兵部尚书，谥文正。有《范文正公全集》行世。

北宋明道二年（1033）十二月，时任右司谏的范仲淹因谏阻废郭皇后，激怒了宋仁宗，被贬为睦州知州。景祐元年（1034）四月中旬，范仲淹到达任所，他治政尚宽简，示之以文，施之以仁，着力解除民间疾苦。同时重修严子陵祠堂。但他在睦州前后不到 5 个月，来不及有更大的施展就调走了。在这几个月中，桐庐、富春一带的迤逦风光深深地吸引了范仲淹，他在致恩师的信中形容“满目奇胜”，“既清

且幽，大得隐者之乐”。以范仲淹之大才，治理一个小郡，可以说是轻松自在。公务之余，范仲淹与颇有才情的章岷等人畅游如诗如画的新安江、富春江风光，留连在大自然的胜景之中，才思泉涌，佳作迭出，留下了不少脍炙人口的名篇。如《出守桐庐道中十绝》有云:“分符江外去，人笑似骚人。不道鲈鱼美，还堪养病身。”“沧浪清可爱，白鸟鉴中飞。不信有京洛，风尘化客衣。”“风尘日已远,郡枕子陵溪。始见神龟乐,优优尾在泥。”《潇洒桐庐郡十绝》云：“潇洒桐庐郡，全家长道情。不闻歌舞事，绕舍石泉声。潇洒桐庐郡，家家竹隐泉。令人思杜牧，无处不潺湲。潇洒桐庐郡,千家起画楼。相呼采莲去,笑上木兰舟。潇洒桐庐郡，严陵旧钓台。江山如不胜，光武肯教来。”

宋仁宗宝元二年（1039）三月，范仲淹被任命为越州（今浙江绍兴市）知州。同年七月到任后，推行德治，在任时间虽然不到一年，但在当地百姓中留下不少口碑。范仲淹离任，越州百姓在府衙建贤牧亭以祀之，同时将范仲淹在任时开凿的泉水命名为“范公泉”以为纪念。

北宋皇祐元年（1049）正月，61 岁的范仲淹奉令由邓州移任杭州知州，年老体弱的范仲淹对于赴任杭州，向仁宗皇帝表达了感激之情，说“荐分于善壤”，“迹虽远而获安，年已高而就逸”。

范仲淹就任的第二年，两浙路发生了严重的旱灾，由此引发大饥荒，道有饿殍，饥民到处流浪，朝廷为此下诏:“两浙流民，男女不能自存者，听人收养，后不得复取。”范仲淹作为行政长官，一反常态，创造性地实施了“荒政三策”:一是大兴土木，以工代赈，修寺院、建官舍、盖库房……公私并举，解决大量饥民流离失业之苦。二是纵民竞渡，利用当地人好佛事，喜竞渡，亲自日出晏于西湖。自春至夏，居民空巷出游，大兴旅游业，发有余之财，一时贸易饮食等行业新增就业者数万。三是提高粮价。当时粮食价格飞涨，粮食一斗涨至一百二十文钱，范仲淹张榜，将粮食价格提高至一斗一百八十文钱，四方商贾闻讯后，从四面八方运粮食进杭州城，运到杭州的粮食越来越多，粮食价格很快降至一斗一百二十文。范仲淹的“荒政三策”条条奏效，并得到朝廷的肯定，后人称之为“荒政三奇策”。杭州人民为感念范仲淹之德政，在孤山建了范文正公祠，在梅东高桥建了范府君庙。

范仲淹在杭州期间，也留下了大量诗歌，成为杭州的又一宝贵财富。“长忆西湖胜鉴湖，春波千顷绿如铺”；“西湖天下绝，今日盛遨游”；“一水无涯静，群峰满眼春”;“最爱湖山清绝处，晚来云破雨初停”;“西湖载客恣游纵，湖上参差半佛宫……向此行春无限乐，却惭何道继文翁”；“东南为守慰衰颜，忧事浑祛乐事还。鼓吹夜归湖上月，楼台晴望海中山。奋飞每羡冥鸿远，驰骋哪惭老骥闲？此日共君方偃息，是非荣辱任循环”。从这些美不胜收的格律诗中，我们能够读到诗人眼中的湖山美景，忧乐情怀。

范仲淹还给我们留下了“但愿天下乐……熙熙千万春”以及“先天下之忧而忧，后天下之乐而乐”的千古名句，这也是他一生忠实践行的准则，也是留给子孙后代的宝贵的精神财富。

阅读链接：

方健：《范仲淹评传》，南京大学出版社，2001 年版。

李涵等：《范仲淹传》，中州古籍出版社，1991 年版。

所至善治，民思不忘

——北宋名臣赵抃

赵抃像

赵抃（1008—1084），字阅道，号知非子，北宋衢州西安县（今浙江衢州市）人。北宋景祐元年（1034）中进士。曾先后任武安军节度推官，泗州通判，濠州知州，殿中侍御史，右司谏，虔州（今江西赣州）知州，天章阁侍制，河北转运使，四川梓州、益州转运使、成都知府，谏议大夫，参知政事，资政殿学士，杭州知州，越州知州等，他一生担任过多种重要职务，从地方到中央，又从中央到地方，最高官至参知政事（副宰相），无论在什么岗位，他都保持清正廉洁，有所作为的状态。“所至善治，民思不忘”，被北宋著名宰相韩琦称赞为“真世人标表”。

赵抃在任殿中侍御史、右司谏时，刚直不阿，弹劾不避权贵，伸张正义，威震京师，被朝野上下誉为“铁面御史”。至和元

年（1054），宰相陈执中家13岁女奴迎儿被打死（一说是陈执中亲自打死的，一说是陈执中的宠妾虐待致死，不管哪一种情况，陈执中都逃脱不了罪责），赵抃为此先后二十余次上奏弹劾陈执中，认为他不宜继续担任宰相。次年，又上奏弹劾陈执中八款罪状——不学无术、措置颠倒、重用邪佞，招延卜祝、私仇嫌隙、排斥良善、狠愎任情、家声狼藉，终于促使皇上罢免了陈执中的宰相职务。赵抃还先后弹劾宣慰使王拱辰违法乱纪，弹劾枢密使王德用、翰林学士李淑均不称职，使这些人全部解除职务。赵抃还弹劾枢密副使陈升之奸邪，陈升之虽然被罢官，但赵抃本人也因此被罢免了右司谏职务，被外放为地方官。

赵抃担任过多个地方官职务，所到之处，均有显著政绩。他先后三次入蜀任职，每次均是单枪匹马，“以一琴一鹤自随”。益州有“天府之国”美称，由于地处西南边陲，天高皇帝远，各级官员大都目无法纪，鱼肉百姓，贪污受贿，过着花天酒地的生活，当地百姓对此敢怒而不敢言。赵抃到任后，经过实地考察后，决定首先整顿吏治。他以身作则，谢绝所有为他举行的接风宴请，更不利用职务之便收受贿赂。他要求各级官吏也必须照此实行，禁绝官员间名目繁多的各种馈赠和酒礼。对于那些敢于顶风违抗的官员，赵抃绳之以法，严惩不贷，并且从成都推向各地，连偏僻小邑也不放过。经过这样雷厉风行的整治，乡亲父老“喜相慰”，而奸吏、恶吏“悚服”，风气为之一变，蜀民奔走相告，盛赞赵抃治蜀有方。两年多后，赵抃奉调回京。离开成都时，仍然带着来时的一琴一鹤。

赵抃出任成都太守时，已年过六旬。剑州李孝忠纠集200余徒众私造度牒，度人为僧，骗取钱财，这些人后以谋逆罪被捕入狱。赵忭到任后，查清这些人的情况，并认真审阅案卷，认定李孝忠一案只是私造度牒，并不是聚众谋反，决定从宽处置。刑其首恶，余皆释放，“蜀民大悦”。有人告到朝廷，称赵抃包庇叛众，为他们开脱罪责。皇上严令有关官员调查此事，调来李孝忠案全部案卷，细细查审，一致认定

赵抃处理得完全正确，维持原判不变。赵抃自律甚严，每晚都要焚香拜天，口中念念有词。有人好奇问他在向上天说些什么，赵抃笑笑说："无非是将自己白天做过的事，一桩桩地在心里说上一遍，借以检点反思。"

赵抃三次治蜀，诚如苏轼所称赞的："公为吏，诚心爱人。时出猛政，严而不残"，"为世所称道"。在他言传身教之下，川中奢靡之风为之一变，以至于以后凡是新任益州官员上任前，宋神宗都要向他们提及赵抃，勉励他们向赵抃学习。

赵抃晚年任越州知州期间，"吴越大饥疫，死者过半"。灾情发生后，赵抃全力投入救灾，制定救济办法，筹集救灾物资，收养孤儿，防疫治病，使生者得食，病者得医，死者得以安葬。并尽个人所有，"施棺给薪，不知其数"。

赵抃为官数十年，"平生不治产业"，始终保持安贫乐道的状态。他也"从不畜声伎"，个人生活作风极为严谨。元丰七年（1084），赵抃病逝，享年77岁。朝廷追赠太子少师，谥号清献。

阅读链接：

（北宋）赵抃：《赵清献公文集》，国家图书馆出版社，2004年版。

刘国庆主编：《赵抃研究论文集》，社会科学文献出版社，2012年版。

风流一代文章富，政绩千年俎豆新
——苏轼与杭州

苏轼像

北宋文豪苏轼一生两度到杭州做官，任职时间长达5年有余，从此以后，一代文豪的名字与杭州的湖山风物名胜紧紧联系在了一起。“杭州若无白（居易）与苏（轼），风光一半减西湖。”苏轼留给杭州的，不仅有有形的苏堤，更有十分巨大的无形遗产。

苏轼（1037—1101），字子瞻，号东坡居士，眉州眉山县（今四川眉山）人。北宋仁宗嘉祐二年（1057）中进士。先后任大理评事、凤翔府节度判官、太常博士等。熙宁四年（1071）四月，35岁的苏轼结束7年京官生涯，外放为杭州通判，同年十一月二十八日抵达杭州。通判是北宋特设的官职，盖宋太祖赵匡胤开国后，“惩五代之弊，置通判以分知州之权，谓之监州”。通判地位比较特殊，“既非副贰，又非属官，故常与知州争权。每云：我是监郡，朝廷使我监汝举动”（欧阳修《归田录》）。苏轼任杭州通判的3年间，知州先后换了3任，苏轼是才子，天生与人为善，不喜争权夺利，因而与沈立之、陈襄、杨绘3任知州相处得很好。

他身为通判，不喜“监郡”，便自己找事做。比如开河，疏浚西湖六井、捕捉蝗虫等州县民事，他还常常被两浙转运司等衙门差遣到各州办理公事。例如熙宁五年（1072）秋，奉命督役开运盐河；同年底，被派遣到湖州“相度堤堰利害”，治水本来不是苏轼的职责，但他还是欣然前往；熙宁六年（1073）冬，苏轼奉令到常州、润州一带赈济灾荒，历时达7个多月。苏轼因为出身寒门，生长于民间，颇知民间疾苦，天生具有仁政爱民思想。他所到之处，从不骚扰当地老百姓，通常是寄宿寺院。熙宁五年秋，苏轼督开运盐河时就寄宿在水陆寺。开运盐河征调农民千余人，他认为此举扰民害民，但他官小权轻，无力改善农民的负担，只能“托事以讽，庶几有补于国”，写下《汤村开运盐河雨中督役》等诗词，对农民的遭遇表示同情。

苏轼塑像

元祐四年（1089）三月，53岁的苏轼以龙图阁学士充两浙西路兵马钤辖知杭州军州事，通称杭州知州。同年七月，苏轼到任。第一件事就是设计拿下横行一方的“北山虎”颜章、颜益父子，刺配本州牢城，为杭州除了一大害。第二件大事便是发诸色厢军千余人疏浚杭州连接西湖的茅山与盐桥两条运河，以保持灌溉和运输功能。第三件大事便是应杭州父老的要求，全面整治已经近乎淤塞的西湖。为此，他写了《杭

州乞度牒开西湖状》，直达临朝听政的高太后，同时又向朝廷上了《申三省乞请开湖六条状》，得到度牒100道，每道卖钱170贯，共得钱17000贯；另从本路上供米与常平米中分别取钱1万余贯、米1万余石，以工代赈，募民开湖。元祐五年(1090)四月二十八日正式兴工，苏轼每天上湖堤督查，来往于万松岭山路，与夫役杂处，饮食与民工无二。他下令撤废豪右在西湖中私自围垦的葑田，在今湖心亭一带水深之处，建立石塔3座，禁止在3座石塔范围内种殖菱藕，以防湖底淤积。后来成为著名的“三潭映月”景观。苏轼下令把疏浚出来的大量淤泥，在湖中建筑了一条沟通西湖南北岸的长堤，堤上修建了6座石桥以贯通湖水，全堤遍植芙蓉、杨柳和各种花草。六桥烟柳的景色，使西湖平添了无限妍媚。苏轼赋诗云：“我在钱塘拓湖渌，大堤士女争唱丰。六桥横绝天汉上，北山始与南山通。忽惊二十五万丈，老葑席卷苍烟空。”由此可见，西湖得以呈现更加娇媚动人的姿态与苏东坡的努力是分不开的。

位于西湖的苏东坡纪念馆

后人怀念苏东坡，把这条长堤称为苏堤。苏堤春晓，更是引人入胜的西湖佳景。元祐五年（1090）秋，西湖全部疏浚，苏轼又在运河与西湖沟通之处建筑闸堰，使纵贯城市中心的盐桥运河专受湖水，与江潮隔绝，而使城市东郊的茆山运河专受江潮，两河互不干扰，做到了潮不入市。

苏轼任杭州知州两年，本着为官一任、造福一方的宗旨，将西湖与杭州治理得更加诗情画意。“我本无家更安住，故乡无此好湖山。”西湖用一弘碧水为苏东坡荡涤了心灵的尘俗。苏轼作为一代伟大的诗人，他的诗歌之路实际上是从杭州起步的。他在任京官时，京师开封一带的风景太平常，诗人也就没有灵感去赋诗作词。“文章也得江山助”，西湖的湖山名胜，给苏轼以源源不断的灵感与创作源泉，使他写出了不少的绝妙诗

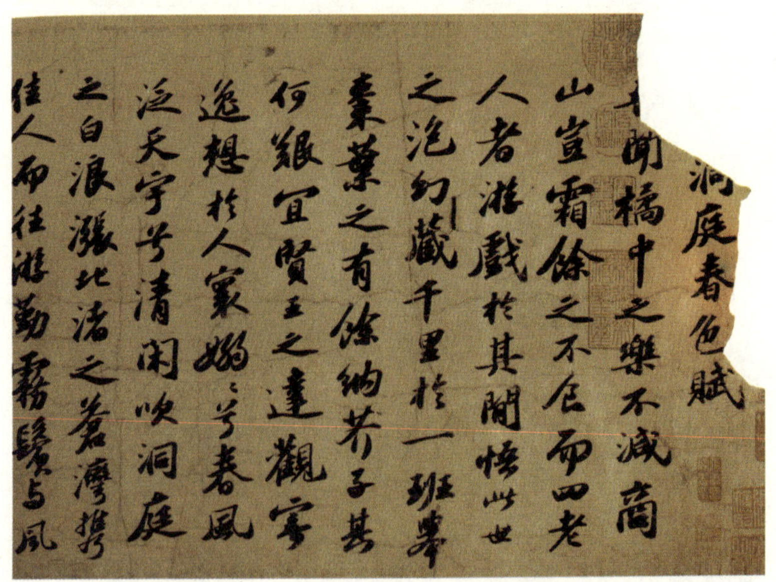

苏轼《洞庭春色赋》手迹

篇，诗情画意的西湖山水，就是天然的诗歌园地，天纵之才的苏轼如鱼得水，诗心顿觉空灵起来，于是一篇篇传世佳作就在诗人笔下如涌泉般而出。“三年走吴越，踏遍千重山。朝随白云去,暮与栖鸦还。”“孤山孤绝谁肯庐？道人有道山不孤。”“溪山处处皆可庐，最爱灵隐飞来孤。”“众峰来自天目山，势若天马奔平川。”“新月如佳人，出海初弄色。”“湖上青山翠作堆，葱葱郁郁气佳哉！”苏轼两次为官杭州，留下《钱塘集》300 余首。《饮湖上初晴后雨》无疑是其中最为脍炙人口的名篇——“水光潋滟晴方好，山色空濛雨亦奇。若把西湖比西子，淡妆浓抹总相宜。”杭州人常说“晴湖不如雨湖”，但在苏轼的笔下，晴湖与雨湖都是那么旖旎迷人、空灵多姿，特别是最后两句用绝代佳人西施来形容西湖的美，焕发出无穷的艺术魅力。西湖波光粼粼，让苏东坡诗情四溢；苏轼风华绝代，使西湖墨香四溢。

南宋高宗时，苏轼被追赠为太师，谥文忠，在西湖水仙祠旁建有苏轼祠以资永久纪念。清代诗人范仕义《苏文忠公祠》写道：“湖山乞得寄闲身，内翰声华绝等伦。竹阁柏堂寻往迹，石泉槐火记前尘。风流一代文章富，政绩千年俎豆新。留取清名应不朽，水仙祠畔祀诗人。”苏轼这个熠熠生辉的名字将永远留在西湖的史册上。

阅读链接：

（宋）苏轼著，冯应榴辑注，黄任轲、朱怀春校点：《苏轼诗集全注》，上海古籍出版社，2001 年版。

郑熙亭：《东游寻梦：苏轼传》，东方出版社，1999 年版。

王水照：《苏轼传》，天津人民出版社，2008 年版。

一身正直，不惧权贵

——南宋名臣石公弼

石公弼（1061—1115），字国佐，北宋越州新昌县人。宋元祐六年（1091）中进士。在任卫州司法参军时，发生了一起老百姓打伤官马的事件，起因是淇水监牧马逃逸后，吃了附近农民的稻谷，田主一怒之下打伤了马。淇水监官员向太守韩宗哲告状，韩宗哲准备将打伤马的农民判处死罪，石公弼据理力争，说此人无罪，韩宗哲问："人伤官马，奈何无罪？"石公弼说："禽兽食人食，主者安得不御，御之岂能无伤？假使上林虎豹出而食人，难道不可以杀死吗？今但当惩圉者，民不可罪。"石公弼言之成理，韩宗哲最后采纳了石公弼的主张，将农民无罪释放。

当朝宰相章惇要安排一个太学官，有人推荐石公弼去见章惇谋取这个职位，石公弼婉言谢绝了，说："丞相历来盛气凌人，见者阿意苟容，所不忍也。"石公弼不愿意在这个奸相下面做一个低声下气、专事阿谀逢迎的官。

石公弼后来调任涟水县丞。有一天，有人来告，声称运载朝廷贵重物资的船在淮河发生了沉船事故。石公弼接到这个报

阅读链接：
（元）脱脱等：《宋史·石公弼传》，中华书局，1977 年版。
石一民：《石公弼生卒年小考》，《浙江海洋学院学报》（人文科学版），2009 年第 1 期。

告，当即起了怀疑，他说：“连日风平浪静，怎么会发生沉船事故？”石公弼不动声色，派人去打捞并查核该船所载的物资，发现船上少了 100 万官钱。石公弼心里有了底，于是将船上的人召来审问，原来是高公备与旅店老板娘私通，并合伙杀了老板娘的丈夫，高公备害怕事情揭穿，便窃取官船上的 100 万官钱来贿赂手下，然后人为地制造了这起沉船事故，以掩盖其窃取官钱的真相。至此，真相大白，罪人得到应有的惩处。

石公弼后来历任广德知县、宗正寺主簿、监察御史、殿中侍御史、右正言、左司谏、侍御史，敢于直言进谏。当朝宰相蔡京是著名的奸相，对于这样一位正直的御史在朝，感到有如芒刺在背，就想方设法将石公弼调到一个比较清闲的岗位上去，先调他为太常少卿，后迁起居郎，兼定王、嘉王记室。

大观二年（1108），石公弼任御史中丞，连上数十奏章，弹劾奸相蔡京，终于打动皇帝，罢免了蔡京的宰相职务。但蔡京虽然交出了相印，仍以提举《实录》的名义留在京师。石公弼再次上奏说：“蔡京盘旋京师无去志，其余威震于群臣。愿持必断之决，以消后悔。”皇帝这才将蔡京赶出了京师。

石公弼后以枢密直学士知扬州。当时，扬州境内有一股亡命之徒自号“亡命社”，横行于乡里，无恶不作，前任对此视而不见。石公弼疾恶如仇，到任后立即抓获其首领严厉惩治，“亡命社”很快瓦解。扬州还有一股江贼，将其巢穴建在菰芦中，白昼出剽，吏畏不敢问。石公弼严明赏罚，严厉督促捕捉，将其一一铲除。

石公弼后改任述古殿直学士，知襄州。不久，蔡京东山再起，再次担任宰相，随即罗致罪名，将石公弼贬为秀州团练副使。石公弼受蔡京排挤打击，身心受到极大创伤。政和五年（1115）二月，立定王为皇太子（即宋钦宗赵桓）。甲寅，册皇太子，大赦天下。石公弼提举崇道观。数月后，石公弼幽愤赍志而终，享年 55 岁。3 年后，朝廷宣布恢复石公弼官职。

立朝刚直，为当代伟人

——南宋名臣王十朋

王十朋像

王十朋（1112—1171），字龟龄，号梅溪，温州乐清县（今乐清市）人。他从小聪明，且十分用功。早年饱读诗书，学通经史，诗文远近闻名，又写得一手好字，才子名声早已传遍全县。当地有一个爱好风雅的土财主名叫钱百享，慕王十朋的才子名声，强行要求王十朋为他题诗留念，王十朋无法推脱，提笔写了一首打油诗："钱家鱼肉满箩筐，百姓糠菜填饥肠。享福毋忘造众福，升官莫作殃民郎。"这首打油诗是对财主为富不仁的讽刺与规劝，但后两句也可以说是诗人后来从政的座右铭。

王十朋早年参加科举考试，屡次名落孙山，直至南宋绍兴二十七年（1157），46岁的王十朋一鸣惊人，高中状元，先授承事郎，兼建王府教授。

当时朝廷和战之争十分激烈。王十朋是坚定的主战派，他力主抗击北方金国的侵略，反对妥协投降式的求和，并向朝廷推荐著名抗金老将张浚、刘锜等，“以图恢复”。结果遭到朝廷主和派的排斥，被迫离开京师临安（今杭州）返回乐清故里闲居。

绍兴三十二年（1162），南宋孝宗即位，起用王十朋为严州知州，未赴任，寻授司封员外郎，迁国子司业、起居舍人、侍御史。孝宗下诏令百官条陈事务，王十朋上《应诏陈弊事》折，指出百官“尽其官不履其职”，同时指出皇帝有任贤、纳谏、赏罚三大职事，但并未做好。他力排和议，并以怀奸、误国、植党、盗权、忌言、蔽贤、欺君、讪上等八大罪状弹劾主和派代表、当朝宰相史浩，后又弹劾史浩党羽史正志、林安宅，并使之罢职，震动朝野，人称王十朋为真御史。

隆兴元年（1163），枢密使兼都督江淮东西路军马张浚指挥北伐失利，求和派势力抬头，非议纷起。王十朋上疏称恢复大业不能以一败而动摇。但在求和派的压力下，宋孝宗也不得不接受“隆兴和议”，南宋与金的关系改为侄与叔的关系，南宋不再向金称臣，岁贡改为岁币，岁币在“绍兴和议”的基础上每年减少10万。

妥协求和派势力再度抬头，王十朋在朝中无所作为，便先后外放饶州、湖州、泉州担任知州。所到之处，救灾除弊，颇有政绩。

王十朋任饶州知州期间，饶州籍当朝宰相洪适回乡拜访王十朋，提出以学宫地扩建私宅后花园的要求，遭到王十朋的断然拒绝，说：“先圣所居，十朋何敢予人？”弄得洪适很没面子。此事后来朝野皆知，传为佳话。

当南宋孝宗乾道五年（1169）冬，王十朋卸任泉州知州，离开泉州时，全城男女老幼涕泣遮道苦苦挽留，还仿效饶州百姓挽留王十朋的做法，把他必经的桥梁拆断（后来重新修复，用王十朋之号“梅溪”命名）。王十朋只好绕道离去，士民跟随出境，一直送到仙游县枫亭驿才折返。

王十朋为官，所关心的是国家与黎民，自己一生保持清廉本色。夫人贾氏，品德高尚，乐贫好施，常以清白相勉。王十朋有自警诗云："室明室暗两何疑，方寸长存不可欺。勿谓天高鬼神远，要须先畏自家知。"并名其室为"不欺室"。他的一生真实履行了不欺的诺言。

当王十朋辞官归里时，家有饥寒之号却不叹穷。夫人后来死在其泉州知州任所，且因路远无钱未能将灵柩运回家乡。他在《乞祠不允》诗里述云："臣家素贫贱，仰禄救啼饥。""况臣糟糠妻，盖棺将及期。旅榇犹未还，儿女昼夜悲。"结果灵柩在泉州停放了两年。后王十朋因病以龙图阁学士致仕，随即病故，享年60岁。后追谥忠文。南宋大儒朱熹将王十朋与诸葛亮、韩愈、杜甫、颜真卿、范仲淹等名臣相提并论，并称赞他"光明正大，疏畅洞达，磊磊落落"。浙江同乡叶适称赞王十朋"素负大节"，"士类常推公第一"。《四库全书总目》一书说王十朋："立朝刚直，为当代伟人。"

阅读链接：

王祝光主编：《王十朋纪念论文集》，辽宁人民出版社，2001年版。

王十朋：《王十朋全集》，上海古籍出版社，1998年版。

吾敢以赤子膏血自肥乎

——南宋名臣杨简

杨简（1141—1226），字敬仲，世称慈湖先生。南宋明州慈溪县（今慈溪市）人，孝宗乾道五年（1169）考中进士，首任富阳县主簿。

富阳习俗，重视经商而轻视文化。杨简到任后，大兴学校，教育生徒，使“文风益振”。有一年，理学家陆九渊路过富阳，杨简前往陆九渊下榻处拜会，两人谈话十分投机，陆虽然仅年长两岁，杨仍拜他为师，诚心向陆请教心学。

杨简后调绍兴府司理。绍兴是南宋陪都，官僚机构林立，关系错综复杂，但杨简处理案件，一律亲自过问，而且不问关系来头，一律“中平无颇，惟理之从”。有一次，有一小吏得罪了一位大帅，大帅令杨简治其罪，杨简经过审理后认为小吏并无罪过，并将结果通报了大帅，大帅不甘休，一定要杨简审查小吏以过失加以治罪，杨简抗令，说：“吏过讵能免，今日实无罪，必擿往事置之法，某不敢奉命。”这番话使大帅暴怒，杨简不卑不亢，“争愈力”，最终顶住了大帅的压力，保护了这位无辜的小吏。

杨简后任乐平知县，大力兴办学校，培养学子。当地有杨、石两个顽劣少年，为非作歹，成为民间一大害。杨简下令将他们关进监狱后，不是简单粗暴地加以惩治，而是苦口婆心地对他们“谕以祸福”，使他们“感悟，愿自赎”。杨简惩治与感化相结合，使乐平社会风气迅速好转，“邑人以讼为耻，夜无盗警，路不拾遗”。绍熙五年（1194），

杨简调京师临安任国子博士时，那两个已经弃恶从善的少年率领百姓来为杨简送行，口呼杨简为“杨父”。

杨简调到京师后不久，因得罪权臣，被排挤，历任崇道观主管、朝奉郎、朝散郎、仙都观主管等闲职 14 年，以著书讲学打发时光。宁宗嘉定元年（1208）复起，历任秘书郎、朝请郎，秘书省著作佐郎兼权兵部郎官，兼考功郎官，兼礼部郎官，著作郎，将作少监，兼国史院编修官，实录院检讨。因向朝廷屡次进言，却总得不到采纳，心灰意冷，请求外放，不久出任温州知州。

在温州知州任内，杨简首创废除妓籍。当时寄居温州的世家大族、权宦官僚很多，他们凭借权势，往往拖欠民田钱不还，以前历任知州都不敢过问，杨简不管这一套，他派人紧紧盯住这些权势人家的管家、家丁之类，迫使他们归还所拖欠的钱。还有一户权贵人家的宅院挡住了官河的泄洪通道，杨简得悉后命令即日拆除，以消除隐患，当地百姓闻讯欢欣鼓舞，将此河命名为“杨公河”。

杨简“廉俭自将，奉养菲薄”。他常说：“吾敢以赤子膏血自肥乎？”在杨简的精心治理下，温州“闾巷雍睦无忿争声，民爱之如父母”，家家户户自发供奉杨简的画像，顶礼膜拜。当杨简调京师临安任驾部员外郎时，温州百姓扶老携幼，“倾城哭送”，场面十分感人。

杨简入京后，有一年北方金国发生严重灾荒，大批中原的汉人从金国境内逃亡至南宋境内，南宋镇守边关的官兵居然击

杀这些难民。杨简忧伤地说:“得土地易，得人心难。薄海内外，皆吾赤子，中土故民，出涂炭，投慈父母，顾靳斗升粟而迎杀之，蕲脱死乃速得死，岂相上帝绥四方之道哉？”即日上奏，哀痛言之，但皇帝不予理睬。

南宋理宗时，杨简以宝谟阁直学士、太中大夫致仕。宝庆二年（1226）病逝，享年 86 岁，追赠正奉大夫，谥文元。著有《慈湖诗传》《杨氏易传》《先圣大训》《五诰解》及《慈湖遗书》等，史称“淳熙四先生”之一。

智言慧思

苟内外有徇私不公，必罢必罪，不可以亲故私情，败国家公义。

——（南宋）杨简《历代名臣奏议》

阅读链接：

郑晓江等：《杨简》，台北东大图书出版公司，1976 年版。

张实龙：《杨简研究》，浙江大学出版社，2012 年版。

生为直臣，死当作直鬼

——杭州城隍神周新

城隍神，是我国民间信仰中的重要神灵。它以守护城池、保障治安、掌管水旱等为主要职司。各地有不同的城隍神，杭州的城隍神是明朝永乐年间的清官周新。

周新，广东南海人，生卒年不详。初名志新，字日新。后因明成祖常呼他“新”，遂以新为名。洪武年间以诸生身份入太学，曾任大理寺评事，以善于断狱而著称。明成祖朱棣即位后，周新任监察御史，先后巡按福建、北京、浙江等地。他为官清廉，嫉恶如仇，铁面无私，连朝中权贵也怕他几分，故送给他“冷面寒铁公”的绰号。

在巡按北京时，周新见许多犯人因等待刑部批文时间太久以致瘐死监牢，便奏请皇帝下令改由北京官署或巡按御史直接处理，以缩短处理时间，从而使许多犯人得以存活。

周新在办案过程中，精明能干，民间曾流传不少传奇式的故事。据说在赴浙江就任的途中，周新和随从突然遇到许多飞蚋在他们的坐骑前后盘旋不去，职业习惯使周新敏锐地觉察出情况有异，立即派随从循着飞蚋飞来的方向加以详查，结果在

草丛中发现一具已经腐烂的尸体，尸体上有刀伤痕迹。周新经过仔细勘察，在死者身上找到一把钥匙和一个木质印章。此印章是当时通行的商号印章，周新就此推测死者是被歹徒见财起意杀害的。到任后，立即派人寻找和这个印章相同的印记，不久就在一个布商那里找到了。经过审讯，果然是他杀了人并扮成客商吞并了死者的产业。还有一次，周新微服出访，故意触忤县官而被捕入狱。在狱中，他从囚犯口中了解到县官贪赃枉法的实情，从而弹劾惩治了贪官。

周新声名远播，当他调任浙江按察使的消息传开，那些蒙冤入狱的人都欣喜地说："我有生还的希望与机会了。"果如其言，周新到任后，很快就清除了衙门中一批为非作歹、欺压百姓的官吏、差役。接着，又通过微服出巡等多种途径，纠正了一批冤假错案，贪官污吏闻风丧胆，老百姓称他为青天大老爷。

周新虽然位高权重，但生活简朴，从不取不义之财。在浙江民间流传着周新"悬

杭州吴山上的城隍庙，又名周新祠

阅读链接：

（清）张廷玉等：《明史·周新传》，中华书局，1974年版。

鹅示众”的故事：周新刚到任，有人给他送来一只油光发亮的大烤鹅，家人推辞不掉就留下了。周新为杜绝类似事情再次发生，便把那只烤鹅高高地挂在屋檐下，以后凡是有人来送礼，周新便领着他来仰观烤鹅，往往让来送礼的人不好意思而去，时间长了，再无人自讨没趣了。在周新的严格管束下，其家人皆勤俭自持，他妻子始终是一袭布衣，“偶赴同官妻内宴，荆布如田家妇。诸妇惭，尽易其衣饰”。

周新听说钱塘县令叶宗人廉洁奉公，一心为民，便微服前去调查，一路听到的都是老百姓对叶宗人的赞誉。随后，周新趁叶宗人外出办事的机会，到叶家查访，发现非常简陋，没有任何贵重之物，仅在竹箱中发现一包太湖银鱼干。周新十分感动，次日特意宴请叶宗人，表彰他的清廉。叶宗人感于周新的知遇之恩，始终保持勤政爱民的本色，被老百姓誉为“钱塘一叶清”。

周新执法严明，不惧权贵，结果给自己带来了血光之灾。

有一次，特务机构锦衣卫都指挥使纪纲派了一名千户到浙江公干。锦衣卫是皇帝直接掌管的特务机构，平时根本不把各级官僚看在眼里。这名千户到浙江后，大肆收受贿赂，为非作歹，嫉恶如仇的周新不怕他后台硬，准备惩治他，这名千户闻讯后逃之夭夭。后周新入京公干，在涿州又遇到这名千户，立即将其逮捕送入当地监狱，但这名千户设法逃脱了，跑到纪纲面前哭诉。于是，权倾一朝的纪纲立即罗织罪名，向明成祖诬告周新。明成祖不察，将周新逮捕入狱，在狱中遭锦衣卫特务严刑拷打，

杭州吴山城隍庙的周新塑像

被折磨得体无完肤，但他始终不屈。当被押到明成祖面前时，周新仍高声抗辩：“臣奉诏擒奸恶，奈何罪臣？”明成祖大怒，竟下令将他处以寸磔极刑。周新视死如归，临刑大呼：“生为直臣，死当作直鬼！”

周新无子，死后其妻回广东老家，生活陷入困境。广东巡抚杨信民说：“周志新当代第一人，可使其夫人终日馁耶？”常常加以馈赠，让其不致饿馁。

明成祖在杀了周新后，有点后悔。有一天，他问身边侍臣：“周新何许人？”对曰：“南海。”明成祖叹曰：“岭外乃有此人，枉杀之矣！”后明成祖做了一个梦，梦见有一穿红衣者立在太阳中，对明成祖说：“臣周新已为神，为陛下治奸贪吏。”后来，纪纲因罪被诛，周新得以平反昭雪。明成祖追封他为浙江城隍之神。浙江人民怀念他，就在杭州吴山上为他建立城隍庙。后来编《浙江通志》，把周新列入“名宦传”。

下历金元上汉唐，书生事业最非常

——王守仁“三不朽”

王守仁是中国封建社会，被公认为是立德、立功、立言三不朽的典型。

王守仁（1472—1529），字伯安，号阳明子。绍兴府余姚县（今余姚市）人。明朝弘治十二年（1499）中进士后，曾任工部、兵部主事。正德元年（1506），在兵部主事任上因上疏忤逆炙手可热的太监刘瑾而下锦衣卫大狱，后被廷杖五十大板，贬至偏远的贵州龙场驿任驿丞。正德五年（1510），升任江西庐陵县知县。同年八月，刘瑾伏诛。次年，王守仁调任吏部验封清吏司主事。正德十一年（1516）九月，由南京鸿胪寺卿升任都察院左佥都御史，巡抚南赣汀漳等处。他上马治军，下马治民，文官掌兵符，集文武谋略于一身，作事智敏，用兵神速。从正德十二年至十三年，王守仁在一年多的时间里，先后平定了江西、福建、广东等省交界处的多起盗匪。

王守仁像

次年，宁王叛乱事件发生，为王守仁提供了大展手脚的机会。宁王朱宸濠系明太祖朱元璋第十七子、宁王朱权后裔，弘治十年（1497）袭封于南昌。正德十四年（1519）六月十四日，朱宸濠杀巡抚孙燧、江西按察副使许逵，革正德年号，以李士实、刘养正为左、右丞相，以王纶为兵部尚书，号称十万，并发檄文指斥朝廷。七月初，朱宸濠以部将守南昌，自率水师沿长江东下，攻打安庆，欲取南京。王守仁闻变后，即传檄诸郡，举兵勤王，然后率领勤王之师从吉安府北上，于七月二十日攻克南昌。朱宸濠闻讯，解安庆之围，回救南昌，二十四日起，与王守仁勤王之师大战于鄱阳湖，官军用火攻，叛军大败，叛军焚溺而死者三万余人，宁王朱宸濠与其世子、郡王及李士实、刘养正等皆被生擒。王守仁随即将朱宸濠等一干人押送到北京处死。平息宁王叛乱成为王守仁一生最大的事功。

正德十六年（1521）六月，王守仁升任南京兵部尚书，十二月，封新建伯。嘉靖六年（1527）五月，王守仁以原官兼左都御史，总督两广兼巡抚，出征广西思恩、田州。七年（1528）二月，采用招抚政策，招抚了17000余人，“不戮一卒”，而思、田之乱平定。七月，又镇压了断藤峡农民起义，杀害4000余人。后因肺病加疾，上疏乞归，从南宁乘舟起程回老家，嘉靖七年十一月二十九日（1529年1月9日）因肺炎病逝于江西南安舟中。享年57岁。“丧过江西，军民无不缟素哭送者”。后朝廷

余姚四贤碑

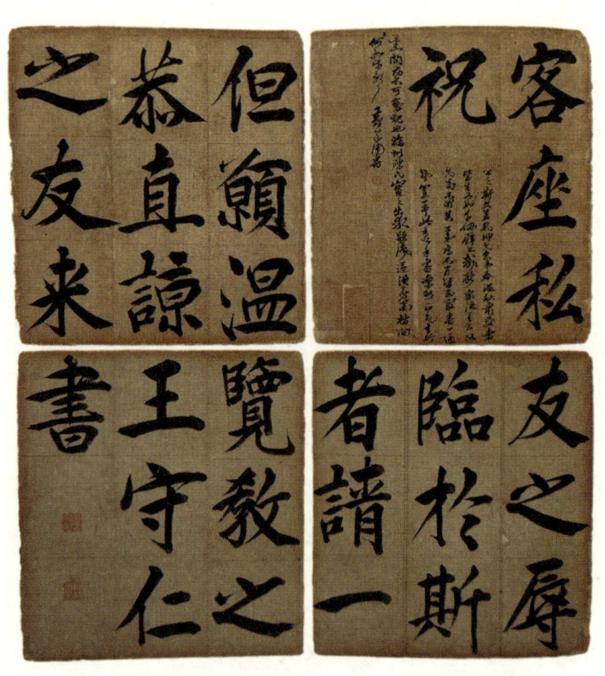

王阳明手迹

追赠新建侯，谥文成。

王守仁不仅仅是一位能干的官员，而且是一位著名的思想家、哲学家。他是宋代以来陆王心学之集大成者，精通儒、释、道三教，提出了以“致良知”为核心的唯心主义心学体系，门生甚多,纷纷阐述其学说。后人称其学问为“王学”或“阳明学”，在明朝后期风靡一时。王守仁的学说在日本、朝鲜半岛等亚洲邻国的思想界也有很大影响。民国元老冯自由《读王阳明传》诗云：“德高朱陆超前辈，功并徐常护有明。大道不行关国运，却流绝学化东瀛。”日本三岛毅博士曾经赋诗：“龙岗山上一轮月，仰见良知千古光。”

《明史 · 王守仁传》赞曰：“王守仁始以直节著。比任疆事，提弱卒，从诸书生扫积年逋寇，平定孽藩。终明之世，文臣用

兵制胜，未有如守仁者也。当危疑之际，神明愈定，智虑无遗，虽由天资高，其亦有得于中者欤？”清代诗人端木国瑚在《姚江怀王文成》中写道：“下历金元上汉唐，书生事业最非常。轻兵出手擒吴濞，大智全身用吕强。绝代危疑消华室，半生阅历在龙场。诸儒安坐太平后，辛苦良知辨短长。”王守仁以书生大儒平定大乱，是汉唐以来书生事业中成就最显著的，是“三不朽”的典型。

在王守仁的老家、浙江余姚市龙泉山上，有一座纪念王守仁的碑亭，碑文上刻：“明先贤王阳明故里”。碑文上刻有一副楹联：“曾将大学垂名教，尚有高楼揭瑞云”。横额是：“真三不朽”。

智言慧思

朝廷治国安民，首在严惩贪官。欲严惩贪官，必在申实论罪。

——《清世祖实录》卷五五

国之安危，全系官僚之贪廉。

——清世祖顺治《入关即位诏》

阅读链接：

杨天石：《王守仁》，中华书局，1972年版。

（明）王阳明著，吴光等编校：《王阳明全集》（新编本），浙江古籍出版社，2011年版。

维护百姓利益，力拒皇帝征派

——明代名臣蒋瑶

蒋瑶（1469—1557），字粹卿，号石庵，归安县（今湖州市）人。明朝弘治十二年（1499）中进士。

正德年间，蒋瑶任两京御史，曾上奏指陈时政弊端七条，其中一条说到：内府军器局有军匠 6000 人，做监督的宦官原本只有两人，现在增加到 60 余人，每个宦官占用 30 名军匠的耗费，其他各局都这样做，军队怎么会不耗费？”还说，宦官头子刘瑾虽然已经伏诛，但朝廷大权还是掌握在宦官手中。这个奏折深深触动了皇帝。

蒋瑶外调为荆州知府期间，主持修筑了黄潭堤坝。

不久，蒋瑶转任扬州知府。扬州当时是水陆交通枢纽，十分繁华。明武宗朱厚照南巡到扬州时，蒋瑶只是按照一般的礼节迎接皇帝，没有给皇帝及随从的大臣超规格的接待，也没有赠送贵重的东西，随从皇帝来到扬州的大臣与近侍等十分失望，也很生气。皇帝宠信的佞臣江彬尤其不满，他想抢夺扬州的一所豪宅作为他的威武副将军府，蒋瑶坚决不同意，江彬气急败坏，大发淫威，下令把蒋瑶捆起来关进一所空房子里进行羞辱

阅读链接：

（清）张廷玉等：《明史·蒋瑶传》，中华书局，1974年版。

折磨，甚至用皇帝赐给他的铜瓜，威胁要敲烂蒋瑶的脑袋，但蒋瑶始终坚持不屈服，江彬最后也是无可奈何。几天后，明武宗在扬州钓到一条大鱼，开玩笑说这条鱼价值五百金。江彬当即将这条鱼扔给蒋瑶，并向他索要五百金。蒋瑶只好将妻子的簪珥、袿服等私人贵重物件献给皇帝，并说："公家金库里没有钱，臣所有的都在这里了。"武宗见他如此，也只好将他打发走。扬州府以前有琼花观，皇帝下诏索取琼花。蒋瑶答复说：自宋徽宗、宋钦宗被掳北去之后，此花已经灭绝。武宗传旨征收异物，蒋瑶答复：这些东西都不是扬州出产的。明武宗问："苎白布也不是扬州出产的吗？"蒋瑶不得已，给明武宗进献了五百匹苎白布。那个时候，扬州繁华的名声在外，权贵阶层一到扬州往往索求无度，如果没有蒋瑶的强硬阻挡，扬州老百姓将会困苦不堪。明武宗从扬州返回北京时，蒋瑶随驾准备送至宝应县，但随驾的宦官邱得用因此行没有得到额外的不义之财，心里十分气恼，居然命人用铁链将蒋瑶捆绑起来，让他随驾前行，数日后抵达山东临清才将蒋瑶释放，让他返回扬州。扬州百姓看到自己的父母官蒋瑶受到如此奇耻大辱，没有不感动哭泣的。后来当蒋瑶升任陕西参政离开扬州时，扬州百姓争相出资修建生祠来怀念一心为民的好官，蒋瑶名声自此大振。

嘉靖年间，蒋瑶历任湖广、江西左、右布政使，以右副都御史巡抚河南，后调任工部尚书，主持修建四郊工程，工程竣工后，加太子少保。西苑宫大殿修成，明世宗朱厚熜大宴王公大臣，明世宗发现蒋瑶与王时中两位大臣的席位在大殿外面，立即命令他们两人移至殿内，并把皇亲移到殿右来为蒋瑶让位，世宗说："亲亲不如尊贤。"其重视蒋瑶如此。

蒋瑶一生正直坚贞，高洁清廉。嘉靖十九年（1540）五月致仕，回到老家吴兴，住在陋巷之中，与尚书刘麟、顾应祥等结了一个文酒社，徜徉于岘山之间。嘉靖三十六年（1557）十二月初五日病故，享年89岁。朝廷追赠太子太保，谥恭靖。

气作山河今即古，光齐日月死犹生

——沈錬以死劾权奸

沈錬像

沈錬（1507—1557），字纯甫，号青霞，明朝浙江会稽县（今绍兴）人。自幼聪敏，工古文。浙江提学副使汪文盛读了沈錬的文章后，惊为神童，拔居第一，补府学生。嘉靖十年（1531）中举人，十七年（1538）中进士，先后任江苏溧阳县令、山东茌平县令。嘉靖二十三年（1544）因父亲去世，辞官回老家守制，在此期间，与同邑的陈鹤、徐渭等读书人结“越中十子”社。守制期满后，任河南清丰县令。他为官清廉，所到之处，均著政绩，为百姓所称道。《明史·沈錬传》说他“为人刚直，嫉恶如仇，然颇疏狂”。因不擅长阿谀奉迎，每每龃龉上司与权贵，当时朝政黑暗，沈錬不仅不能升官，而且屡遭鞭笞。

沈錬不计较个人的得失，无论在什么岗位，都能尽职尽责。

当时，内阁首辅（相当于宰相）严嵩与其独子严世蕃把持朝政，严世蕃常以酒戏弄他人，沈链对此不平，结下私怨。二十九年（1550）秋，北方蒙古俺答汗部入侵古北口，小股骑兵抄近路直抵北京城下，大肆杀掠，并致书朝廷索贡，多傲慢语言。明朝军队畏敌如虎，闭营不出。明世宗朱厚熜召集群臣商议，由于操纵朝政的严嵩一贯主张严守边防，不轻启战争，所以满朝文武大臣均沉默不语，只有沈链与司业赵贞吉两个不知天高地厚的小官在那里慷慨议论，当场受到严嵩党羽夏邦谟的斥责。三十年（1551），沈链因对严嵩及其党羽把持朝政极端不满，随即上疏世宗，痛斥严嵩"贪婪之性疾入膏肓，愚鄙之心顽于铁石"。疏中具体罗列了严嵩的十条罪状：（1）纳将帅之贿，以启边陲之衅。（2）受诸王馈遗，每事阴为之地。（3）揽吏部之权，虽州县小吏亦皆货取，致官箴大坏。（4）索抚按之岁例，致有司递相承奉，而闾阎之财日削。（5）阴制谏官，俾不敢直言。（6）妒贤嫉能，一忤其意，必致之死。（7）纵子受财，敛怨天下。（8）运财还家，月无虚日，致道途驿骚。（9）久居政府，擅宠害政。（10）不能协谋天讨，上贻君父忧。上疏要求罢黜严嵩以谢天下，并借以纠正"人心纪纲，败坏难言"的局面。严嵩见沈链弹劾自己，恨之入骨，随即进行反击。他反诬沈链过去在知县任上犯有过失，这次上疏是沽名钓誉。世宗忠奸不分，下令以诬诋大臣的罪名将沈链处以廷杖五十，并削官贬至西北的保安县（今陕西志丹县）。

沈链与家人蒙冤被贬到保安后，受到当地老百姓的敬重，纷纷请沈链教习自己的子弟。沈链本人虽已沦落草野，但发愤抗疏之心耿耿不能忘。保安系北方与蒙古部落接壤的边境地区，保安所在的宣（府镇）大（同镇）总督为严嵩干儿子杨顺。杨顺谎报战绩，放纵士兵杀良献首冒功请赏，沈链获悉黑幕后，曾赋诗谴责："杀良献首古来无，解道功成万骨枯。白草黄沙风雨狂，冤魂多少觅头颅？"杨顺知道后忌恨不已。

杨继盛像

嘉靖三十四年（1555），兵部员外郎杨继盛（号椒山）继沈炼之后再次弹劾严嵩十大罪状，结果被严嵩投入大狱，在狱中遭受酷刑后惨遭杀害。沈炼闻此惨讯，写下了《哭杨椒山》："郎官抗疏最知名，玉简霜毫海内惊。气作山河今即古，光齐日月死犹生。忠臣白骨千秋劲，烈妇红颜一旦倾。万里只看迁客泪，朔风寒雪共吞声。"沈炼与杨继盛志同道合、同气相求，为了除奸，前赴后继，置生死于度外。这首诗是两位忠臣惺惺相惜、肝胆相照之写照，诗歌称赞杨继盛浩然正气气贯山河，与日月同光，这又何尝不是沈炼本人的写照！

在杨继盛遇难后，沈炼时常詈骂严嵩、严世蕃父子。有一次，沈炼从保安赶到千里之外的北京西北关口——居庸关，对着北京城指手画脚痛骂严嵩、严世蕃父子，然后大哭一场返回保安。沈炼在保安还将李林甫、秦桧、严嵩等著名奸佞做成稻

草人，作为射击的靶子。严嵩父子知道后，决定除掉沈錬。嘉靖三十六年（1557），严世蕃嘱咐新上任的巡按御史路楷与宣大总督杨顺合计除掉沈錬，并许以厚报，“大者侯，小者卿”。此时，恰逢白莲教徒阎浩被捕，供出多人。路楷与杨顺借刀杀人，将沈錬的名字列入阎浩供出的同党名单中，经兵部题覆后，沈錬以与白莲教徒勾结阴谋叛乱的罪名，于当年九月惨遭斩首于宣府（今河北宣化），沈錬长子沈襄发配充军，次子沈衮、三子沈褒也同时被杖杀于狱中。

嘉靖四十一年（1562），作恶多端、恶贯满盈的严嵩父子倒台，严嵩罢首辅，严世蕃被发配到边地，后被杀。当严世蕃伏诛时，沈錬在保安所教的学生有在太学读书者，以一帛署沈錬名爵于其上，持于市，见严世蕃头断，大呼：“沈公可瞑目矣！”恸哭而去。不久，沈錬一案被平反昭雪。隆庆初诏赠光禄少卿，天启初追谥忠愍。沈錬诗文集被有心人以深埋地下的办法保存了下来。冤案昭雪后，所著《青霞集》《鸣剑集》《塞垣尺牍》相继等面世。

智言慧思

男儿欲画凌烟阁，第一功名不爱钱。

——（明）杨继盛《言志诗》

利欲二字如弥天网，贪求一途如铁门关。在网中能轻身跃出，在关中能辟头打开，非有真精神、大力量者，不能也。

——（明）陈其德《垂训朴语》

阅读链接：

（清）张廷玉等：《明史·沈錬传》，中华书局，1974年版。

（明）徐阶、张居正等：《明世宗实录》中华书局，1974年版。

爱民如子，视钱如仇

——海瑞在浙江淳安

海瑞像

海瑞是明代最有名的清官，他曾任浙江淳安县令4年零2个月，在当地留下了千古佳话。

海瑞（1514—1587），字汝贤，号刚峰，人称刚峰先生。回族，广东省琼山县人，自幼苦读儒家经典，明朝嘉靖年间中举人，以此步入仕途。初署福建延平府南平县教谕。嘉靖三十七年（1558）五月，海瑞升任浙江淳安县知县，直到四十一年（1562）六月，升任嘉兴府通判，海瑞从福建到淳安上任时，两地相隔千多里，他一不乘船，二不坐轿，而是一双铁脚板千里迢迢徒步上任，一路考察民情。

海瑞到淳安后，实行了一系列的改革。

淳安是浙西一个古老而贫瘠的县份，以茶叶、竹子、林木等为主要收入。又因为明朝初年土地没有丈量好，每亩田实际上只有八分，甚至只有五六分的，形成赋税沉重的局面，广大农民不堪负担。比田赋更严重的是徭役，每丁少则一两二钱，多至十余两。农民常常因赋税徭役过重而选择逃亡。海瑞上任后，重新丈量土地，查实各户实有土地，再按土地数目分摊税赋。同时，按田地多少、贫富情况来确定徭役的多寡，谓之“均徭”，这样就大大减轻了农民的实际负担。同时，他雷厉风行清查积弊，革除一切陋规，裁冗费，惩贪官，澄清吏治，淳安人从此安居乐业，连逃亡他乡的人也陆续回到了故乡。

海瑞之前，历任知县都有一种特别津贴，就是摊派在田赋上的加征费用，海瑞就任之后，宣布革除这条规定。知县进京朝觐，依惯例，需要带上一笔金银以便向各衙门京官送礼，京官也是眼巴巴地盼着的，这叫外官孝敬，费用一般在几百两到一千两不等，费用当然是来自当地老百姓。但海瑞与众不同，他在淳安知县任上前后两次去京城，总共只花了盘缠四十八两，而且都用的是自己的钱。可以想见，有多少京官对这个小小知县失望不已。

不仅如此，海瑞还敢于抵制上级官僚对于本县的摊派搜括。有一次，都御史鄢懋卿到浙江视察，此人极端贪婪，排场极大，而表面上却虚伪地以俭朴标榜，到某地之前，均要发出通令，宣称自己“素性俭朴，不喜承迎。凡饮食供帐宜简朴为尚，毋得过为华奢，糜费里甲”。可是到了州县，却露出了贪婪的本性。《明史·奸臣传》称“懋卿性奢侈，多以文锦被厕床，白金饰溺器”。州县官设宴款待，每桌酒席往往要花费三四百两银子，席间还要送上金花金缎等贵重礼物。海瑞知道这样的贪官自己无论如何也招待不起，于是先期给这位都御史送去一份禀帖，声称淳安“邑小不足容车马”，意思是说淳安地方小且穷，招待不起都御史大人的车马随从，还是请绕道他县为宜。都御史接到这份禀帖，十分恼怒，但鉴于海瑞素有清廉的名声，

只好暂时忍住，绕道而去。

在淳安，还流传着一则“海瑞背纤”的故事。有一年，一个当朝权贵路过淳安，流经淳安的新安江水流湍急，需要多人拉纤才能过去，他就命海瑞派人前去为他拉纤，可当时正值农忙时节，农时不可误，可是作为朝廷命官，他又无法抗拒当朝权贵的命令，于是海瑞脚穿草鞋，率领县衙的衙役，亲自去为权贵背纤。海瑞用实际行动给这位高官上了一课。

海瑞在淳安，惩治贪官，肃清吏治，留下了“海瑞平冤”、“海瑞拒贿”、“智惩纨绔”等一系列故事。有一年，浙直总督胡宗宪之子路过淳安，他依仗父亲的权势，胡作非为，竟以淳安县驿站不备供应为由下令吊打驿吏，海瑞闻讯后，下令拘禁胡宗宪之子，并将其随身所带的数千两银子没收充公。然后，海瑞报告顶头上司胡宗宪，称有人冒充总督公子胡作非为，真不敢相信。胡宗宪虽然很生气，但也不得不隐忍不发。海瑞这种不惧强权的风范，“更为人所不敢为者”。

海瑞在淳安时，衣着朴素，粗茶淡饭。他有一块地，由随侍的老仆种蔬菜供家人食用，以弥补微薄的官俸。有一年，母亲过生日，他到市场上买了两斤肉，算是给母亲过了一个丰盛的生日。

海瑞以他的言行，赢得了民心。人们称赞他“爱民如子，视钱如仇”，是“海青天”。当他调职离开淳安之日，老百姓纷纷涌上街头，放声痛哭，“如丧父母”。

海瑞去世后，邑人徐廷绶特撰《海刚峰先生去思碑记》以

颂其德："侯之政在吾淳者，百代而为范；侯之泽在吾民者，百年而未艾；侯之心在民所未尽谅、众所不及知者，足以表天日、质鬼神而无愧。是故有孚惠德，有孚惠心，不市名而名垂不朽。"淳安人民立生祠以纪念他。随着千岛湖水库的兴建，海瑞祠所在的淳安古城沉入千岛湖底，海瑞祠也沉睡在了水中，淳安人民没有忘记"海青天"，于是，易地重建，一座新的海瑞祠出现了在今天的龙山岛山麓，供当地人民和来往游客顶礼膜拜。

海瑞离开淳安后，先后任嘉兴府通判、户部主事、右佥都御史巡抚应天十府、南京吏部右侍郎。官虽然越做越大，但始终保持一贯的作风。世宗深居西苑，痴迷道教，专事斋醮，已经多年不理朝政，自从大臣杨最、杨爵进谏获罪后，满朝文武大臣无人再敢进言。身为户部主事的海瑞目睹朝政败坏，心如刀绞，决定拼死一搏。嘉靖四十五年（1566）二月，海瑞独上《治安疏》（又名《直言天下第一事疏》），

淳安千岛湖龙山岛上的海瑞祠

明嘉靖皇帝朱厚熜像

疏中批评嘉靖皇帝迷信道教、滥兴土木、竭民脂膏等种种之非。海瑞知道上这样的疏风险巨大，上疏之前，他自备棺材，与家人诀别。果然，嘉靖皇帝看了上疏后大怒，当即下令将海瑞逮捕下狱处死，幸亏大学士徐阶等出手相救，加之嘉靖两个月后即死去，穆宗即位，海瑞才得以获释恢复原官。海瑞在任右佥都御史巡抚应天十府期间，他锐意革新，疏浚吴淞江，推行一条鞭法，抑制豪强，裁节邮传冗费，取消官员过境供应等，结果遭到弹劾，被迫辞官闲居 16 年。张居正掌权后推行改革，亦惧怕海瑞过于峻直，不好驾驭，亦始终弃置不用。直到万历十三年（1585）张居正死后，72 岁的海瑞才被重新起用为南京吏部右侍郎，后又升任南京都察院右都御史。在最后的两年里，他依然秉性不改，力主整肃纪纲，改革弊政，严惩贪官污吏。两年后于任上病故。因为一生清廉，家无余财，死后清点遗物，

发现只有俸银十余两，绫、绸、葛各一匹，以及几件旧衣服，靠朋友接济才买了一口棺材，得以入土为安。朝廷追赠太子太保，谥忠介。出殡日，南京城商贾小贩自动停业歇市，家家门前点香烧纸钱祭奠，为其灵柩送行者长达百里，全城哭送，泪如倾盆大雨。亲眼目睹这一感人场面的朱良万分感慨，随即写下《哭海瑞》："批鳞直夺比干心，苦节还同孤竹清。龙隐海天云万里，鹤归华表月三更。萧条棺外无余物，冷落灵前有草根。说与旁人浑不信，山人亲见泪如倾。"

清代又有诗人赵士麟赋《海瑞》一首："忠介令淳安，上书回车骑。骢马巡应天，豪强敛手避。抗疏纠朝廷，优柔无断制。仲文身已亡，斋醮犹繁费。震怒下法曹，旋已复其位。神宗进佥都，士民守法制。九月卒于官，葛帏蒙布被。直类比干忠，清同孤竹诣。国家有斯人，鸾凤不为瑞。"这首诗歌颂了海瑞刚正不阿、不畏强权、直言敢谏、义无反顾、清苦自持等种种清官品质，国家有了海瑞这样正直清廉的官员，是真正的吉祥，鸾鸟与凤凰之类也就算不上祥瑞了。

智言慧思

公以生其明，俭以养其廉。是诚为邑之要道，处世临民之龟镜也。

——（明）《海瑞集》

慎自爱惜，不妄取一分一厘、一升一合。

——（明）《海瑞集》

阅读链接：

陈义钟编校：《海瑞集》，中华书局，1962 年版。

张德信：《明史海瑞传校注》，陕西人民出版社，1984 年版。

浙中三贤太宰

——陆光祖、孙鑨、陈有年

明朝中后期，陆光祖、孙鑨、陈有年等 3 位浙籍大臣，清正廉洁，有操守，有作为，并称为“浙中三贤太宰”。

“护法尚书”陆光祖

陆光祖（1521—1597），字与绳，号五台，浙江省平湖县人。出生于世代官宦之家。少时便有鸿鹄之志，尝刻范仲淹“秀才以天下为己任”于手简。17 岁时，与父亲陆杲同时考中举人。嘉靖二十六年（1547）中进士。后任北直隶浚县知县。浚县有个叫卢柟的太学生，因饮酒赋诗逞强争胜激怒县令，蒙冤关入牢中 13 年，历任县令皆不敢为他申冤。陆光祖到任后，查明是冤案，当天就放他出狱，然后呈报御史。御史说：“此人以富有名。”陆光祖答道：“办案只问其枉不枉，不应问其富不富。如果不冤枉，即使是伯夷、叔齐，应无生理；如果冤枉，即使是陶朱公（范蠡），也不该死。”陆光祖任吏部尚书时，公平考核官吏。万历二十年（1592），陆光祖主持三年一次的外官考核，推举公廉寡欲者 9 人，能甘清苦者 12 人，同时将贪赃、平庸之官尽行罢黜。

陆光祖为人正直，不畏强御。“剖析是非，分别邪正，常置身于毁誉祸福之外，毅然不可摇夺。”任南京吏部尚书时，太监张鲸气焰很盛，陆光祖率同僚上书弹劾，请皇帝除之以安国本。张居正死后，由于明神宗恨张居正之专权，朝廷大臣迎合皇帝意思，极尽诋毁之能事，罗列各种罪状，陆光祖不计旧怨（张居正曾将他罢官），上疏指出：“张居正尽管十分专断，但他辅翼幼主十余年，此功不应全盘否定。”为张居正说了句公道话，结果得罪了一大批人。明朝中后期政治黑暗，官僚之间喜结党营私，排斥异己。陆光祖不攀附权贵，洁身自好，不参与党争，因此常常招来同僚或上司的忌恨、排挤，先后多次被迫辞职闲居。闲居期间精研佛学，对佛法护持有力，被称为“护法尚书”。万历十一年（1583），与吏部尚书张瀚等迎如通法师担任杭州灵隐寺住持，使灵隐得以重振。十三年（1585），依靠万历帝生母李太后的支持，陆光祖与真可大师等重建嘉兴楞严寺，发起铸冶大铜佛及十八罗汉，楞严寺成为规模宏大的浙江名寺之一。致仕后曾假道五台山，住于龙泉寺，把随身所带玉带施给妙德庵，以镇抚山门，保护五台山佛教，并出资修建石浮屠，重新修饰了塔殿。在家乡平湖，曾参与重建西林禅院。

陆光祖历官嘉靖、隆庆、万历三朝，在明末官场沉浮近 40 年，以天下为己任，不计个人得失，处事只论是非，不论个人恩怨，居官清正，敢于直言，虽屡遭排斥与打击，但不改初衷，是明末少数有识的名臣之一。

清操自持孙[illegible]

孙鑨（1525—1594），字文中，号立峰，浙江省余姚县（今属慈溪市）人。孙氏一门数代都是明朝高官，其祖父孙燧曾任礼部尚书，其父孙升曾任南京礼部尚书，其弟孙铤曾任礼部尚书，其弟孙錝任太仆寺正卿，其弟孙𬬮任兵部尚书。孙鑨于明世宗嘉靖三十五年（1556）中进士，授武库主事。

孙铭像

明世宗朱厚熜好仙道之术，斋居深宫长达20年，不理政事，不少官员因进谏而获罪，孙铭不顾一己利害，上奏指出皇上宠幸方士之危害，没有得到任何回应，于是孙铭告病回乡。明穆宗隆庆元年（1567），孙铭被起用为南京文选郎中。明神宗万历初年，累迁至光禄寺卿。后再次告病还乡，一住十年，很少见宾客。后再次启用，官复原职，晋升大理寺卿。与都御史吴时来议律例，孙铭多次力争，明神宗悉从驳议。后相继升任南京吏部尚书、兵部尚书、北京吏部尚书，参与国家机要政务。万历二十一年（1593），大计京官，孙铭力杜请谒。他的外甥、文选员外郎吕胤昌想走舅舅的后门，结果第一个被淘汰。由于孙铭铁面无私，凡是公论所不齿的人贬黜殆尽。在这次大计过程中，孙铭因不赞同明神宗的专制武断，累次上疏请求退休，明神宗不允，孙铭遂杜门称疾。明神宗温言慰留，赐羊豕、酒酱、米物，且敕侍郎蔡国珍暂署选事，以留待孙铭回心转意。孙铭坚持3个月，先后10次上疏求退。孙铭说："大臣不合，惟当引去。否则有职业在，谨自守足矣。"其志节操守如此。明神宗见无法挽留，只好批准孙铭退休。居家3年后病故。朝廷追赠孙铭太子太保，谥清简。

“风节高天下”陈有年

陈有年像

陈有年（1531—1558），字登之，号心穀，浙江余姚人。其父陈克宅，正德九年（1514）中进士，嘉靖年间曾任御史、右副都御史等职，为官清廉，是一代名吏。陈有年于嘉靖四十一年（1562）中进士，授刑部主事，寻改任吏部郎中。万历元年（1573），成国公朱希忠卒，其弟锦衣卫都督朱希孝厚贿宦官冯保援张懋例乞求朝廷赠王，得到大学士张居正的同意，但陈有年力持不可，他起草奏章称：“令典：功臣殁，公赠王，侯赠公，子孙袭者，生死止本爵。懋赠王，廷议不可，即希忠父辅亦言之。后竟赠，非制。且希忠无勋伐，岂当滥宠？”主持吏部事务的左侍郎刘光济根据张居正的旨意，没有与陈有年商量就动手删改了陈有年起草的奏稿，陈有年据理力争，竟以原稿奏上。张居正为此很不高兴，陈有年即日称病还乡。

万历十二年（1584），陈有年被起用为稽勋郎中，后历考功、文选，迁太常少卿，以右佥都御史巡抚江西。江西景德镇是陶器之都，朝廷需要的陶器，多奇巧难成，后有诏允许减少供应，但为时不久，供应量还是与原来差不多。陈有年根据朝廷谕旨请求减免，后经内阁力争，减免十之三。江淮、浙江一带发生特大洪灾，朝廷下诏禁止邻省闭籴，于是大批灾区粮商涌入粮食大省江西采购粮食，引起江西粮食恐慌，江西上下请求陈有年下令禁遏。陈有年上疏提出6条变通办法，令江西老百姓得以自救。南京御史方万山因此弹劾陈有年违反诏令。明神宗大怒，下令将陈有年革职放归老家。

数年后，陈有年再次被起用，历任吏部右侍郎、兵部右侍郎、吏部右侍郎，当时吏部尚书孙铣、吏部左侍郎罗万化皆浙籍同乡，陈有年为避嫌疑，主动请求回避，朝议不许，不久任南京右都御史，后任吏部尚书。他平日吃住都在吏部衙门，会见

宾客则在自己简陋的寓所。次年，廷推阁臣，诏书规定“不拘资品”。陈有年与侍郎赵参鲁等人共同拟定7人名单上报，明神宗朱翊钧看后很不满意，并说“不拘资品”是前任吏部尚书陆光祖为了徇私提出来的。于是，陈有年等只好再次提出一个10人名单，明神宗仍不满意，最后以前后两次名单中均有的陈于陛、沈一贯入阁。为了这件事，参与廷推的顾宪成被革职为民，黄缙等停发一年俸禄。陈有年认为明神宗的处置很不合理，立即上疏抗议:“阁臣廷推，其来旧矣。曩杨巍秉铨，臣署文选，廷推阁臣六人，今元辅锡爵即是年所推也。臣邑前有两阁臣，弘治时谢迁，嘉靖时吕本，并由廷推，官止四品，而耿裕、闻渊则以吏部尚书居首。是廷推与推及吏部，皆非自今创也。至不拘资品，自出圣谕，臣敢不仰承？”

由于陈有年不顾自己安危，上疏力争，被处罚的人重新起用，陈有年本人随即请求退休。明神宗见疏，以其词直，温言慰留。陈有年从此累次上疏称疾乞罢。帝犹慰留，赉食物、羊酒。陈有年请益力。数月中，连上14疏，终于迫使皇上同意他退休。

归乡时，所有的行李仅有一箧图书和一筐破旧衣服，别无余物。《明史·陈有年传》称赞说:“有年风节高天下。两世朊仕，无宅居其妻孥，至以油幙障漏。其归自江西，故庐火，乃僦一楼居妻孥，而身栖僧舍。其刻苦如此。”

二十六年（1598）正月，陈有年在老家去世，享年68岁。朝廷追赠太子太保，谥恭介。

阅读链接：

（清）张廷玉等：《明史》本传，中华书局，1974年版。

清操饮冰，爱民如子

——“天下第一清廉”陆陇其

陆陇其像

清初，有一位浙江籍清官，号称“天下第一清廉”，他同时还享有“醇儒、循吏、直臣”的美誉，他的名字叫陆陇其。

陆陇其（1630—1692），原名龙其，因避讳改名陇其，字稼书，浙江平湖县人，因平湖别称当湖，故学者称他为当湖先生。康熙九年（1670）中进士。在京师任了5年闲职后，于十四年（1675）四月授江苏太仓州嘉定县（今上海嘉定区）知县。

嘉定是个富裕的大县，赋多俗侈，风气奢靡，豪强横行。陆陇其到任后，首先抑制当地豪强，整顿胥役，抑制他们为非作歹的行为。对于老百姓，推行德治，以德化民，有时父亲来诉讼儿子，陆陇其了解真实情况后，往往流泪劝谕，当事人受到感动，儿子当即搀扶着父亲回家精心照料去了。富豪家仆夺卖柴人的妻子，陆陇其派兵丁捉拿富豪，治他管照不严之罪，直到他改正为止。陆陇其的施政深得嘉定县民爱戴。

次年，左都御史魏象枢荐举陆陇其补福建按察使之缺，但遭到江南巡抚慕天颜的坚决反对。原来，陆陇其到任后，始终不向其顶头上司慕天颜进贡孝敬，让慕天

颜十分不快。更严重的是，慕天颜借大寿之机大摆宴席，各属吏无不借机献纳奇珍宝物，以取悦巡抚大人，可陆陇其还是不开窍，他的礼物是他夫人亲手织的“布一匹、履二双”，还当面对巡抚说：“此非取诸民者，为公寿。”慕巡抚做寿原本就是想借机捞一把的，看到陆陇其送来的菲薄礼物心里便来气，但当场并没有发作，只是婉言推却。应该说，慕天颜还不算是心黑手辣的官员，他对陆陇其的惩处仅是将他调离嘉定这样的富裕大县而已。慕天颜上奏朝廷请实行“州县繁简更调法”，说“如陇其之操守，称绝一尘，才干实非肆应，若调补稍简之县，必励其素守，惠受百姓”。说陆所在的嘉定“繁”县“政务甚繁，赋多逋欠”，宜调“简”县。吏部接到奏折后举行部议，部分同意了慕巡抚的意见：陆陇其既无肆应之才，应照才力不及，例降三级调用（由七品降到从八品留任察看）。不久，嘉定县发生一起命案，一位商人在收账回来的路上被杀，一时未能破案，陆陇其以“是仇是盗，尚在鞫问”上报巡抚。不久案子告破，抓到真凶，是为盗杀（图财害命），再报巡抚。慕天颜得报后立即以“讳盗”之罪名再劾陆陇其，按例以“讳盗”之名被朝廷“革职”。慕巡抚的目的达到，随即派人到嘉定县衙摘印，百姓县民不服而罢市三天，陆陇其好言相劝，百姓方才停止罢市。交了官印，装上“图书数卷及其妻织机一具”，陆陇其便携妻登船回平湖故里去了。陆陇其离开嘉定当天，九乡二十都万余男女执香携酒送行，人群拥塞街道。后县民建立生祠纪念。好友俞鹤湖写了《咏友人去官诗》相赠：“有官贫过无官日，

去任荣于到任时。”

十八年（1679），康熙下诏举清廉官，左都御史魏象枢应诏再举陆陇其，疏言“（陆）陇其知嘉定日，清操饮冰，爱民如子”。康熙命服丧期满后用为知县。二十二年（1683），陆陇其服满，出任直隶灵寿知县。灵寿土瘠民贫，役繁而俗薄。陆陇其根据灵寿的实际情况，请求上级批准，与邻县更迭应役，轮番替代，以减轻县民徭役负担。陆陇其行乡约，察保甲，广出文告，反复晓谕百姓，务必祛除私斗与轻生之恶习。他还写了一篇《劝盗文》，派下属到狱中向因盗窃而坐牢的囚犯反复宣读，文中写道：“一念之差，不安生理，遂做出此等事来，受尽苦楚。然人心无定，只将这心改正，痛悔向日的不是，如今若得出头，重新做个人，依旧可以成家立业……”囚犯听了，无不痛哭失声，追悔前非，浪子猛回头。有一天，有个老太太到县衙控告她儿子忤逆。陆陇其将她儿子叫到跟前一看，原来还是一个未成年的男孩，于是便对老太太说：“我官署里正缺少小僮，你儿子暂时在这里服役。”命那少年在他左右，寸步不离。陆陇其每天早晨起床后，毕恭毕敬站在太夫人房外，太夫人一起床立即进上洗漱用具，然后再进上茗饵。吃中饭时，他侍候在饭桌边，给母亲献上好吃的食物，而且笑容可掬，等到母亲吃饱，自己才去吃她剩下的饭菜。陆陇其一有闲暇功夫，就坐在母亲身边，给她讲一些故事或民间传说，太夫人稍有不舒服，陆陇其就

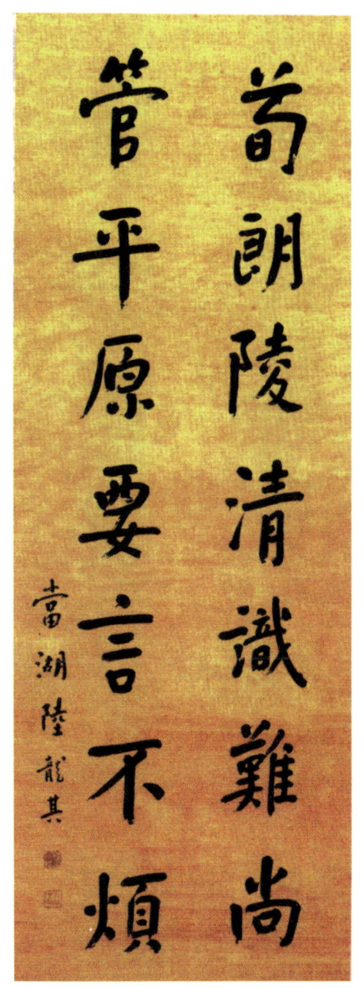

陆陇其手书联语

为她扶腋搔痒，取药倒水，往往几夜不睡。少年将这一切都看在眼里，有一天，少年突然跪在陆陇其面前，请求回家。陆陇其故意说:“你们母子不和，为什么要回去呢？”少年哭着回答:“小人一向不懂礼，得罪母亲，看到您的所作所为，后悔不已。”陆陇其于是派人唤来少年的母亲，母子相见，抱头痛哭。后来，那少年成了远近闻名的孝子。

次年，直隶巡抚格尔古德举荐陆陇其与山东兖州知府张鹏翮为清廉官，说陆陇其“洁己奉公，实心任事……履任未久，而教化已洽舆情”。

不久，陆陇其奉令赈灾，从上面得到3000两赈灾银，立即有人来找陆陇其商量，要求拿出1000两孝敬上司，2000两赈灾，陆陇其断然拒绝，他说：这些银两是救济穷困灾民的，如果官吏克扣挪用，上负朝廷，下欺百姓。为了保证银子真正发到灾民手中，陆陇其每天背着干粮，不辞辛苦，亲自发放。

陆陇其还大力鼓励垦荒，免征赋税，洁己爱民。陆陇其任灵寿县知县7年，“去官日，民遮道号泣，如去嘉定时”。

二十九年（1690），陆陇其被授四川道监察御史。次年，弃官归里。曾一度讲学于东洞庭山，后在东泖顾书堵建尔安书院，专心著书,四方学者群聚门下。三十一年（1692）去世。两年后，江南学政出缺，康熙皇帝想起用陆陇其，侍臣奏陆陇其早已去世了，康熙乃改用与陆陇其一样以清廉著称的邵嗣尧。雍正四年（1726），下诏陆陇其从祀孔庙。乾隆元年（1736），追赠陆陇其内阁学士兼礼部侍郎，谥清献。《清史稿·列传六十五》曾发议论说："廉吏往往不获于上，岂长官皆不肖，抑其强项固有所不可堪欤？陇其之廉，天颜知之而不能容……幸赖圣祖仁明，陇其复起……二三正人诎（冤枉）而得申，人心风气震荡洋溢，所被至远。"这种廉吏难以升官的现象，自古已然如此，确实值得后人深思。

智言慧思

心无私欲，自然会刚；心无邪曲，自然会正。

——（清）陆陇其

察吏苟无术，何贵清与廉？

——（清）齐召南《官箴诗·端表率》

阅读链接：

（清）柯劭忞等：《清史稿·陆陇其传》。

（清）吴光酉等编：《陆陇其年谱》，中华书局，1993 年版。

曹庆林：《陆陇其的故事》，中国民间文艺出版社，1989 年版。

事可对君父，心无累子孙

——定海知县缪燧

在清初，缪燧连续担任浙江定海知县 21 年，按照清朝三年一任的惯例，等于连任 7 届，不仅创造了知县任期最长的纪录，而且因为勤政爱民，被称为“为民知县”，得到定海人民的爱戴与尊敬。

缪燧铜像

缪燧（1650—1716），字雯曜，号蓉浦，江苏江阴县人。16 岁时，以贡生入京师国子监学习，考试第一。清朝康熙十七年（1678），任山东沂水县知县，在任期间官声很好，但因为发生在押大盗越狱逃逸的严重事故而被罢官闲居，直到三十四年（1695），才再次被起用为浙江定海县知县。

清朝初年，由于实行禁海政策，定海遭到毁灭性破坏，人口急剧减少，田园荒芜。随着清王朝禁海政策的放开，定海开始了移民复垦。为了尽快恢复定海的元气，缪燧在任期间，采取了以下措施：

一是裕民以“养”。其具体措施是:(1)大力招抚流散各地的居民返回定海定居。(2)筑塘修碶，垦田复荒，奖励农耕。先后组织定海居民修筑海塘23条，长13173丈,使舟山本岛的大部分海塘得到修复,新增了农田数万亩。他还发动农民疏浚河流，增加蓄水量，为发展定海的农业生产创造了条件。(3)减轻农民的赋税负担。革除苛捐杂税，实行“一条鞭法”。按田赋制度，农民必须在当年农历四月和十月份分两次缴清田赋。缪燧根据定海的特殊情况，采取变通办法，规定“百姓可分期交纳，无力交纳者,由官府垫付,秋后补交”。涂税本由渔户负担,后海涂多被强横者占去,缪燧查明情况后,宣布免除渔户的涂税负担。允许非“灶户”的渔民晒盐,就地生利，增加收入。定海居民渡海前往宁波镇海购买日用品时，关卡吏役乘机勒索，征收重税，百姓苦不堪言。缪燧向上级衙门申诉，揭发弊端，得到上级衙门批准减免税收。以往有高官贵人来普陀山游玩时，供奉费用多向定海百姓摊派，缪燧革除此习，自出薪俸，以平常饮食招待前来游玩者。

二是齐民以“教”。其具体措施是:(1)接受定海生员黄灏的建议，千方百计扩建学宫，增加生员名额。当时，定海生员少，考取秀才十分容易，外地学生多赶来入庠赴考，缪燧随即规定外籍学生要认垦入籍，交纳赋税，此项收入作为扩建学宫经费。(2)倡建义学，置学田200余亩作为常年收入来源。同时增加廪额(助学金)。(3)创办大成殿藏书楼,并捐献所藏二十一史等数十部。(4)主持编纂《定海县志》。(5)修建乡贤祠、泮池，以激励民众。(6)定海发生时疫时，设立药局，聘请良医给居民施诊;孤独者派人送药，贫者不收药费。(7)剿平盗匪。时境内多海盗，结巢荒岛，劫掠民船。缪燧亲自巡视，探明盗匪巢穴，亲率水军搜捕，惩其首恶，不罚胁从。康熙四十九年(1710)郑尽心盗案，落网者百余人，审明后全部开释。有一名从犯决心改过，缪燧为他改名“勇”，留在县衙当差，又为他娶妻，该人后来因战功升至福建提督。

缪燧体恤百姓，奖善罚恶，诸如代民赎身，助人成婚，诲人改过等，举不胜举，百姓皆尊而亲之，称之为“外公”。康熙五十一年（1712），定海士民感其恩惠，决定集资建“生祠”，缪燧谦辞，后改为蓉浦书院。五十四年（1715），全国考绩评为一等，升宁波海防总捕同知，兼定海县、鄞县、慈溪县、镇海等4县知县；不久升杭州府同知，未就职。五十五年（1716）初，康熙皇帝召见，缪燧因病未能成行，是年三月初三逝于镇海任所，临终不谈私事，只交代定海县事及义学田亩，说：“事可对君父，心无累子孙。此乃余署定海之座右铭，平生无他，惟不欺二字而已！”定海百姓闻讯后，哀痛逾恒。定海士民要求将缪燧葬在定海，礼部批示：“遗骸归葬故里，定海建衣冠冢。”定海士民数十人扶棺至江阴，见缪燧家清贫无长物，益敬其克己奉公之高尚品德。后在定海北郊普慈寺旁为缪燧修建衣冠冢，落成后，浙江巡抚余元梦书“其人如在”墓碑。

阅读链接：

舟山市定海区政协教文卫体与文史委编：《定海知县缪燧》，中国文史出版社，2010年版。

正气传吹鬼，青天德在人

——陈鹏年在衢县

陈鹏年像

陈鹏年（1663—1723），字北溟，又字沧州，湖南湘潭人。清康熙三十年（1691）进士，三十五年至三十七年（1696—1698）任浙江西安（今属衢州市内）知县。他为官3年，为衢县人民办了许多好事。

陈鹏年任知县时，适逢清初“三藩之乱”平定不久，人口锐减、田园荒芜、水利失修，虽经前几任知县极力处置，但元气仍未恢复。明末清初，衢县有人口约15万，经“三藩之乱”，只剩下4万多人。陈鹏年到任后，继续招回部分外流人口，安置外来开垦荒地的移民。对有田无主、田赋不符的，每都设公正2人，每图分为10区，设区长2人，全面丈量土地，插签标号，编造清册。通过丈量土地，豁除虚数，由田主照常纳税，避免了有田无主、田赋不符之弊。对无主土地，租给移民耕种，使原来各大畈荒芜土地重新垦复，“复业者数千户”。

水利是农业的命脉。陈鹏年重视水利建设，善解水利纠纷。千塘畈的石室堰渠道年久失修，他沿途调查，将灌渠两侧的受益田户，编为10甲，每甲设堰长4人，

轮流管理。他每年对堰勘察一次，并废除堰长供应差役酒食的旧规。他疏通城濠，在小南门外建立分水闸，使石室堰水平时入濠，旱时开闸放水，灌溉东门外雄鸡畈农田，人称此闸为“陈公闸”。杜泽有座五墅堰，历来分灌杜泽、白水两畈农田，后来杜泽人企图堵截流水，占为己有，白水人常为断水而与杜泽人发生争吵。陈鹏年深入堰口调查事实真相后，严惩为首策划者，两地各选一堰长，共同管理。

衢县有溺女婴的恶习，陈鹏年到任后严禁民间溺女婴，保护女婴的生命权，使流传多年的恶习迅速革除。“民生女，半以‘陈’名，或以‘湘’命名，以公湘潭人也。”老百姓用好官的姓名为自己千金取名，可算是姓名史上的佳话。

陈鹏年勇于伸张正义。县人郑荣祖和他的父亲同死于冤案，郑妻屡次喊冤上诉，终未了结，为此郑妻碰碑而死，灵柩停在城西铁塔下达 7 年之久。陈鹏年了解案情后，亲自进行复查，终于为她伸了冤，并为她建墓立祠，亲题“孝烈”两字于碑上。这件为民伸张正义的事，后人编成《铁塔传奇》，在县城上演。

陈鹏年在任期间，遍查原有地方志，发现明代修的衢县县志久佚不存。他决心在任内新修一部。不到 3 年，一部县志如期完成，为后世留下了宝贵史料。陈鹏年在衢县期间还写了不少诗文。如《重过山家》：“隔年重访老农家，稆秜秋场敢竞夸。旱后仅余莜麦浪，霜前先透桕林花。茶瓜丈室松寮迥，箭栝参天鸟道斜。自叹初衣迟岁月，帽檐狼藉软尘遮。”诗中透出他察访农村的喜悦心情。

陈鹏年在衢县任满后，擢升江宁知府。在知府任内，因反对朝廷追加江宁田赋，而被削职入狱。康熙南巡时平反，并擢升为河道总督。雍正元年（1723），病故于河防工地。清世宗雍正下达谕旨褒扬曰：“陈鹏年洁己奉公，实心为国。因黄河冲决，自请前往堵筑，寝食俱废，风雨不辞，积劳成疾，殁于公所。闻其家有八旬老母，室如悬罄。此真鞠躬尽瘁、死而后已之臣。”谕旨宣布赐帑金二千，其母封诰命夫人，视一品例荫子，谥恪勤。

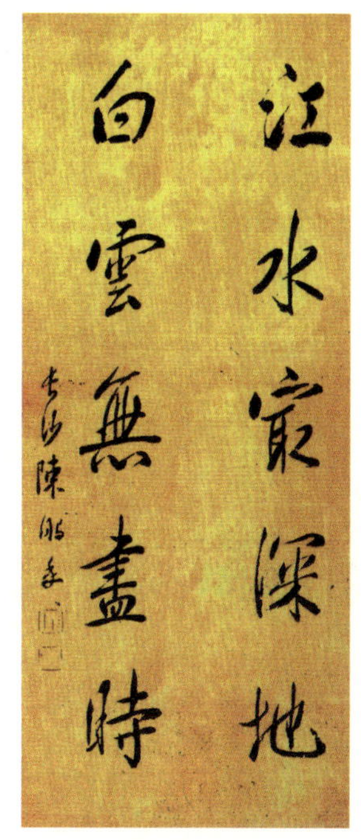

陈鹏年手书联语

清代著名书画家何绍基为陈鹏年祠题联：“大鸟三生，半世勋名为今始；飞虹十丈，当年诗酒看山来。”

1962 年，《人民日报》曾载有陈鹏年书目诗卷，郭沫若题诗赞道：“正气传吹鬼，青天德在人。一时天下望，万古吊中珍。”

阅读链接：

（清）柯劭忞等：《清史稿·陈鹏年传》，中华书局，1977 年版。

守洁才优，久协舆论

——“浙中第一良吏”李赓芸

清朝嘉庆三年（1798），朝廷六部九卿中有人向嘉庆皇帝秘密举荐在浙江任知县的李赓芸，嘉庆皇帝随即下诏书向浙江巡抚阮元询问李赓芸的情况，阮元随即复奏云：“（李）赓芸守洁才优，久协舆论，为浙中第一良吏。”（《清史稿·李赓芸传》）

李赓芸（1754—1817），字生甫，号书田。清朝江南嘉定县（今上海嘉定区）人。系著名学者钱大昕入门弟子。乾隆五十五年（1790）中二甲第二名进士，分发浙江，历任孝丰（后并入安吉县）、德清、平湖等县知县。所至各地，均推行德政，抚养百姓，教育士子，革除奸邪，百姓称他为“神明”。

李赓芸像

嘉庆三年（1798），浙江巡抚阮元将其引见给嘉庆皇帝，得到赞许，遂升浙江处州府同知。嘉庆五年（1800），浙江金华、处州两府发生严重水灾，李赓芸奉命救灾。当时金华府钱荒，而处州府发生粮荒，李赓芸根据这个情况，从官府领到白银 2 万两，将其中 1 万两换成钱币，运往金华，每人赈济 100 文钱，使金华的钱价保持了平稳。他将另外 1 万两白银购买大

米运到处州，低价粜出，使米价降了下来。

不久，李赓芸升任嘉兴知府。他上任后，始终保持廉洁作风，在他的示范下，上下没有敢收受贿赂的人。在施政上，重点整治漕运，并摆正官民关系，不扰民、不害民。嘉庆十年（1805），嘉兴府发生水灾，李赓芸立即展开救灾，开官仓，减价粜出；开粥厂，救济家中揭不开锅的穷人，挽救了许多人的生命。后因继母去世，丁忧回原籍守制。3 年期满后，李赓芸补福建汀州知府，寻调漳州知府。由于前任漳州知府等官员的不作为，漳州地方百姓养成了好斗的习惯。李赓芸上任后，召集各乡约、里正等谈话，问他们："为什么老百姓不告官而勇于私斗呢？"众人不约而同地回答："告官，有的一二年没有结果，有了结果也不知谁是谁非，身先受累。所以，大家干脆自己解决。"李赓芸听了这话，知道了问题的症结，是官府的不作为伤了百姓的心，于是他郑重宣布："如今有我在，有告状的一定立即断案；如果处理不当，请说明，不要有什么顾虑。并请转告乡民，今后如果再有私斗者，一定捉拿为首的，烧掉他的房屋，不要幻想依靠贿赂来逃脱惩处。"众人应诺而退。不久，又有村民发生了持械私斗的事件，李赓芸得到报告后，立即调集兵丁将械斗者逮捕治罪，李赓芸说到做到，老百姓心服口服，从此再也没有私斗的现象发生。李赓芸每天端坐知府大堂，衙门大开，有告状者直入大堂申述，查明事实真相后，当

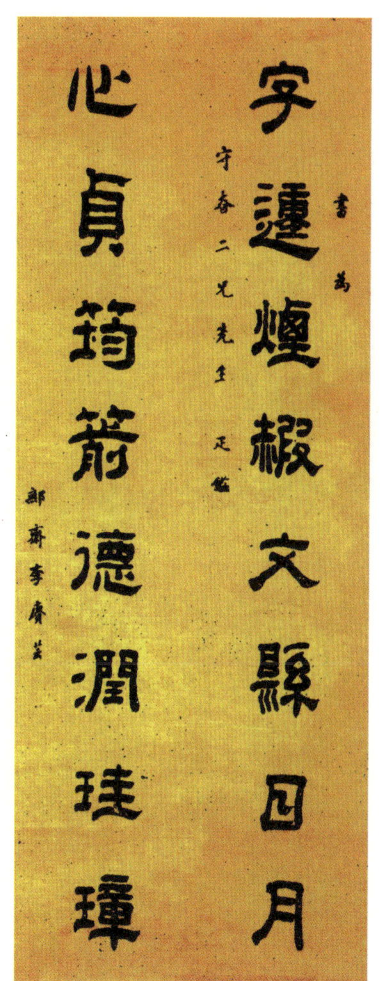

李赓芸手书联语

堂断案，当堂写判词，不收一文钱的费用。凡是申冤成功的百姓都感激涕零说："李公救活了我！"

漳州九龙岭地方地势险要，盗匪横行，危害往来商旅及百姓，李赓芸决心清除这个地方的匪患，他调集兵丁先后擒拿匪首十余人，匪患肃清，商旅往来畅通无阻。按照惯例，凡是擒获盗匪，官员要得到赏赐与提拔。李赓芸不表功，将功劳全部归于下属，下属对这位不争功劳的长官肃然起敬。

嘉庆二十年（1815），李赓芸升任福建按察使，并署理布政使，逾年实授布政使。这位难得的好官，却坐事被闽浙总督汪志伊诬陷下狱，虑为狱吏所辱，遂自尽于狱中。朝廷闻知此事后，派专人到福州审理此案，结果真相大白，诬陷者受到了惩处。

李赓芸死后，家中一无所有，连寿衣和棺材都买不起。与李赓芸友善的盐法道孙尔准出资为他办理了丧事。福州"士民上书为赓芸讼冤，感泣祭奠，踵接于门，为建遗爱祠"。

阅读链接：

（清）柯劭忞等：《清史稿·李赓芸传》，中华书局，1977年版。

（清）李赓芸：《稻香吟馆诗稿》七卷。

开府推心若谷虚，要将民物纳华胥

——阮元治浙

清代中期有一位著名的学者型官员，被称为“一代名儒贤相”。论治学，他是“一代经师，学界泰斗”；论治国，他是“三朝阁老，九省疆臣”。他的名字叫阮元，他与浙江的关系很密切，他曾任浙江学政3年，任浙江巡抚前后达6年，在浙江任官近10年，留下了许多为人称道的政绩。

阮元像

阮元（1764—1849），江苏扬州人，出生于官宦之家，自幼随父亲阮承信熟读《资治通鉴》，听父亲讲历代“成败治乱，战阵谋略”，并学骑马与射箭，成为文武兼备的人才。乾隆五十四年（1789）中进士，入翰林院任庶吉士、编修。乾隆五十六年（1791）大考，阮元得一等第一。乾隆召见后高兴地说：“不意朕八旬外复得一人！”之后，历任少詹事、南书房行走、詹事、经筵讲官、山东学政。

乾隆六十年（1795）八月，阮元任浙江学政。在学政任上，除了照常选拔英才外，发挥他学问优长的特点，历时3年，主持编辑了大型图书《两浙辅轩录》40卷，收录清朝建立以来浙江11府3133位诗人的9241首诗，并附有各诗人小传。

他还主持编辑了《经籍纂诂》、《淮海英灵集》，刻《小琅嬛仙馆叙录书》等。

嘉庆四年（1799）十月，36岁的阮元署理浙江巡抚，次年正月实授。十年（1805）闰六月丁忧回籍，十三年（1808）三月丁忧期满回任浙江巡抚，次年八月因受科场舞弊案牵连被革职。阮元担任浙江巡抚前后长达6年有余。此时的阮元年富力强，皇帝器重，他上任时嘉庆皇帝勉以“古大臣之风”，希望他做一个廉正有为的贤良大臣。阮元上任后，勤政爱民，尽职尽责。

阮元在浙江巡抚期间的施政包括：（1）剿灭盗匪。东南沿海土盗与安南艇匪相互勾结，横行于浙江、福建、广东等沿海地区，十分猖獗。阮元上任后，委任李长赓为沿海三镇水师统领，两人协力同心，经过多年的激战，于嘉庆十四年（1809）将东南沿海地区的土盗与安南艇匪全部剿灭。在这个过程中，

西湖阮公墩

阮元表现出了卓越的组织指挥才能。（2）改革弊政，惩治污吏，弥补财政亏空。（3）实施惠商惠农措施。比如减免萧山县牧地之租税及灶课之税收；严格管束税关官员，不得对来往商旅进行敲诈勒索，保持商路畅通无阻；修复海塘工程，永远革除州、县帮办之弊政，以杜绝塘官渔利公款等。（4）赈济灾民。浙江处于沿海地区，旱涝台风等自然灾害频繁，每遇灾情发生，阮元总是站在第一线主持救灾，在杭州武林门建立了普济堂，作为救济贫民的固定机构，委托杭州的公正士绅主持普济堂的日常事务。革除杭州育婴堂弊端。严戒溺女婴陋习。（5）兴修水利。疏浚西湖，将西湖底挖出来的淤泥堆积于湖心之西，后人称为“阮公墩”；在西湖遍植杨柳，绿化西湖。（6）教育方面，于嘉庆六年（1801）在杭州建立诂经精舍。嘉庆八年（1803）春在宁海立安澜书院。五月，在杭州“苏公祠”旁边修建“白（居易）公祠”。（7）大量刻印学术著作，在灵隐寺建立藏书处，以保存文献。

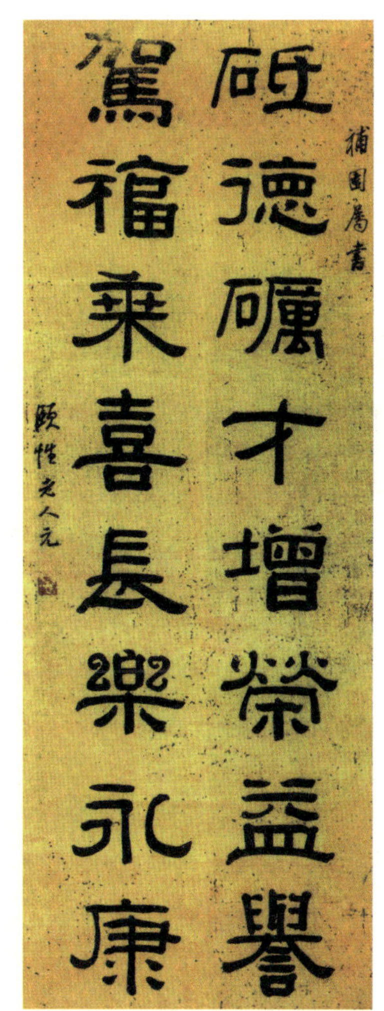

阮元手书联语

阮元治浙，历来得到很高评价。举人陆继辂赞道：“司农来（浙江），士得师，民得怙恃。官薄赋敛，盗贼知耻。”王先谦云：“浙人之爱敬文达，不后于召伯。”李长赓生前曾赋诗称颂其长官：“开府推心若谷虚，要将民物纳华胥。风清海外除奸蠹，令肃军中畏简书。报国自应亲矢石，酬知未尽扫鲸鱼。庸疏何幸叨青眼，媲美前贤愧不如。”

阮元之后历任江西巡抚，湖广总督，两广总督，云贵总督，体仁阁大学士管理刑部、兵部，兼署督察院左都御史。道光十八年（1838）因老病致仕，返扬州定居，临行加太子太保衔。道光二十九年（1849）卒于扬州康山私宅，谥文达，入祀乡贤祠、浙江名宦祠。前人赞阮元："身经乾嘉文物鼎盛之时，主持风会数十年，海内学者奉为山斗焉！"

阅读链接：

郭明道：《阮元评传》，社会科学文献出版社，2005年版。

王章涛：《阮元年谱》，黄山书社，2003年版。

文德武功，俎豆必留千秋后

——晚清中兴名臣张曜

清末，在杭州西湖断桥以东、昭庆寺（今杭州少年宫）以西，今望湖楼所在的位置有一座张公祠，是纪念晚清钱塘籍中兴名臣张曜的专祠。祠堂中有一副晚清状元陈冕写的楹联："在东订交者五六年，每杯酒纵谈，固知文德武功，俎豆必留千秋后；睹公遗像如梦寐遇，幸神灵妥祐，惟愿御灾捍患，蜡豳无负故乡情。"楹联指出张曜既有"文德"，又有"武功"，是千秋万代值得纪念的人物。那么，张曜的"文德武功"表现在什么地方呢？

张曜像

张曜（1832—1891），字亮臣，号朗斋，浙江钱塘人，祖籍浙江上虞，曾一度落籍直隶顺天府大兴县。早年习武，勇猛过人，人称"大力张"。咸丰三年（1853），22岁的张曜投奔时任河南固始县令的姑父蒯贺荪。当时，河南捻军起义，遍地狼烟，蒯贺荪以张曜有武功，遂命令他编练团练，抵御捻军。在这样的背景下，张曜很快表现出了军事才干，最后练成了一支能征善战的嵩武军，成为继湘军、淮军之后的又一支劲旅。在与捻军、太平军作战中屡立战功，清廷先后赏给张曜"霍钦巴图鲁"称号，赏穿黄马褂，赏骑都蔚世职；官职方面由署固始知县起，到赏加提督衔，同

阅读链接：

张怀恭、张铭编：《清勤果公张曜年谱》，浙江古籍出版社，2009 年版。

治九年（1870）授广东陆路提督，这年，张曜 39 岁。

光绪二年（1876）起，张曜以提督名义统率嵩武军随左宗棠出征新疆，打败入侵新疆的阿古柏势力，收复新疆，并迫使沙皇俄国归还伊犁。在西征新疆的过程中，张曜统率的嵩武军是主力之一，战功卓著。左宗棠评价说：嵩武军“转战三载，劳苦功高……此次戡定河西，声威之盛，远出诸军。阁下尤远塞长城”（张怀恭、张铭编《清勤果公张曜年谱》，第 193 ～ 194 页）。为此，清廷先后赏双眼花翎、一等轻车都尉仍兼云骑尉世职。左宗棠一贯器重张曜，认为他“器识宏远，才兼文武”。在新疆平定后，左宗棠上奏称张曜“堪膺重任”，随即被清廷任命为新疆军务帮办，协助新疆军务督办刘锦棠处理新疆善后，为保全祖国领土完整、巩固西北边防作出了重要贡献。

以上所述是张曜的“武功”，下面再说“文德”。

光绪十二年（1886），55 岁的张曜被任命为山东巡抚。在任内，他“专任贤能”，“颇有政声”（《中国近代名人小史》，第 95 页）。

当时黄河在山东境内多处溃口，水患日益严重，他上任后一面积极组织救灾，一面拿出自己的俸金，并动员其他官员捐俸助赈，救活了不少灾民。针对黄河山东段河道窄、堤坝不够坚固、水涨易于漫决的特点，提出了“分”与“疏”的治河主张，在齐河赵庄、刘家庙和东阿陶城铺各建了减水闸坝一座，以防异涨。又因牡蛎口河水入海不畅，改浚韩家垣海口，以疏其尾。

左宗棠书赠张曜联语：负郭无田几亩荒园都种竹；传家有宝数间茅屋半藏书。

每逢黄河发生决口，他都亲临现场，指挥抢修堤防。据说他一年有近300天时间是在河工上度过的。“凡言河务者，至布衣之士，微末之员，无不详细咨询，虚心体察。”（《清代七百名人传·张曜传》）

张曜在治理黄河的同时，还带头植树造林，在黄河大坝以及从洛口到济南城中心的路旁遍植柳树，形成一道柳树风景带，人称“张公柳”。民生方面，兴办洋务，开办工厂，制造机器，修治道路，整饬盐法等等；文教方面，在青州建立海岱书院，修复曲阜洙泗书院。张曜不仅勤政，而且为官清廉。他“居官垂四十年，不言治产事，性尚义，所得廉俸辄散尽”，以致“身后萧然，一如寒素”。

光绪十七年（1891）七月，张曜在黄河上监工时，“疽发于背”，被人护送回济南时病情已经十分严重，医生束手，不久便病逝于巡抚衙门。张曜病危时，“四民惶惶，奔走祷祈，求益公算。既逝，百姓巷哭失声，交衢缟素，若丧天亲。士人聚哭于省闱，嵩武军中斫地投胄，哀声遏长河”。次年春，张曜灵柩归葬杭州，济南全城百姓倾城相送。因众多百姓跪哭街巷，灵柩移动缓慢，费了大半天才得以走出济南城。四月，抵达杭州，安葬凤凰山，出殡之日，送葬队伍北起武林门，南迄凤山门，穿城十里。

清廷宣布赠太子太保，入祀贤良祠，谥勤果，并在济南、杭州、河南等地建立专祠纪念。济南大明湖内的张公祠至今仍存，供后人景仰怀念。

平民化的省主席

——张难先在浙江

从全局来说，民国官场腐败无能，这是事实。但就在这腐败的乱世，也有少数不同流合污的清官廉吏，曾任浙江省政府主席的张难先就是一例。他身为国民党的元老、政府要员，始终保持平民本色。

张难先像

张难先（1874—1965），湖北沔阳县（今仙桃市）人。早年参加辛亥革命，在国民党内属于元老级人物，因为官清正廉洁，不与世俗同流合污，他与严重、石瑛被称为民国时期的“湖北三怪”。1930年底，蒋介石提名张难先担任浙江省政府主席，张先后5次上呈婉辞，都没有结果，只好硬着头皮上任。

不愧是“湖北三怪”之首，张难先从上任的第一天起就显得与众不同。他到杭州上任的当天，省政府高级官员与省城士绅按照惯例到杭州城站恭迎，可左等

右等始终不见新任主席到来，让大家犯起了嘀咕。原来，张难先上任当天，既未带随从秘书，也无警卫侍从，孑然一身，身着布衣布鞋，自己带着简单的行李，买了张三等火车票到杭州。出了火车站，自己叫了辆人力三轮车直奔省政府所在地梅花碑。到了省政府门口，门卫见到这位穿着打扮十分普通的老头直往省政府大院走，立即喝住盘问起来，待问清他就是新任省主席，始立正举手敬礼，让他进去。

当省政府高官得知新任主席已经轻车简从到了省政府时，不禁大吃了一惊。接下来，省政府办事人员根据以前的惯例，将西湖边的澄庐作为张难先的官邸。澄庐是晚清洋务派大官僚盛宣怀在西湖边造的别墅，上下三层，耗资数十万银圆，民国以后成为浙江省政府的产业，蒋介石来杭州时多次住过，何应钦任浙江省政府主席时曾将他作为官邸。张难先搬进去后发现房屋过于豪华，在国步艰难之时住这样豪华的房子觉得心里不安，况且这房子的原主人是盛宣怀，等于是盗跖所筑，更不可安居，于是坚决要求搬出去，最后在菩提寺路 12 号，找了一栋普通民居住下来。每天清晨，他提竹篮一只，亲自到龙翔桥买菜，并借此机会与小商小贩、买菜的市民闲话桑麻，询问丰歉，了解民情民意。

张难先手迹

张难先的前任花钱大手大脚，离任时亏空至 4000 余万，人称“败家子”。张难

先到任后，检查库存，包括民政厅的现金在内，总共不到两千元。面对省级财政几乎破产的严重局面，张难先采取了一系列措施：节流方面，张难先自兼民政厅厅长，大刀阔斧地砍掉骈枝机关，矿务处、东方大港工程处等专领工资不干事的单位一律裁撤，警官学校移交给中央政府接收。开源方面，聘请会计师魏颂唐为省政府会计顾问，策划开源，整顿税收。根据魏颂唐的建议，裁撤贪污中饱的统税局，成立营业税局，以旧府属为单位，县设稽征所，征收对象为住商和行商。税额按照营业多寡征收，严禁贪污分赃，杜绝用投标方式争夺局长（防止豪绅地主、权贵亲属之流以金钱开道夺取局长，鱼肉商人）。上述措施实行后，省政府的收入逐步增加，财政状态逐步好转。

1931 年春，蒋介石陪同其岳母来杭州游玩，随行的有宋蔼龄、宋美龄、宋子良夫妇以及其他人员 20 余人。要是换了别人，这是献殷勤的绝好机会，可张难先不管这些，他指派省政府工作人员出面接待，并拨付 2000 元招待费。当时在上海“养病”的杭州市长周某得到消息后急忙赶到杭州自告奋勇殷勤接待，花钱大手大脚。这批皇亲国戚在杭州 9 天，用去招待费 5000 多大洋，比张难先事先规定的 2000 元超出一倍多。事后，工作人员整理皇亲国戚住的旅馆房间，将他们丢弃的西蒙蜜、蔻丹、长统袜、内衣、糕点水果等打了一大包连同账单送到张难先的办公室，作为报销的凭证。张难先对周某的慷公家之慨大为愤怒，将这包东西带到省政府例行的总理纪念周仪式上，让大家看，并派人将这包东西送还周某，要他归还这笔费用。与

会的400多名官员为张难先不惧权贵的精神而动容，有人甚至当场要求撤了周某的市长之职。

上海青帮头子杜月笙黑白两道通吃，是当时炙手可热、谁也得罪不起的人物。1931年，杜月笙在上海的家祠落成，帮会头子特别好面子，蒋介石送了“孝思不匮”的匾额，蒋带了头，南京政府内外官吏纷纷跟上，送匾额、发贺电、派代表，络绎不绝。这时有下属好心提醒张难先最好送个匾额敷衍一下，张以与杜月笙无交情为由拒绝。下属解释说：这不过是给杜一个面子，要是主席个人不愿意出名，可以省政府名义送。张难先答复说：“我为省政府主席，省政府名义犹如本人名义。君等私人有交情者，可径送之，省政府未便贸然出名。”

张难先虽然不敷衍杜月笙等上海黑社会头目，可他照常出入上海滩。他到上海公干，为躲避官场繁琐应酬，常常住到复旦大学他儿子的学生宿舍，他不仅不觉得清苦，反倒觉得如出笼小鸟，随处翻飞，“人间无此乐也”。在省主席任内，他因勤

澄庐

于政务，省内天目山、莫干山等名胜都不曾踏足。

张难先秉性正直、办事认真，不与时俗同流合污，与当时官场上的作风显得格格不入，他的作为损害了许多人的私利，于是到南京告状的人越来越多。他们诬告张难先将省政府办公楼当成私邸，娶了多少小老婆，贪污多少等等。蒋介石听了这些诬告，开始还不大相信，但告状的人多了，也就怀疑起来，决定实地考察一番。有一天，蒋介石与夫人宋美龄从南京来到杭州，直接来到省政府张难先的办公室。见面寒暄后，蒋说："我要看嫂夫人。"张回答："在城头巷。"蒋问："不在此乎？"张答："不在。"蒋说："我去看嫂夫人。"说完，就与宋美龄转身离开省政府去城头巷，张难先随后跟上。蒋介石找到张难先那个很寒碜的家，他的夫人与普通的农家妇女并没有多大区别，蒋介石这才意识到那些人的指控完全是无中生有的诬告，大为感动。蒋介石当即决定邀请张难先夫妇及他们的两个女儿出席晚宴，作陪的只有宋美龄、宋子安。一场诬告风波就此平息。

但是，一波刚平，另一波又起。告状的人吸取上次的教训，不告张难先贪污，改告张难先主张抗日、对于反共执行不力，这在当时可是一个谁也担当不起的罪名。1931 年 12 月 15 日，南京政府终于宣布免去张难先浙江省政府主席，由鲁涤平继任。距 1930 年 12 月 4 日颁布任命状，时间仅 1 年零 12 天。

阅读链接：

张难先：《张难先文集》，华中师范大学出版社，2008 年版。

民族脊梁

我们从古以来，
就有埋头苦干的人，
有拼命硬干的人，
有为民请命的人，
有舍身求法的人
……
这就是中国的脊梁。

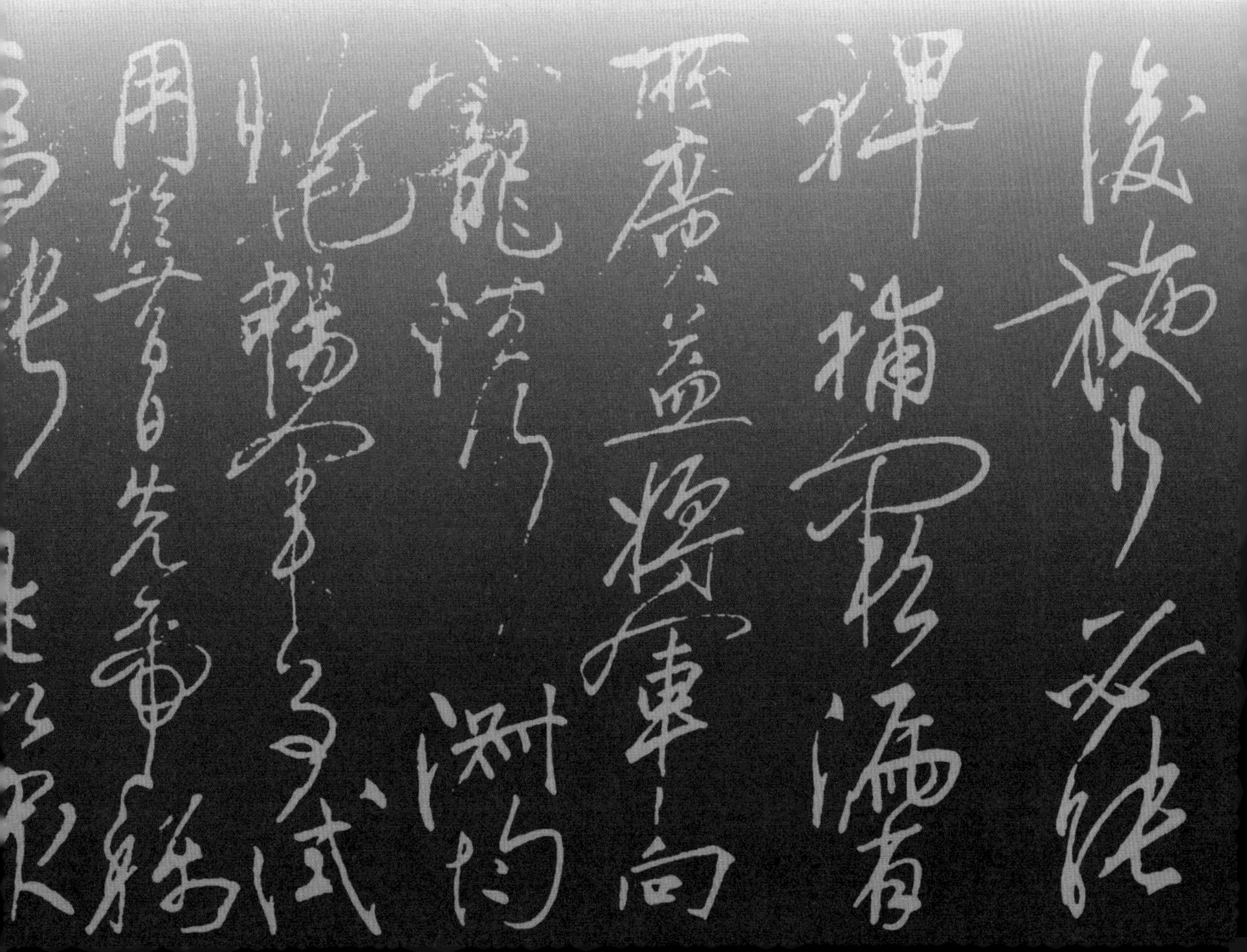

引 言

古老的中华民族虽然多灾多难，饱经沧桑、忧患，但几千年来却始终巍然屹立于世界民族之林。

原因是什么？原因只有一个，那就是中华民族无论遭遇多么严重的坎坷与挫折，但民族的脊梁始终没有被强敌打断。

近代著名军事学家蒋百里在一篇文章中说：中华民族在几千年的历史进程中形成了他特有的乐观态度，即强者未必永久强，弱者未必永久弱。汉、唐、宋、明，曾经几度的败亡，但未来复兴的一个模糊希望始终涌现于国民潜意识中。王夫之、顾亭林在宗族失败以后，仍是拼命著书，将复兴的希望寄托于未来，这就养成了中华民族不屈不挠的特有意志。

对中华民族抱有自信并怀有不屈不挠意志的那部分人，就是中华民族的脊梁。鲁迅先生在《中国人失掉自信力了吗》一文中说："我们从古以来，就有埋头苦干的人，有拼命硬干的人，有为民请命的人，有舍身求法的人……虽等于为帝王将相作家谱的所谓'正史'，也往往掩不住他们的光耀，这就是中国的脊梁。"一个民族只要有脊梁在，一定就会坚如磐石，昂然屹立于天地之间。

兼将相于中外，系存亡于社稷

——东晋名相谢安

谢安像

唐代诗人刘禹锡《乌衣巷》一诗写道："朱雀桥边野草花，乌衣巷口夕阳斜。旧时王谢堂前燕，飞入寻常百姓家。"诗中的王、谢指的是东晋世家巨族王氏家族与谢氏家族，其中谢氏家族最有名的人物当属谢安。

谢安（320—385），字安石，原籍陈郡阳夏（今河南太康县）。谢氏是西晋士族名门，西晋永嘉之乱时，谢氏家族迁徙至江南的会稽郡，与临沂的王氏并称"王谢"。谢安出身于名门望族，从小受到良好的教育，自小就表现出非凡的品性，有人称赞说："此儿风神秀彻，后当不减王东海（指东晋名士王承）。"魏晋时代，士族崇尚清谈，善清谈者方得为真名士。谢安早年无意于做官，他以身体不好为借口拒绝朝廷要他出山的征召，一直隐居在会稽郡的东山（今上虞市境内），除了承担教育谢家子弟的任务外，一有时间就与王羲之等名士游山玩水，吟诗作文，过着隐士般的安逸生活。谢氏家族在东晋朝廷中掌握军政大权的谢尚、谢奕于东晋升平元年(357)、二年（358）相继去世，谢万（谢安胞弟）北征失败，于升平三年（359）被革职，谢氏家族急需一个人物出来支撑局面。在这种背景下，谢安不得不出山，于升平四

年（360）八月出任征西大将军桓温的司马，次年转任吴兴郡太守。

咸安元年（371），谢安升任侍中。咸安二年（372）升任吏部尚书、中护军。简文帝去世后，谢安与王坦之等大臣辅佐年幼的孝武帝，以其智慧挫败了权臣桓温逼宫篡位的种种企图。桓温死后，桓氏子侄辈在朝廷中的势力依然很强大，为了对付桓氏，谢安设法让褚太后出来临朝听政。褚太后是谢安堂姐的女儿，太后临朝听政显然有利于谢氏家族。不久，谢安升任尚书仆射兼领吏部加后将军，与尚书令王彪之共掌朝政。宁康二年（374），谢安再兼中书令。太元元年（376），谢安升中书监、

描绘“淝水之战”的《东山报捷图》局部

录尚书事。太元三年（378），加司徒，复加侍中，都督扬、江、荆、司、豫、徐、兖、青、冀、幽、并、宁、益、雍、梁15州军事，谢安成为朝廷实际上的决策者。当时的内外形势是，东晋北面有前秦、前燕等少数民族建立的强大政权，对东晋构成强大威胁；东晋内部，宗室司马道子弄权，世家大族王、桓诸族不相上下。面对这样的局面，作为朝政的掌握者，谢安对外采取和靖政策，尽量减少武装冲突；对内，一方面尽力维持各世家大族之间及其与朝廷之间的平衡，另一方面施德政，为政宽恕，事从简易，不以苛政扰民。上述措施，稳定了政局，形成了“内外同心”“将相和睦”“文武用命”的局面，并因此而取得了以少胜多的淝水大战的胜利。范文澜主编的《中国通史》指出：“东晋朝内部出现前所未有的和睦气象，是和谢安完全继承王导力求大族间势力平衡的作法分不开的。”“东晋朝建立以来，这是最大的一次战胜扩地。取胜的重要原因之一就是内部和睦，有力量可以对外。”

太元八年（383），位于西北的前秦宣昭帝苻坚统87万（对外号称百万）大军南侵，水陆并进，直逼淝水，京师（今江苏南京）为之震惊。谢安任命弟弟谢石为征讨大都督，侄儿谢玄为前锋都督，儿子谢琰为辅国将军，桓伊为西中郎将，统率8万精兵拒敌。敌我力量对比十分悬殊，东晋内部人心惶惶，以为东晋区区8万军队无论如何也对付不了前秦的几十万大军。但谢安胸有成竹，为稳定军心民心，他表面上装出若无其事的样子，继续游山玩水，暗中周密部署作战行动。

最终东晋以8万兵力打败了号称百万的前秦军队。捷报传来，谢安正在与客人下围棋，阅看捷报后就将它放一边，照旧下棋。客人询问何事，谢安漫不经心地回答：“小儿辈遂已破贼。”下完棋回家，由于极端兴奋，过门槛时碰折了鞋子都没有察觉。这种临危不乱、喜怒不形于色以及在谈笑之间决胜负的风度与修养被后世广泛传颂和效法。唐代诗仙李白赋诗赞叹说：“但用东山谢安石，为君谈笑静胡沙。”清代余怀也有诗赞道：“高卧东山四十年，一堂丝竹败苻坚。”

谢玄像

对于谢安在东晋朝廷中的中流砥柱作用，《晋书》评价说：“建元之后，时政多虞，巨猾陆梁，权臣横恣。其有兼将相于中外，系存亡于社稷，负扆资之以端拱，凿井赖之以晏安者，其惟谢氏乎！”

淝水之战后，前秦陷于内乱，苻坚自缢而亡，前秦从此一蹶不振，东晋赢得了数十年相对和平的外部环境。挽狂澜于既倒的谢安，本想利用这个难得的机会继续北伐，以恢复中原，但遗憾的是，东晋统治集团是一群腐朽没落的贵族，在外部的致命威胁解除后，内部的争权夺利又开始了。孝武帝迷恋美酒女色，无心国事，又惧怕谢氏家族功高震主，于是逐步剥夺谢安的实权，给他很高的荣誉与地位，而将朝政交给其弟司马道子。司马道子是一个十足的酒囊饭袋，掌握朝政后与一帮卑劣之徒狼狈为奸，极力排挤谢安。局势日非，谢安被迫以“北征”为名离开京师建康，避居江东的广陵（今江苏扬州），在抑郁中去世。谢安去世后，谢安一族的军政大权迅速被剥夺，东晋朝政日非，国势犹如江河日下，很快覆灭。

阅读链接：

倪政兴：《门阀旧事：谢安在他的时代》，中国长安出版社，2007 年版。

李鼎霞、金舒年译注：《谢安》，中华书局，1983 年版。

出师未捷身先死，长使英雄泪满襟

——抗金英雄宗泽

宗泽（1060—1128），字汝霖，汉族，北宋婺州义乌县（今义乌市）人。北宋元祐六年（1091）中进士，历任河北大名馆陶、浙江龙游、山西赵城、山东掖县、山东登州（今山东蓬莱）等州、县官，所到之处，勤政爱民，颇有政绩。由于宋朝政治极端腐败，权奸当道，宗泽长期得不到提拔和重用。宣和元年（1119）三月，时任登州知州的宗泽因建神霄宫不虔诚，受到除名编管的处分。宋、金缔结“海上之盟”后，宗泽认为“天下自是多事”，遂退居浙江东阳山谷。不久被人诬告，被发配镇江继续编管。宣和四年（1122）天下大赦，宗泽重获自由之身，两年后调到偏远的巴州任通判。宗泽在这期间所作的《古楠赋》《重修英惠侯义济庙记》，借景抒情，倾诉了自己怀才不遇、壮志难酬的悲愤心情，并借汉末巴郡太守严颜隐喻自己，表达了愿做“断头将军”，决不做“投降将军”的决心。

宗泽像

阅读链接：
（北宋）宗泽著，朱淑贞注：《宗泽集》，浙江古籍出版社，1984 年版。
吴太等：《宗泽》，上海人出版社，1969 年版。

北宋靖康元年（1126），远在西南边陲巴州担任通判的宗泽，因御史大夫陈过庭的推荐，调到东京（今河南开封）担任宗正少卿，充和议使。已是 68 岁高龄的宗泽接到诏书后日夜兼程赶到东京。此时，北宋在北方金兵的进攻下，正处在生死存亡的关头，北宋朝廷内部抵抗派与投降派的争斗也日趋激烈。宗泽是坚定的抵抗派，他一到东京，就给宋钦宗上了抗金“三策”，力主抗金，反对求和。

同年八月，金兵第二次对北宋用兵，仍然分东、西两路南下，宋钦宗鉴于宗泽反对求和，担心他留在京城有碍和议，就任命他为磁州（今河北磁县）知府，让他到抗金前线去。磁州屡经金兵蹂躏，已经残破不堪。宗泽到任后，立即整修城墙，治器械，募义勇，严阵以待。金兵渡过黄河南下，担心宗泽从背后袭击，就分兵进攻磁州，宗泽披甲登城，指挥军士用神臂弓射退金兵，然后开城门追击，杀敌数百。

宗泽虽然取得了局部抗金的胜利，但无补大局。同年闰十一月下旬，金军两路大军攻破东京开封，北宋朝廷成为金军的俘虏。靖康二年（1127）三月，金军策立张邦昌为傀儡皇帝，建立伪大楚政权。四月初，金军押着宋徽宗、钦宗二帝及宗室、后妃、百官共 3000 余人，并携带从东京搜括来的玉玺金银珠宝财物等北撤。

在东京城破之前，宋钦宗从围城中传令任命他的弟弟、康王赵构为兵马大元帅，宗泽、汪伯彦为副元帅，要他们立即率师勤王。宗泽首先组织起了一支 2000 人的军队赶到大名，准

备在金军北撤途中夺回徽、钦二帝。虽然早已传檄四方，但其他勤王之师却无一兵一卒赶来相助，宗泽自知兵单力薄，不得不放弃夺回徽、钦二帝计划，转而上书康王赵构，劝他任皇帝。

靖康二年（1127）五月，赵构在南京应天府（今河南商丘）宣布就任皇帝，改元建炎，史称南宋，赵构成为南宋高宗。宰相李纲十分器重宗泽，保荐他为开封知府，后又相继被任命他为东京留守、开封府尹。宗泽到任后，在很短的时间内使大劫后的开封城恢复了秩序。他还先后说服开封周围拥兵近百万的义军首领王善、杨进、王再兴、李贵、王大郎等投到自己麾下，壮大了军威。

建炎二年（1128），金军再次大举进攻开封，宗泽成竹在胸，指挥刘衍等将领一次次地打退金军,开封成为金军不可逾越的屏障。北方百姓敬称威震天下的宗泽为“宗爷爷”。

从建炎元年（1127）七月起，宗泽在一年内24次上疏高宗，这就是著名的《乞回銮殿疏》，力劝高宗还京开封，以图恢复北方失地，但均为高宗身边的黄潜善、汪伯彦等奸佞所阻。高宗于建炎元年（1127）十月以巡幸为名，从南京一路逃到了扬州。宗泽忧愤成疾，疽发于背。宗泽明知自己病重，在世不长，却还是念念不忘地请求赵构回銮开封，誓师北伐。建炎二年七月十二日，临终前的宗泽对前来探望的将领沉痛地说:“我以二帝蒙尘，悲愤至此，你们多能歼灭敌寇，那我死而无恨！”口中不停地念诵杜甫名句：“出师未捷身先死，长使英雄泪满襟。”直至断气，无一语及家事，惟连呼“渡河！渡河！渡河”而逝。宗泽死讯传开，“都人为之号恸，朝野无贤愚皆相吊出涕，三学之士千余人为文以哭泽”。抵抗派首领李纲在挽诗中发出了“梁摧大厦倾，谁与扶穹窿”的哀号。宗泽死后与夫人陈氏合葬于镇江京岘山麓。后朝廷赠观文殿学士，通议大夫，赐谥忠简，著作有《宗忠简公集》。

千古奇冤，发人深省

——岳飞冤死的启示

遵照敌国的意愿与要求，残害本国的忠良，这种自毁长城、自取灭亡的历史悲剧，在中国历史上曾经一再重演，留下了血迹斑斑、令人不堪回首的历史污迹。南宋最杰出的民族英雄岳飞之冤死，就是其中最惨痛的一例。

岳飞（1103—1142），字鹏举，相州汤阴县（今河南汤阴县）人，出身于世代务农家庭，早年习武，练就一身高强的武艺。北宋宣和四年（1122），岳飞从军，参加抗金战争，他的最后20年基本上是在抗金战争中度过的。他不仅治军有方，而且骁勇善战，屡立战功，从士兵起家，成为百战百胜的卓越军事统帅。

岳飞的最大愿望是北伐，收复中原失地。南宋绍兴三年（1133），岳飞在《送紫岩张（浚）先生北伐》诗中写道："号令风霆讯，天声动北陬。长驱渡河洛，直捣向燕幽。马蹀阏氏血，旗枭可汗头。归来报明主，恢复旧神州！"这首诗十分明白地表达了他收复失地的强烈愿望。但是，这个愿望遭到南宋朝廷内妥协投降派的掣肘，从金国返回的奸细秦桧已经受到重用，他利用宋高宗赵构急于偏安一隅的心理，极力主张与金国媾和，

放弃中原大好河山。对于这种屈辱的求和，岳飞是坚决反对的。南宋绍兴九年（1139）春，他曾上表朝廷，指出："唾手燕云，正欲复仇而报国，誓心天地，当令稽首以称藩。"据说，秦桧"见之切齿"。

岳飞塑像

朝廷奸佞当权，忠臣志士报国无门，这是一种何等悲哀的局面，岳飞心中的悲愤又有谁能理解？是年夏季的一天，在一阵狂风骤雨之后，雨过天晴，岳飞在其镇守的鄂州衙署凭栏远眺，但见滔滔长江滚滚东流，心潮澎湃，意气难平，遂发为心声，为后人留下了堪称千古绝唱的《满江红》：

怒发冲冠！凭栏处，潇潇雨歇。抬望眼，仰天长啸，壮怀激烈。三十功名尘与土，八千里路云和月。莫等闲，白了少年头，空悲切！靖康耻，犹未雪；臣子恨，何时灭？驾长车，踏破贺兰山缺。壮志饥餐胡虏肉，笑谈渴饮匈奴血。待从头，收拾旧山河，朝天阙！

绍兴十年（1140）五月，金国再次毁约对南宋发动进攻，由金军元帅完颜宗弼（金兀术）指挥，分四路南下。宋高宗被迫令岳飞与韩世忠、张浚三大主帅进行抵抗。但是，宋高宗的所谓抵抗是有限度的，就是只要确保江南半壁不落入金人手里，至于恢复中原根本不是他考虑的事。但这一次，岳飞决定违背宋高宗的意愿，发动一次空前规模的北伐。岳飞指挥的岳家军从鄂州分路北上，一路打败金军，先后收复许昌、郑州、西京洛阳，收复了河南的大部分失地。金军主帅完颜宗弼侦察到岳飞的指挥部在河南郾城且只有少量骑兵驻守后，亲自率领精锐骑兵 1.5 万人，自开封

长途奔袭郾城，企图一举消灭岳飞的指挥中心，双方展开一场恶战，金军过去对付宋军屡屡得手的独门杀器“拐子马”（侧翼骑兵）、“铁浮图”（铁塔兵，即重装骑兵），在岳家军面前都不灵了，这次，金军被岳家军打得大败，不得不退兵而去。岳家军一支分队打到离金军大本营开封只有四十五里的朱仙镇。这次，岳飞北伐中原，金军遭到空前沉重的打击，也打破了金军不可战胜的神话。面对勇猛无敌的岳家军，金军上下发出了“撼山易，撼岳家军难”的哀叹。

跪在岳飞墓前的秦桧与王氏像

岳飞在朱仙镇招兵买马，联络河北义军，积极准备渡过黄河收复失地，他激动地对诸将说：“直捣黄龙，与诸君痛饮耳！”然而早已将“杭州做汴州”的宋高宗和奸佞秦桧们却见不得岳飞的胜利，于是，秦桧假高宗之名，在一天之内，连发12道加急金牌，命令岳飞退兵。面对这样的场景，一心报国的岳飞已经是五内俱焚，欲哭无泪，他抑制不住内心的悲愤，仰天长叹：“十年之力，毁于一旦！”班师之日，军民哭成一片，哭声震野。

本国之贤良忠臣，就是敌国之仇人。金朝认识到，岳飞是金国最大的敌人，岳飞的存在就是对金国最大的威胁。于是，

跪在岳飞墓前的张俊与万俟卨像

通过宋高宗、秦桧之手来干掉岳飞，就成为金国外交的头号目标。金军元帅完颜宗弼写信给秦桧，明确告诉他："必杀岳飞，而后和可成也。"

对于主子发出的指令，秦桧自然不敢怠慢。于是，一桩惊天的害人阴谋就此出笼了。秦桧党羽们指使岳飞部将王俊向都统制王贵控告"副都统张宪谋据襄阳为变……冀朝廷还岳飞复掌兵"，王贵立即向枢密使张俊报告，张宪随即被逮捕，后又诬陷张宪"供通为收岳飞处文字后谋反"。岳飞及长子岳云随即被捕，投入大理寺狱审讯。秦桧决定杀岳飞以警告所有敢于反对求和者。御史中丞何铸奉令审讯岳飞，岳飞脱衣露出少年时母亲姚太夫人在他背上刺的"尽忠报国"四字。何铸是个有良心的人，他察觉岳飞有冤，便向秦桧申述。秦桧很不高兴，沉着脸说："这是皇上的意思。"

秦桧当即改派心腹党羽、素与岳飞有隙的万俟卨主持审讯。万俟卨秉承秦桧的旨意，以严刑拷打、屈打成招等方式定岳飞子虚乌有的谋叛罪，诬陷岳飞虚报军情及逗留淮西等罪，一口咬定岳云曾经写信给张宪，布置夺军谋反的计划等。已经被剥夺军权退居闲职的韩世忠对此气愤不能平，亲自登门诘问秦桧，秦桧答复："飞子云与张宪书虽不明，其事体莫须有。"韩世忠当场愤怒地抗议："相公，莫须有三字，

阅读链接：

邓广铭：《岳飞传》，生活·读书·新知三联书店，2007 年版。

岳飞研究会编：《岳飞研究》，浙江古籍出版社，1988 年版。

何以服天下乎！”

同年十二月，岳飞被奸佞害死于临安（今杭州）大理寺狱——风波亭，时年仅 39 岁。其长子岳云及部将张宪被斩于临安市中，家产充公，家属发配到广南、福建路居住。

南宋中兴之主孝宗即位后，于隆兴元年（1163）宣布为岳飞平反，开复原官，将其遗骨安葬于杭州栖霞岭下，并建庙于鄂州（今湖北武昌），谥武穆。宋宁宗嘉定四年（1211）追封鄂王。嘉定十四年（1221），在岳飞安葬处附近修建岳鄂王庙，供后人凭吊怀念。在岳飞墓前，尚有四个铁铸的人像，反剪双手，面对岳墓而跪，他们就是陷害岳飞四大奸佞——秦桧、王氏（秦妻）、张俊、万俟卨。在跪像的背后墓门上有副对联：“青山有幸埋忠骨，白铁无辜铸佞臣。”

“万古知心只老天，英雄堪恨亦堪怜。如公稍缓须臾死，北虏安能八十年？”“鄂王墓上草离离，秋日荒凉石兽危。南渡君臣轻社稷，中原父老望旌旗。英雄已死嗟何及，天下中分遂不支。莫向西湖歌此曲，水光山色不胜悲。”“中兴诸将思平

岳飞手迹“还我河山”（集字）

敌，负国奸臣主议和。……如何一别朱仙镇，不见将军奏凯歌？”千百年来，在凭吊岳王庙及岳王坟时，文人才子们纷纷吟诗，抒发对一代民族英雄惨死的同情与怀念，对北伐中断感到惋惜，对秦桧等奸佞残害忠良给予严厉谴责……

中华民族自古以来多灾多难，如何避免历史悲剧一再重演，才是历史留给后人最沉重的课题。

杭州岳王庙

一代沧桑洗不尽，幸存三烈尚流芳

——南宋“三忠”

南宋恭帝德祐二年（1276）春，元军攻入南宋都城临安（今杭州），以太皇太后全氏和恭帝赵㬎为代表的南宋朝廷向元军奉上传国玉玺和降表，宣布投降。以张世杰、陆秀夫、文天祥为代表的抵抗派先后奉益王赵昰、广王赵昺为主，继续坚持抗元斗争，张世杰、陆秀夫、文天祥被称为南宋“三忠”。任凭沧海桑田，时代更迭，他们永被历史和人民铭记，千古流芳。正如蔡东藩《宋史通俗演义》所言：“一代沧桑洗不尽，幸存三烈尚流芳。”

张世杰：“吾知降，生且富贵，但为主死不移耳！”

张世杰（？—1279），涿州范阳县（今河北涿州）人。行伍出身。早年在金朝将领张柔部队当兵，蒙古灭金后，张世杰投奔南宋，初在南宋将领吕文德部任军中小校，后在抵抗蒙古军队的进攻中屡立战功，升任黄州武定诸军都统制。德祐元年（1275），南宋京师临安告急，张世杰率领所部千里入京勤王，到临安后，奉命总都督府各军，指挥南宋军队在苏南、浙

北等地抵抗元军。临安沦陷前夕，张世杰鉴于南宋皇室决意投降，便移师定海（今舟山）。5 岁的小皇帝宋恭帝被俘后，益王赵昰、广王赵昺被不甘心投降的大臣带出临安，逃到温州。四月，张世杰与陈宜中、陆秀夫等宣布拥戴益王赵昰为天下兵马都元帅，卫王赵昺为副元帅，同时发布檄文，号召各地忠臣义士紧急勤王，光复南宋江山。随后，元帅府迁往福建福州。五月初一日，拥戴刚满 7 岁的赵昰为皇帝，是为宋端宗，改元景炎，册立杨淑妃为杨太妃，与端宗共同听政。十一月，元军自浙江南下，进军福建，张世杰护卫宋端宗及卫王赵昺等从福州乘船入海，经泉州流亡至广东潮州、惠州等地海面。景炎二年（1277）十月，张世杰在泉州与元军作战失利，护卫流亡朝廷逃至秀山，后转往珠江口外的井澳。在井澳遭遇飓风，年仅 9 岁的端宗从船上掀落海中，惊悸成疾，加之长期流亡，身体虚弱，一病不起，于景炎三年（1278）四月病逝于广州近郊的冈州。张世杰等随即拥戴端宗的弟弟、7 岁的卫王赵昺做皇帝，改元祥兴。赵昺随即任命张世杰为太傅。张世杰随后将流亡朝廷转移到新会县南约 80 公里、位于大海中的厓山。张世杰下令在厓山修建行宫、军营，储备粮食，制造船只，准备长期抵抗。当时，追随在流亡朝廷周围的军民还有 20 余万，大多住在船上。

张世杰像

这时，元世祖忽必烈任命江东宣慰使张弘范为都元帅，李恒为副帅，统领水军与骑兵两万余人分道南下。祥兴二年（1279）正月，元军追至厓山。张世杰决定在这里与元军进行最后的决战，他下令将千艘大船，用铁索穿起来，一字排开，碇列海中，四周建起楼栅，如城堞一般，供宋朝的小皇帝及朝廷官员居住。厓山的君臣

将士都已抱定必死的决心，张弘范派张世杰的外甥韩某（元军军官）三次出面劝降，晓以祸福，张世杰严词拒绝，说："吾知降，生且富贵，但为主死不移耳！"

张弘范鉴于张世杰不投降，遂令水师占领海口，切断宋军提取淡水的生命线，宋军被迫吃干粮，饮海水，海水又咸又苦，喝下后大多上吐下泻，困顿不堪。二月初六日，元军发起猛攻，由于敌我力量对比悬殊，宋军已无胜利的希望，在9岁的小皇帝赵昺跳水自尽后，张世杰保护杨太后突围到海陵山。张世杰还想请求杨太后立赵氏子孙为帝，杨太后听说小皇帝赵昺已死，恸哭之后投水自尽，张世杰捞起杨太后尸体在海滨礼葬。4天后，海上又刮起了飓风，随从将士劝他登岸避风，张世杰登上船顶绝望地说："我为赵氏，亦已至矣。一君亡，复立一君，今又亡。我未死者，庶几敌兵退，别立赵氏以存祀耳！今若此，岂天意耶！"

飓风刮起的海浪越来越大，张世杰等乘坐的大船很快倾覆，张世杰这位抗元名将与他的追随者们含恨葬身于平章山下的大海之中。

陆秀夫："板荡纯臣有如此，流芳千古更无前"

陆秀夫（1236—1279），字君实，楚州盐城县（今江苏建湖）人，幼年随父迁居京口（今江苏镇江）。南宋理宗宝祐四年（1256），21岁的陆秀夫与文天祥同科中进士，后入两淮制置安抚使李庭芝幕府。咸淳十年（1274），任参议官。德祐元

年（1275 年），任司农寺丞。不久，升任宗正少卿兼起居舍人、礼部侍郎。德祐二年（1276）正月，南宋首都临安陷落前夕，驸马督尉杨镇等护送益王赵昰、广王赵昺撤退到温州，身为礼部侍郎的陆秀夫随即追赶二王到温州。五月初一日，陆秀夫与张世杰、陈宜中、文天祥等拥戴年仅 7 岁的益王赵昰即帝位，改当年为景炎元年，是为宋端宗。因端宗年幼，由杨太后听政，同时进封赵昺为卫王，改福州为安福府。陆秀夫任签书枢密院事。

陆秀夫像

景炎三年（1278），端宗赵昰病死，对于抵抗派来说又是一个沉重的打击。正当大家情绪低落的时候，陆秀夫挺身而出，给大家打气："端宗驾崩，卫王还在。当年，少康能够凭借五百人马、十里方圆中兴夏朝，难道我文武百官不能依靠数十万兵民、万顷碧海复兴大宋王朝三百年的基业吗？"在陆秀夫的激励下，群臣情绪激昂起来，纷纷表示要誓死复兴大宋王朝。陆秀夫与张世杰等拥戴年仅 7 岁的卫王赵昺为帝，是为宋末帝，仍由杨太后听政，改当年为祥兴元年。陆秀夫任左丞相，张世杰任枢密副使，共同支撑危局。祥兴二年二月初六日（1279 年 3 月 19 日），元军攻破厓山，陆秀夫感到已别无退路，先拔剑驱赶妻儿投海自尽，然后对宋末帝赵昺说："国事至此，陛下当为国死。德祐皇帝（指赵㬎）辱已甚，陛下不可再辱。"说完，陆秀夫将宋朝的传国玉玺藏于赵昺怀内，然后背负幼主，命人用白绢将君臣缠在一起，从容投海自尽，陆秀夫时年 42 岁。

厓山战事结束后，元军统帅张弘范令人在厓山北面的高大石壁上，刻下"镇国大将军张弘范灭宋于此"12 个字，企图名垂青史。后来有人在石壁上刻了一首诗："沧海有幸留忠骨，顽石无辜记汉奸。功罪昔年曾倒置，是非终究在人间。"元代诗

阅读链接：

（元）脱脱等：《宋史》本传，中华书局，1977 年版。

盐城陆秀夫研究会编：《陆秀夫史料与研究》，2003 年编印。

（南宋）文天祥：《文天祥全集》，江西人民出版社，1987 年版。

人姚燧在《宋陆秀夫抱惠王入海图》上题诗："紫宸黄阁共楼船，海气昏昏日月偏。平地已无行在所，丹心犹数中兴年。生藏鱼腹不见水，死挽龙髯直上天。板荡纯臣有如此，流芳千古更无前。"高度评价了陆秀夫忠贞不二的品质。

元朝灭亡以后，人们将当年颂扬张弘范的字铲掉，改镌"宋少帝与丞相陆秀夫殉国于此"，用以永远纪念这位壮烈殉节的名臣，这就是有名的"功罪石"。今广东省新会县建有纪念陆秀夫负幼帝跳海的宋少帝陵及纪念陆秀夫、文天祥、张世杰的"三杰祠"等。

文天祥："人生自古谁无死，留取丹心照汗青"

文天祥像

文天祥（1236—1283），字宋瑞，号文山，吉州庐陵县（今江西吉安县）人。南宋理宗宝祐五年（1257），文天祥到临安集英殿参加殿试，考官王应麟拿着文天祥的卷子对到场的宋理宗说："是卷古谊若龟鉴，忠肝如铁石，臣敢为得人贺。"宋理宗认为有道理，拆开一看，考生姓名是文天祥。理宗觉得很吉利，高兴地说："天祥，天祥，这是天降的吉祥，是宋朝有瑞气的预兆。"于是，文天祥高中一甲第一名（状元）。此后，人们就以"宋瑞"为文天祥的字。

文天祥中状元后，先后任宁海军节度判官、刑部郎官、尚书左司郎官、瑞州知州、军器监、

崇政殿说书、赣州知州等，因权奸贾似道等当道，文天祥仕途并不顺利，多次遭到免职或者自请辞职。

元军攻入临安前夕，文天祥捐出全部家财作军费，在江西招募了一支近3万人的部队，然后带领这支队伍千里奔赴临安勤王。友人提醒文天祥："现在元军三路进兵，你以乌合之众迎敌，无异驱群羊斗猛虎。"文天祥回答："我也知道如此，但国家养育臣民300多年，一旦有急，征天下兵，竟无一人一骑应召，我万分悲痛。所以不自量力，以身赴难，希望天下忠义之士闻风而起，聚集众人力量，也许能保存社稷。"德祐元年（1275）八月，部队到达临安，一路秋毫无犯，文天祥声望大增。德祐二年（1276）正月，文天祥任右丞相兼枢密使，奉派赴元军大营议和，结果被元军拘留。在被元军押送前往元大都（今北京）途中，在镇江设法逃脱，经真州、扬州、高邮、泰州到通州（今江苏南通），一路躲避元军的追捕，历尽千辛万苦、九死一生，终于从南通扬帆入海，前往温州，与在那里的益王会合。随即与张世杰、陈宜中、陆秀夫等拥戴益王，坚持抗元。随后在福州拥戴益王即位，改元景炎，是为端宗。文天祥任枢密使兼都督诸路军马。七月，文天祥在南剑州（今福建南平）开督府，福建、广东、江西的许多文臣武将、地方名士、勤王军旧部纷纷前来投效，文天祥又派人到各地招兵筹饷，很快组成了一支10万人规模的督府军。德祐二年十月，文天祥出兵汀州（今福建长汀），不幸战斗失利。在元军的攻击下，南剑州也落入敌手，行都福州失去屏障。丞相陈宜中、枢密副使张世杰紧急护送端宗和卫王登舟入海，以避兵锋。景炎二年（1277）初，文天祥退却到广东梅州。五月间，从梅州出发，进行收复江西的战役，很快席卷赣南。八月，元军在江西发动反攻，文天祥所部牺牲惨重，文天祥一家只剩下老少三人。文天祥随即带兵入粤，在潮州、惠州一带继续抵抗。祥兴元年（1278）十二月二十日，文天祥在五坡岭被一支偷袭的元军骑兵部队俘虏。他吞下二两龙脑，准备自杀殉国，但药力失效，未能成仁。

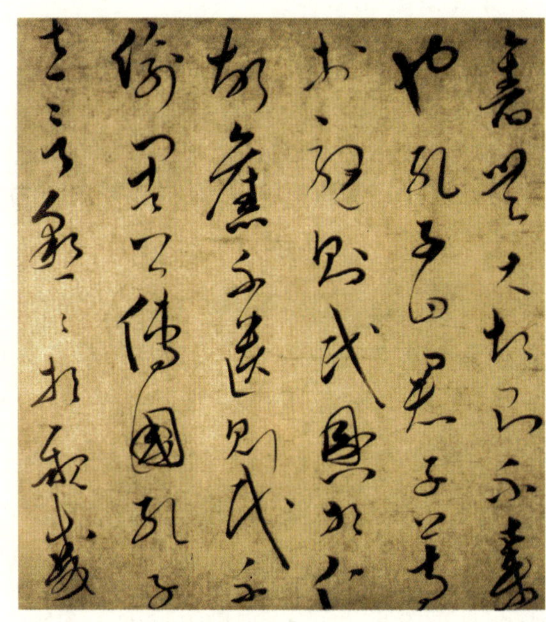

文天祥手迹（局部）

元军统帅张弘范将文天祥押解到珠江口外的零丁洋，要文天祥写信招降张世杰，文天祥坚决拒写招降书，但写了《过零丁洋》七律："辛苦遭逢起一经，干戈寥落四周星。山河破碎风飘絮，身世浮沉雨打萍。惶恐滩头说惶恐，零丁洋里叹零丁。人生自古谁无死？留取丹心照汗青！"这是一首惊天地、泣鬼神的伟大爱国主义诗篇。"人生自古谁无死？留取丹心照汗青"已经成为中华民族仁人志士千百年来所追求的崇高品德与情怀。

厓山战役后，南宋灭亡，文天祥被元军押到广州。张弘范再次劝降，说："南宋灭亡，忠孝之事已尽，即使杀身成仁，又有谁把这事写在国史？文丞相如愿转而效力大元，一定会受到重用。"文天祥回答道："国亡不能救，作为臣子，死有余罪，怎能再怀二心？"

张弘范见文天祥拒不投降，便派人于至元十六年（1279）

十月将他押送到元大都囚禁。在被元朝囚禁的三年零两个月里，元朝千方百计地对文天祥进行劝降、逼降、诱降，参与劝降的人数之多、许诺的条件之优厚、等待的时间之长，可以说是极尽威逼利诱之能事，但文天祥意志十分坚定，在狱中给后人留下堪称千古绝唱的《正气歌》：

天地有正气，杂然赋流形。下则为河岳，上则为日星。于人曰浩然，沛乎塞苍冥。皇路当清夷，含和吐明庭。时穷节乃见，一一垂丹青。在齐太史简，在晋董狐笔，在秦张良椎，在汉苏武节。为严将军头，为嵇侍中血，为张睢阳齿，为颜常山舌。或为辽东帽，清操厉冰雪；或为《出师表》，鬼神泣壮烈；或为渡江楫，慷慨吞胡羯；或为击贼笏，逆竖头破裂。是气所磅礴，凛烈万古存。当其贯日月，生死安足论？地维赖以立，天柱赖以尊。三纲实系命，道义为之根。嗟予遘阳九，隶也实不力。楚囚缨其冠，传车送穷北。鼎镬甘如饴，求之不可得。阴房阗鬼火，春院闷天黑。牛骥同一皂，鸡栖凤凰食。一朝蒙雾露，分作沟中瘠。如此再寒暑，百沴自辟易。哀哉沮洳场，为我安乐国。岂有他缪巧，阴阳不能贼？顾此耿耿在，仰视浮云白。悠悠我心悲，苍天曷有极？哲人日已远，典型在宿昔。风檐展书读，古道照颜色。

至元十九年（1282），忽必烈问大臣们：“南方和北方的宰相，谁最贤能？”群臣奏称：“北人无如耶律楚材，南人无如文天祥。”忽必烈谕令优待文天祥，给他上等饭食。文天祥答复说：“我不吃官饭数年了，现在更不吃。”最后，忽必烈亲自召见文天祥，当面许他宰相、枢密使等高官，文天祥仍严辞拒绝，只说：“但愿一死！”

十二月初九日（1283 年 1 月 9 日），是文天祥就义的日子。行刑前，文天祥问明了方向，向着南方拜了几拜。监斩官问：“丞相有什么话要说？回奏尚可免死。”文天祥不再说话，从容就义，终年 47 岁。文天祥为中华民族留下了坚贞不屈的浩然正气与民族气节。

不死忠魂光日月，常存正气老山川

——方孝孺忠贞不二

明朝建文元年（1399）七月，明朝燕王朱棣上书南京的天子建文帝朱允炆（朱棣是朱允炆的四叔），指斥建文帝的谋士齐泰、黄子澄为奸臣，随即以“清君侧”为名，起“靖难”之师，开始了长达4年的夺取皇位之战，史称“靖难之役”。

燕王出征南下之日，燕王心腹谋士道衍和尚（俗名姚广孝）送到郊外，临别时，道衍突然跪下，对燕王说：“臣有一事相托。”朱棣问：“什么事？”道衍说：“建文帝身边有个方孝孺，素有学问操行，你打下南京，他一定不肯投降归附，请不要杀他。如果杀了，那么天下的‘读书种子’就绝了。”

姚广孝像

道衍的话，燕王也许记住了。建文四年（1402）六月，燕王的“靖难”之师攻陷南京，立即公布所谓“奸臣榜”，建文帝的文武大臣除了已经投降的外，全部列入“奸臣榜”，惟一未被列入“奸臣榜”的就是方孝孺。原来，燕王兴兵夺取亲侄的皇帝宝座，并不那么光明正大，

明成祖朱棣像

但如果能让建文帝的第一号笔杆子来为他这个武力篡位的新皇起草即位诏书，无疑会给自己挽回许多面子，这是燕王的如意算盘。可没有想到方孝孺“忠臣不事二主”，不仅燕王的如意算盘落空，方孝孺更是以惨烈的人间悲剧留在了历史上。

方孝孺（1357—1403），字希直，号逊志，台州宁海人。其父方克勤是名儒，曾任济南知府，后遭人诬陷惨遭杀害。方克勤遇难前，将儿子方孝孺托付给浙江同乡名儒、太师宋濂，在宋濂的精心辅导下，方孝孺学问进步很快。方孝孺后来说：“就太史公（指宋濂）学于浦阳，然后知经之道为大，而唐虞之治不难致也。”明洪武二十五年（1392），方孝孺任汉中府教授。同时被蜀献王聘为世子师，并名其读书之庐曰“正学”，后人因之称方孝孺为“正学先生”。洪武三十一年（1398），建文帝即位，召方孝孺为翰林侍讲，日侍左右，备顾问。凡军国大事，一般都要征求他的意见。方孝孺受到皇帝的信任，很想有所作为，希望把上古理想的三代之治重现于当代。他辅佐建文帝推行省刑罚、减赋税、改官制等种种政策，锐意推行文治，改变朱元璋统治期间严苛峻急、残酷杀戮等暴力恐怖统治。然而，天不遂人愿，方孝孺与建文帝的理想被暴戾的燕王无情地打断了。

方孝孺像

燕王攻陷南京后，建文帝下落不明，方孝孺披麻戴孝到南京午门外号啕大哭，当即被锦衣卫特务投入

监狱。朱棣派方孝孺的学生廖镛等前往游说，方孝孺义正词严斥责道："小子跟随我多年了，还不知道忠义是非！"

朱棣随即下令将方孝孺从监狱中放出来，亲自召见，做说服工作。当方孝孺一身重孝、哭哭啼啼地来到朱棣面前时，有几分尴尬的朱棣，巧言为自己辩护说："我是仿效周公辅成王。"

方孝孺知道朱棣说的是谎言，立即质问："你要辅佐的'成王'在哪里？"

朱棣答："他已自焚而死。"

方孝孺追问："'成王'已死，为何不拥立'成王'的儿子？"

朱棣答："国家仰赖年长的君主。"

方孝孺逼问："为何不拥立'成王'的弟弟？"

至此，朱棣已是无言以对。狼狈不堪的朱棣离开宝座，走下殿来，软硬兼施地对方孝孺说："这是我们朱家内部的事，先生不必过于操心。我的即位诏书，非先生起草不可！"语气毫无商量的余地。

这时，方孝孺拿起放在他面前的笔，在场的朱棣和文武大臣以为方孝孺已经屈服，准备应命起草即位诏书，都松了一口气。

然众人万万没有料到，方孝孺竟然在纸上写下了"燕贼篡位"四个大字，然后把笔往地下一扔，正气凛然地说："死就死，诏书决不可起草！"

这一下，彻底击穿了朱棣可以忍耐的底线，本来就十分残暴的朱棣彻底被激怒了。

朱棣厉声喝斥道：“你自己不怕死，难道就不怕株连九族吗？”

方孝孺毫不犹豫地回答：“即使株连十族，也奈何我不得！”

至此，暴怒的朱棣露出了狰狞面目，当即喝令锦衣卫特务将方孝孺的嘴巴刺破投入监狱，然后火速派遣锦衣卫特务四出抓捕方孝孺的亲属，朱棣下令将抓来的人当着方孝孺的面一一处死。每杀一个，追问方孝孺一声，是否回心转意。当弟弟方孝友就刑时，方孝孺禁不住泪如雨下，弟弟反而吟诗安慰哥哥：“阿兄何必泪潸潸，取义成仁在此间。华表柱头千载后，旅魂依旧到家山。”

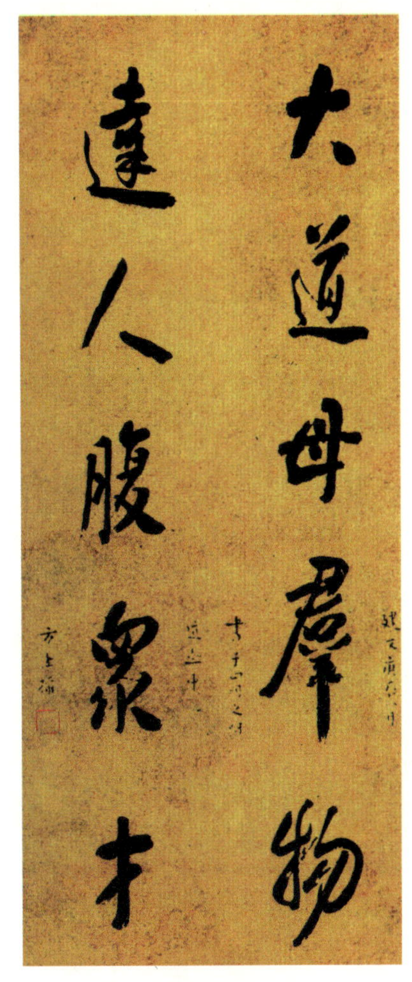

方孝孺手书联语

在这场浩劫中，方孝孺的妻子郑氏与两个儿子自缢而死，两个女儿在押解途中自投秦淮河而死。值得庆幸的是，在朝廷四处搜捕方孝孺亲属时，高淳人魏泽冒着极大的风险，设法将方孝孺年仅 9 岁的幼子藏了起来，免遭杀戮，为忠臣保留了一支血脉。

46 岁的方孝孺最后被押到南京聚宝门外，凌迟处死。他视死如归，临刑前赋《绝命诗》一首：“天降乱离兮孰知其由？三纲易位兮四维不修。骨肉相残兮至亲为仇，奸臣得计兮谋国用犹，忠臣发愤兮血泪交流。以此殉君兮抑又何求？呜呼哀哉兮庶不我尤！”

方孝孺死后，他的学生廖镛、廖铭兄弟为老师收拾遗骸埋葬于聚宝门外山上。事后，廖氏兄弟被人告发，受株连惨遭杀害。

永乐二十二年（1424）七月，朱棣病死，其长子朱高炽即位，是为明仁宗。明

仁宗决定为建文朝惨遭杀戮的文武大臣平反昭雪，他对大臣们说："建文诸臣已蒙显戮，然方孝孺辈皆忠臣也。"第二天，下诏将建文朝文武大臣亲属受株连被贬为奴的，全部释放为良民，归还家产田地。万历十三年（1585）三月，受方孝孺株连而被谪戍到浙江、江西、福建、四川、广东等地的后裔共计1300余人全部释放为良民。明神宗下令为方孝孺建专祠，岁时以礼致祭。清乾隆皇帝"褒其大节凛然，无忝纲常"，指出："正未可以谋事之不成而概加吹求，若成祖之滥诛泄愤，屠戮忠良，淫刑以逞其失，自无可恕耳！"

"不死忠魂光日月，常存正气老山川。"这是清代文人陈子龙《过宁海吊方正学先生缑城故里》诗中的两句。方孝孺忠贞不二、铁骨铮铮的精神气概将光照日月，永不泯灭。

智言慧思

贿赂行于下，聚敛之臣贵，则国贫。

——（明）方孝孺《逊志斋集》卷一

非吾义，锱铢勿视。

——（明）方孝孺《逊志斋集》卷一

阅读链接：

连晓鸣、徐立新：《读书种子方孝孺传》，浙江人民出版社，2008年版。

胡梦琪：《方孝孺年谱》，山西人民出版社，1988年版。

毛佩琦：《建文新政与永乐继统》，《中国史研究》，1982年第2期。

将帅同心，扫平倭寇

——明朝抗倭三杰

明朝中期以后，由于朝政黑暗、吏治腐败，对明朝海禁政策不满的人日益增加，来自日本的倭寇与国内的海盗商人、破产的渔民等相结合，使倭患再度严重起来。倭寇登陆后，攻城略地，烧杀抢掠，掳掠妇女，绑票勒索，甚至以杀人取乐，种种罪行令人发指，倭患给东南沿海各省民众的生命财产带来巨大的损失。当时，明朝的官军已经十分腐败，战斗力微弱，官军见了倭寇往往望风而逃。在这样的背景下，胡宗宪出任东南地区抗倭统帅，重用戚继光、俞大猷、谭纶、唐顺之、卢镗等一批将领，历经数年苦战，终于肃清倭寇，解除了东南沿海地区的倭患。胡宗宪与戚继光、俞大猷是东南抗倭三杰。

抗倭统帅胡宗宪：“宝剑埋冤狱，忠魂绕白云”

胡宗宪（1512—1565），字汝贞，号梅林，明朝南直隶徽州府绩溪县（今安徽绩溪县）人。嘉靖十七年（1538）中进士。历任益都、余姚知县，后升御史。嘉靖三十三年（1554）出任浙江巡按御史，走上了浙江抗倭第一线。胡宗宪临行前立下誓言：“我这次任职，

胡宗宪像

不擒获汪直、徐海，安定东南，誓不回京。”

胡宗宪来到嘉兴府不久，就遇到倭寇来犯，官军照旧是望风而逃，在这个紧急关头，足智多谋的胡宗宪心生一计，他命嘉兴知府准备100余坛酒、50包大米，在酒和米中拌入毒药，然后封好，装上两条小船，让几个身强力壮的兵丁带上文书假装前往犒劳官军。倭寇不知里面有诈，把船拦下来，发现满船的酒、米，又有犒劳官军的文书，认定不会有什么问题，大喜过望，当即分发下去，倭寇们喝了个酩酊大醉，不久毒性发作，七八百倭寇七窍流血而死，加之大雨倾盆，剩下的倭寇也只好仓皇逃窜。胡宗宪旗开得胜，不久升任兵部侍郎兼右佥都御史兼南直隶、浙江、福建地区抗倭总督，成为东南沿海各省抗倭的最高统帅。

其实，在胡宗宪之前，已经有王杼、张经、周琉、杨宜等四任抗倭总督，但因为得罪了把持朝政的奸臣严嵩、严世蕃父子，均无功而返，张经且落了个杀头的结局。胡宗宪“多权术”，他鉴于前任的教训，上任后主动结交严嵩党羽、奉派督察沿海军务的工部侍郎赵文华，并通过赵文华结交严嵩父子。每年向严嵩父子献上“金帛、子女、珍奇、淫巧无数”。在严嵩的关照下，嘉靖皇帝还给予了胡宗宪“东南帑藏悉从调取，天下兵勇便宜征用”的特权，这就给胡宗宪提供了全力抗倭的条件。

胡宗宪首先广纳人才，为他出谋划策。他的幕僚班子编纂了《筹海图编》，除全面记录沿海各地倭情、地理形势等内容外，还在总结明朝开国以来海防经验的基础上，提出了海陆策

应、攻守兼备的抗倭战略，提出了“御近海，固海岸，严城守”抗倭指导原则。《筹海图编》成为抗倭斗争的指南。胡宗宪针对官军纪律松弛、战斗力低下的现状，下大力气整顿军纪，严明赏罚。同时，大力提拔和任用戚继光、俞大猷、谭纶、唐顺之、卢镗等一批名将，发挥他们的军事才干。再次，大力修建防御工事，改造武器装备，建立多重防御体系。

胡宗宪剿抚兼施，先后用计谋诱杀了到日本招引、煽动和率领倭寇来犯的内地大海盗商人汪直、徐海、陈东等人，削弱了倭寇的实力，然后指挥戚继光等将领对倭寇实行武力围剿，经过大小百余次战斗，终于肃清了东南沿海地区的倭患。

胡宗宪平倭有功，升兵部尚书，并加太子少保。但好景不长，嘉靖四十一年（1562），严嵩父子倒台。十一月，胡宗宪被人弹劾为“严党”，嘉靖皇帝为胡宗宪辩护说：“胡宗宪不是严嵩死党，且抗倭有功，不应治罪。”但新任内阁首辅徐阶不想放过胡宗宪，在言官一再弹劾下，嘉靖不得不将胡宗宪革职。嘉靖四十四年（1565）三月，曾经协助胡宗宪抗倭的罗龙文犯罪被抄家，在抄家时御史意外发现了胡宗宪被弹劾时写给罗龙文贿求严世蕃作为内援的信件，信中附有自拟圣旨一道。假拟圣旨，这是十恶不赦的欺君之罪，明世宗得报大怒，立即降旨问罪。这年十月，胡宗宪再次被押赴至京。在狱中，胡宗宪写下洋洋万言的《辩诬疏》，为自己进行辩解。《辩诬疏》递上去后，如同石沉大海。十一月初三日，胡宗宪写下“宝剑埋冤狱，忠魂绕白云”的诗句后，在狱中服毒身亡，时年 54 岁。

抗倭名将戚继光：“封侯非我意，但愿海波平”

戚继光（1528—1587），字元敬，号南塘，山东登州（今山东蓬莱）人。将门之后，幼承庭训，通晓行军打仗，后考中武举人。初任登州卫指挥佥事。嘉靖二十八年（1549）考中武举。三十二年（1553），升为都指挥佥事，管理登州、文登、即墨 3 营 25 个

戚继光像

卫所，防御山东沿海的倭寇。嘉靖三十四年（1555）调往浙江参与抗倭，次年被胡宗宪任命为参将，负责镇守宁波、绍兴、台州三府。

针对当时官军腐败、纪律松弛、战斗力低下的现状，戚继光征得胡宗宪同意，决定编练一支崭新的军队。戚继光认为新军只能用“乡野老实之人”，不能用“城市游滑之人”。恰巧当时民风一向剽悍的金华府义乌、永康为采矿发生大规模械斗，死伤很大，戚继光对此械斗场面惊呼：“如有此一旅，可抵三军。”他感觉金华、义乌一带的农民是当兵的好材料，决定新军队专门招收金华、义乌兵。然后向他们教授击剑法，演练战阵。戚继光针对沿海地形多沼泽、倭寇小股分散的特点，独创攻防兼宜的“鸳鸯阵”。所谓“鸳鸯阵”，以 12 人为一队，包括队长 1 名、伙夫 1 名、战士 10 名。最前为队长，次二人一执长牌，一执圆藤牌，长牌手执长盾牌遮挡倭寇的箭矢、长枪，藤牌手执轻便的藤盾并带有标枪、腰刀。长牌手和藤牌手主要掩护后队前进，藤牌手除了掩护还可与敌近战。2 人手执狼筅，狼筅是利用南方生长的毛竹，选其老而坚实者，将竹端斜削尖，又留四周尖锐的枝丫，每支狼筅长 1 丈 3 尺左右，狼筅手利用狼

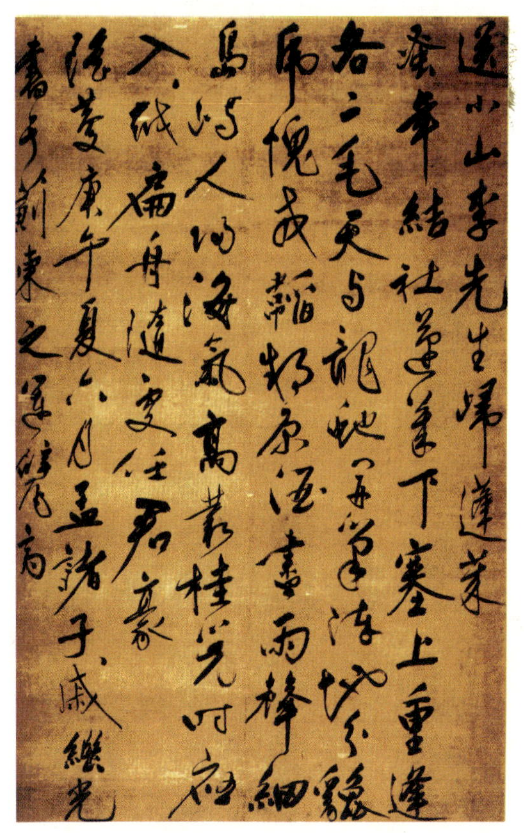
明　戚继光《送小山李先生归蓬莱》

筅前端的利刃刺杀敌人，以掩护盾牌手的推进和后面长枪手的进击。接着是4名手执长枪的长枪手，左右各2人，分别照应前面左右两边的盾牌手和狼筅手。再跟进的是两个手持“镋钯”的士兵，担任警戒、支援等工作。如敌人迂回攻击，短兵手即持短刀冲上前去劈杀敌人。各种兵器分工明确，每人只要精熟自己那一种兵器，有效杀敌关键在于整体配合，令行禁止。最后一名是伙夫。“鸳鸯阵”使矛与盾、长与短结合，充分发挥各种兵器的效能，而且阵形变化灵活，可以根据情况和作战需要变纵队为横队，变一阵为左右两小阵或左中右三小阵。当变成两小阵时称“两才阵”，左右盾牌手分别随左右狼筅手、长枪手和短兵手，护卫其进攻；当变成三小阵时称“三才阵”，此时，狼筅手、长枪手和短兵手居中，盾牌手在左右两侧护卫。这种变化了的阵法又称“变鸳鸯阵”。此阵运用灵活机动，正好抑制住了倭寇优势的发挥。

戚继光深知，严明的军纪是胜利的保证。在平时的训练中，戚继光要士兵熟练掌握金鼓、号炮、旗帜的号令，要求做到统一步调。同时，赏罚严明，作战有功、被俘不屈、遵守军纪等，一律有赏；恃强霸道、讹言狂惑、偷摘瓜果、奸淫妇女等，一律论罪。每斩敌人1个首级赏银40两。推行连坐制。如果作战不力而战败，主将战死，所有偏将斩首；偏将战死，手下所有千总斩首；千总战死，手下所有百总斩首；百总战死，手下所有旗总斩首；旗总战死，手下队长斩首；队长战死，而手下士兵没有斩获，10名士兵全部斩首。

戚继光治军有方，很快练成了一支纪律严明、作战勇敢、所向无敌的军队，人称“戚家军”。

嘉靖四十年（1561）四五月间，倭寇大举进犯浙江，船只达数百艘，人数达一两万，骚扰地区达几十处。其中大股倭寇在台州的宁海、三门等地登陆，四处焚烧抢掠乡村，并围攻台州府城。戚继光奉命率领成军不久的“戚家军”前往围剿，他确立了“大创尽歼”的原则，在龙山所、健跳所等地大败倭寇，然后回师增援台州府城临海，在东郊花街打败倭寇，然后沿椒江追杀，五战五捷。戚继光率“戚家军”进驻临海后不久，又有一股倭寇前来攻打，戚继光指挥部队沉着抵抗，倭寇见攻城不下，只好撤围向仙居方向流窜。戚继光指挥部队分头对倭寇展开追堵，一部抵达常风岭设下埋伏，当一部倭寇逃窜到此时，群起出击，将惊慌失措的倭寇击溃。有六七百倭寇窜上界岭凭险顽抗，戚继光发起猛攻，将其逼到白水洋朱家大院，最后以火攻的办法将残余倭寇全部歼灭。之后，“戚家军”又在太平县的新河、长沙等地大败倭寇。在1个多月里，“戚家军”九战九胜，擒斩倭寇1400多人，焚、溺死4000多人，同时救出被倭寇掳掠的乡民数千人，取得了抗倭史上著名的“台州大捷”。因作战有功，戚继光升为都指挥使，“戚家军”从此威震天下。

与此同时，俞大猷等将领也在宁波、温州一带和倭寇交战十多次，取得重大胜利，浙江倭患基本平息。嘉靖四十一年（1562）、四十二年（1563），戚继光两次率领“戚家军”前往福建，与俞大猷等将领配合，将进犯福建沿海的倭寇击败。两年后，

戚继光与俞大猷会师广东，将广东省内的倭寇肃清。至此，东南沿海地区的倭寇基本上被肃清了。

从明隆庆元年（1567）起，戚继光任蓟州总兵达 15 年，统帅 10 万大军镇守北部边疆，俺答（蒙古）部落不敢再南下骚扰，确保了明朝北方边疆的安宁。万历十年(1582),明朝内阁首辅张居正死后,戚继光立即被贬为无足轻重的广东总兵。不久，又被奸臣参劾，惨遭罢官夺俸，万历十五年十二月初八日（1588 年 1 月 5 日），贫病交加的戚继光在老家凄凉去世。

明朝长期昏君奸佞当权，是非不明，功罪不清，往往使好人没有好报。戚继光早年在一首诗中写道："封侯非我意，但愿海波平。"戚继光生前虽然没有封侯，但作为杰出的军事家和民族英雄，他的英名将永留史册。

抗倭名将俞大猷："百战功徒在，千秋梦不回"

俞大猷（1504—1580），字志辅，福建晋江人。嘉靖十四年（1535），中武进士，由承袭百户世职，升署千户，守御金门所。二十一年（1542），升都指挥佥事。二十六年（1547），在汀州府击溃海贼，因功擢升广东都司佥事。三十一年（1552），倭寇大肆侵扰浙东沿海，俞大猷奉命从广东带兵北上，到浙东围剿倭寇。三十三年（1554），俞大猷率福建楼船突击普陀山的倭寇巢穴——金塘岛沥港。俞大猷所部遭到倭寇突袭，将士伤亡较大，被朝廷给予戴罪立功的处分。随后，俞大猷率领部队追击倭寇到吴淞，将其击败，俞大猷才被撤销处分，并升任副总兵。三十四年（1555），随抗倭总督张经

俞大猷像

阅读链接：
卞利：《胡宗宪传》，安徽大学出版社，2013年版。
范中义：《戚继光传》，中华书局，2003年版。
范中义：《俞大猷》，厦门大学出版社，1998年版。

出征王江泾，与各路兵马围歼倭寇1900余人，取得抗倭战役第一大胜利。之后，俞大猷率领部队到太湖流域及沿海地区追剿，先后在西庵、沈庄、清水洼、黄浦等战役中获胜，三十五年（1556）三月，俞大猷升任代理浙江总兵官。浙东平倭之战，俞大猷"先计后战，不贪近功"，注重掌握倭寇的活动规律，抓住其致命劣势，充分发挥自己的优势，运用机动灵活的战略战术，"攻其必救""围而歼之"，展示了出色的指挥才干和杰出的谋略智慧。

三十六年（1557），俞大猷加署浙江都督同知。此后，俞大猷南下，与戚继光等紧密配合，先后荡平福建、广东两省的倭患。

俞大猷一生戎马生涯长达47年，由于明朝朝政黑暗，昏君奸臣弄权，俞大猷"时而受重用，名声显赫；时而受贬责，沦为囚徒"，他四任参将，六任总兵，累官都督同知，死后赠左都督。他身经百战，战功显赫，他率领的"俞家军"与戚继光率领的"戚家军"同样威名赫赫，俞大猷与戚继光并称"俞龙戚虎"。《明史・俞大猷传》称他"负奇志"，"忠诚许国，老而弥笃"。

俞大猷去世后，好友黄吾野写的挽诗概括了他悲壮传奇的一生："大星落东海，涕泣满城哀。百战功徒在，千秋梦不回。云销天地气，世绝古今才。寂寞廉颇馆，空余吊客来。"

独定千秋业，偏留万古悲

——于谦蒙冤而死

明英宗朱祁镇像

明朝正统十四年（1449）八月十五日，在距直隶怀来县城10公里的土木堡，明朝大军在与瓦剌（蒙古）军队的决战中遭到惨败，御驾亲征的明英宗朱祁镇被俘，明军50万精锐部队几乎全军覆灭，20余万骡马、衣甲器械辎重等物资也全部成为瓦剌统帅也先的战利品。这就是历史上著名的"土木堡之变"。

明英宗被俘、50万大军覆灭、敌人即将打到北京城下的噩耗传来，朝廷内外已经是一片恐慌的气氛，朝廷大臣有的号啕大哭，有的主张迁都逃跑，在这千钧一发之际，奉命留守北京的兵部侍郎于谦挺身站了出来。

于谦（1398—1457），字廷益，钱塘县（今杭州）人，他相貌英伟，声音洪亮，善于谈吐，具有非凡的素质。23岁中进士后，曾任江西道监察御史，后任兵部右侍郎巡抚河南、山西两省9年，他爱民如子，勤政廉洁，造福两省人民，老百姓尊之为父母，呼之为"于龙图"。正统十三年（1448），升任兵部左侍郎。第二年发生"土木堡之变"，于谦依靠皇太后的支持与朝中正直大臣的合作，挽狂澜于既倒，打败进攻北京的瓦剌大军，稳定了局势。

第一步，否决迁都逃跑的主张。当时，有大臣提出将首都迁到南京，这是一种临难逃跑的主张，于谦坚决反对，他说："言南迁者，可斩也。京师，天下根本，一动则大事去矣！独不见宋南渡事乎？"于谦的主张得到吏部尚书王直、内阁学士陈循等一批官员的支持，迁都的主张被否决。

第二步，调兵遣将，积极备战。八月二十一日，于谦升任兵部尚书，"提督各营军马"，全权负责保卫北京。《明史·于谦传》称："当军马倥偬，变在俄顷，谦目视指屈，口具章奏，悉合机宜。僚吏受成，相顾骇服。号令明审，虽勋臣宿将，小不中律，即请旨切责。片纸行万里外，靡不惕息。其才略开敏，精神周至，一时无与比。"于谦调兵遣将，井然有序，积极作好抵抗蒙古军进攻的准备。南北两京、河南的备操军，山东和南京沿海的备倭军，江北和北京所属各府的运粮军，源源不断开赴京师，加强了保卫北京的军事力量。同时，于谦还请求景帝嘉奖镇守宣化、大同有功的将领，以鼓舞士气。

于谦像

第三步，惩处宦官王振同党，以顺人心。以王振为首的宦官集团依仗英宗的宠信，干预朝政，酿成"土木堡之变"，文武大臣对王振等宦官恨之入骨，护卫将军樊忠在土木堡现场用棒槌将王振捶死，并说："吾为天下诛杀此贼！"王振虽已死，但其党羽还在。八月二十三日上朝时，愤怒的大臣们当堂打死王振党羽、锦衣卫指挥

马顺以及毛贵、王长随等宦官，面对这个突然爆发的血腥场面，临时监国的郕王不知所措，想退回去，已经升为兵部尚书的于谦“排众直前”，拦住郕王（即景帝），请其宣布王顺等“罪当死”，参与殴打马顺等宦官的官员俱不定罪，将王振之侄王山押赴刑场凌迟处死，王振家族无少长皆斩。郕王被迫答应这些要求。清除王振同党，顺应了民心，对于促进朝野齐心御敌发挥了重要作用。事后，吏部尚书王直握着于谦的手感叹道：“国家正赖公耳！今日虽百王直何能为？”可见，当时朝中大臣都把于谦当成主心骨，于谦亦当仁不让，毅然把国家的安危视为自己的责任。

第四步，另立新皇帝，解决英宗被俘后的权力中空危机。国不可一日无君。英宗出征前，任命他的弟弟郕王朱祁钰“居守”，非正式代理朝政。英宗被俘后，皇太后孙氏召集文武百官宣布册立英宗年仅 2 岁的长子朱见深为皇太子，由郕王朱祁钰辅佐，“代总国政”。几天后，大臣们向皇太后进言，“国有长君，社稷之福”，希望郕王朱祁钰立即即位，以领导文武大臣度过这个非常时期。皇太后同意后，郕王开始表示谦让，于谦亲自到郕王府劝驾，说：“臣等诚忧国家，非为私计。”终于说动了郕王，随即于九月初六日受命登基，遥尊英宗为太上皇。九月十六日，皇太后派锦衣卫同知季铎带着御寒衣服前往蒙古军营慰问被俘的英宗，报告郕王已经即位，英宗长子已被立为皇太子。英宗随即写了 3 封信托季铎带回，第一封给郕王，表示“禅位于郕王”，第二封向皇太后请安，第三封告诫文武百官，必须显示实力，以断绝蒙古军南下扩张的念想。这些措施粉碎了蒙古统帅也先以英宗要挟明朝的企图。

十月初九日，瓦剌军在明朝叛降的宦官喜宁的带领下，抄小路越过山岭，占领紫荆关，于十一日抵达北京城下。瓦剌军统帅也先根据喜宁的建议，以议和迎驾来试探明朝的态度，遭到景帝及于谦的严辞拒绝。也先在诡计落空后，下令瓦剌军大举进攻，在于谦的有效组织与指挥下，明朝守城军队已经作好了充分准备，22 万大军分别列阵于北京 9 座城门之外，都督陶瑾在安定门，广宁伯刘安在东直门，武进

杭州于谦墓

伯朱瑛在朝阳门，都督刘聚在西直门，镇远侯顾兴祖在阜成门，都指挥李端在正阳门，都督刘得新在崇文门，都指挥汤芦在宣城门，于谦与石亨率领副总兵范广、武兴等在德胜门外督战。各城门全部关闭，并下令：临阵将领不顾部队先行退却的，斩将领；军士不顾将领先退却的，后队斩前队。

战争打响后，明军进行了卓有成效的抵抗，瓦剌军攻城 5 日，死伤惨重，也先的弟弟、“铁元帅”也在指挥攻打德胜门时被明朝军队的火炮击毙。也先开始以为北京旦夕可下，战争打响后发现明军实力依然雄厚，又得到各地明军将赶到北京增援的消息，担心自己腹背受敌，退路被切断，在焚毁明朝皇陵后，不得不停止攻城，退出塞外。于谦组织北京保卫战取得胜利，使明王朝度过了一次严重的政治军事危机。

景泰元年（1450）六月，瓦剌遣使与明朝议和，表示要送回被他们俘虏的英宗。景帝担心危及自己的皇帝宝座，不愿接回英宗。景帝说：“朕本不欲登大位，当时见推，实出卿等！”针对景帝的顾虑，于谦劝解说：“天位已定，宁复有他？顾理

当速奉迎耳！万一彼果怀诈，我有辞矣。”在于谦的劝说下，景帝才允许与瓦剌议和并接回太上皇。于谦万万没有想到，此举将给自己及景帝带来灭顶之灾。景泰八年（1457）正月，景帝病重，朝中奸臣石亨、徐有贞与宦官曹吉祥等趁机秘密勾结发动所谓“夺门之变”，拥戴太上皇（即英宗）复辟，废景帝为郕王（次月被毒死），于谦与大学士王文被捕，政变奸臣徐有贞等要求英宗以“谋逆”罪名处死于谦、王文二人。英宗不忍伤天害理，杀害对国家有巨大功劳的忠臣，说：“于谦实有功。”徐有贞回答：“不杀于谦，此举（指‘夺门之变’）为无名。”英宗只得宣布：把极刑减一等，改为斩首，抄家，家属发配边疆。抄家时发现于谦是个大清官，家里萧然，仅有一屋书籍，还有皇帝赏赐的宝剑、蟒衣等物品。于谦死后，都督同知陈逵感念于谦的忠义，为他收敛遗体。次年，于谦的女婿朱骥将他的遗体归葬于家乡杭州。

1464年英宗死后，其子（朱见深）宪宗即位，御史上奏为于谦鸣冤，称：“正

杭州于谦祠

统十四年虏犯京城，赖于谦一人保固，其功不小，而已冤死矣，余亦可悯。伏乞收回前榜，凡死者赠官遣祭，存者复职致仕，或择其可用者取用。”宪宗认可，认为于谦“实有安社稷之功，而滥受无辜之惨，比之同时骈首就戮者，其冤尤甚”。弘治二年（1489），于谦正式平反，进光禄大夫、柱国、太傅，谥肃愍，赐在墓地附近建旌功祠堂。明万历年间，改谥忠肃。在他的出生地杭州及为官多年的河南、山西、北京等地历代奉拜祭祀。

“江山也要伟人扶，神化丹青即画图。赖有岳于双少保，人间始觉重西湖。”于谦与岳飞长眠于风光秀丽的西子湖畔，永远为后人凭吊怀念。

“独定千秋业，偏留万古悲。”这是沈祖孝《于忠肃墓》诗中的两句。于谦一生忠贞爱国，并在关键时刻力挽狂澜，功高盖世，却落了个蒙冤而死的结局，这是一个悲剧。但正如于谦早年在《石灰吟》中所写的：“千锤万凿出深山，烈火焚烧若等闲。粉身碎骨浑不怕，要留清白在人间。”于谦光明磊落、刚正不阿、两袖清风的高洁品性，永远是中华民族的宝贵精神财富。

阅读链接：

于谦研究会、杭州于谦祠编：《于谦研究资料长编》，中国文史出版社，2003年版。

于谦研究会、杭州于谦祠编：《于谦集》，中国文史出版社，2000年版。

于谦研究会编：《于谦研究》（第1辑），中国文史出版社，1998年版。

忠贞自是孤臣事，敢望千秋青史传

——抗清四杰

浙江是抗清运动最激烈的省份之一，自清顺治二年（1645）六月清军踏入浙江土地之日起，浙江军民在南明政权的旗帜下，以反清复明为宗旨，在力量对比十分悬殊的背景下仍然坚持了十余年之久的抗清斗争，其持续时间之长、影响之巨大，在全国抗清斗争史上也是罕见的。在这期间，涌现出了一批轻生赴死、慷慨就义的英雄人物，如张国维、钱肃乐、张煌言、朱大典、朱大定、陈函辉、王翊、何兆龙、魏耕等，其中，张国维、钱肃乐、张煌言、朱大典被称为浙江抗清斗争四杰。

张国维："时去仍为朱氏鬼，精灵长傍孝陵坟"

张国维像

张国维（1595—1646），字止庵，号玉笥，东阳人，明朝天启二年（1622）进士，授番禺知县。因为政绩突出，番禺百姓称之为"神明父母"，为他建生祠奉祀。崇祯七年（1634），升任右佥都御史，巡抚应天、安庆等十府，主持兴建繁昌、太湖二城。他积数年治水之经验，于崇祯十二年（1639）刊刻70万字、30卷的《吴中水利全书》，是研

究苏州、松江、常州、镇江四府的重要水利文献。《四库全书》称“是书所记，皆其阅历之言，与儒者纸上空谈迥不侔矣”。崇祯十三年（1640），任工部右侍郎，加兵部右侍郎，总督河道，兼理提调徐（州）临（清）津（门）通（州）四镇漕饷。崇祯十五年（1642）十月，升兵部尚书。清兵入关后，张国维遭言官交章弹劾，被免职归里。4个月后，又被逮解进京。次年二月，出狱，复旧职，并兼左佥都御史，崇祯帝召见于中左门，令其前往南直隶与浙江督理输饷练兵事务。清顺治二年（1645）五月，张国维谒鲁王于台州，请王监国，移驻绍兴。鲁王封其为太子太傅、兵部尚书、武英殿大学士，督师钱塘江，鲁王赐尚方宝剑令他统率诸军，曾先后渡过钱塘江与杭州湾，收复富阳、分水、於潜等地，并一度对驻杭州的清军展开反攻。这时，明朝宗室争权，唐王在福州登基，抗清诸将各怀异志。顺治三年（1646）五月，鲁王政权大将方国安劫王南行，浙江抗清斗争失败，张国维潜回东阳准备继续抵抗。但清兵势如破竹，六月二十五日，义乌陷落，兵抵七里寺。张国维认为大势已去，于二十六日投水而死，时年52岁。临死前提笔写了《绝命词》三章。其中有云：“艰难百战戴吾君，拒敌辞唐气励云。时去仍为朱氏鬼，精灵长傍孝陵坟。”民族气节溢于言表。张国维死后不到3个月，长子张世凤殉节于钱塘。张国维死后被安葬在东阳八面山东郭塘之原。后人在苏州虎丘建张国维祠作为纪念。中国近代著名的南社第一次雅集就选择在张国维祠，深有寓意。

钱肃乐："钱氏四忠"之首

钱肃乐像

钱肃乐（1606—1648），字希声，号止亭，浙江鄞县（今属宁波市）人，明朝崇祯十年（1637）中进士。曾任太仓知州，在任上严惩豪奴黠吏，考绩列江南第一。清朝顺治二年，他在南明政权刑部员外郎任上，因父亲去世回鄞县老家守制。清军占领杭州后，宁波告急，宁波知府朱之葵等准备献城投降，钱肃乐"闻信恸哭，绝粒誓死"，家人也准备为他办理丧事。这时，以董志宁为首的明朝6位诸生（时称"六狂生"）找到钱肃乐，约定起兵反清，双方一拍即合。六月十二日，在宁波府城隍庙聚集士绅议事，闻讯而来的百姓达万余人。会场有人振臂高呼："何不就推钱公为首，树旗起义！"众人齐声赞同，众人簇拥钱肃乐进入县署会商举义大事。决定驱逐准备投降的知府，宣布起兵反清。钱肃乐效法晋襄公的故事，以黑色丧服着装，誓师起兵，开始了他一生中最为悲壮的事业，也把他及其家族带入了殉难之路。决定起兵后，钱肃乐派张煌言前往台州，邀请明太祖十世孙、鲁王朱以海前来监国，在绍兴成立临时政权。钱肃乐被任命为鲁王政权的太仆寺少卿、右佥都御史，率领部队驻守钱塘江南岸萧山瓜沥一带，多次渡过钱塘江，反攻占领杭州的清军。鲁王政权在浙江抗清失败后，钱肃乐一度秘密到龙峰岩削发做和尚，后再次投奔已经从浙江转移到福建沿海活动的鲁王，被封为东阁大学士兼兵部尚书，帮助整顿军务。因受到鲁王政权权奸的迫害，悲愤过度，于清朝顺治五年（1648）六月初五日呕血死于福建琅江舟中。家人将其安葬于福建福清县黄蘖山麓，南明政权赐太保、吏部尚书，谥忠介。1815年在鄞县学街建有"钱张两公祠"，以纪念钱肃乐和张煌言两位抗清志士，并将钱肃乐故居南端与百丈街平行的

一条马路命名为“忠介街”。位于今宁波市江东区潜龙巷的钱肃乐故居，2006 年 6 月选为宁波市十大名人故居。

在抗清斗争中，钱氏家族除钱肃乐外，殉难的还有钱肃乐的三个弟弟钱肃范、钱肃遴、钱肃典，史称“钱氏四忠”。

张煌言：“大厦已不支，成仁万事毕”

张煌言（1620—1664），字玄著，号苍水，浙江鄞县（今属宁波市）人。崇祯十五年（1642）中举人。南京失守后，与钱肃乐等起兵抗清。初任鲁王政权的翰林院修撰，清兵破钱塘江后，随鲁王逃至浙江舟山，后至福建，被鲁王加授右佥都御史之职。鲁王政权兵败浙江转移到福建沿海活动后，张煌言留在上虞平冈寨一带组织义军继续抗清。清朝顺治六年（1649）九月，南明定西侯张名振等袭击清军，占领舟山后，将鲁王接到舟山，张煌言任兵部左侍郎。顺治八年（1651），张煌言与张名振起兵攻打吴淞，清军乘机攻打舟山，张煌言与张名振回师救援舟山，但已无济于事，不得不护送鲁王前往福建厦门，与在那里的郑成功合作抗清。顺治十年（1653），鲁王放弃“监国”称号，在郑成功处做寓公。张煌言随即与驻广西的南明永历帝桂王取得联系，接受永历政权

张煌言像

的调遣。次年，张煌言与张名振率领水师攻入长江，克服京口（今镇江），震动南京。不久，张名振中毒身亡，临终前将抗清事业全部托付给张煌言。顺治十五年（1658），张煌言任永历政权的兵部尚书兼东阁大学士。次年五月，他与郑成功联合进军长江，一举收复 4 府、3 州、24 县，再次震动南京。不久，郑成功中了清两江总督的诈降之计，遭清军的突然袭击，部队损失很大，被迫退出长江，张煌言身边只剩下一童一卒，辗转退回浙江海滨，召集流亡，重组义军，坚持抗清不动摇。清政府逮捕张煌言的家人，要挟他投降，他置之不理。清朝康熙二年（1663），鲁王病故，张煌言感到大势已去，决定解散义军队伍，本人与几位亲随隐居象山南田荒无人烟的悬忝。清朝康熙三年（1664），被清军密探侦知行踪后被捕，随即被押送到浙江省城杭州。

在押解途中，写下了许多传诵一时的诗篇。最有名的当属《将入武陵二首》，诗云：

张苍水墓道前的牌坊

义帜纵横二十年，岂知闰位在于阗？
桐江空系严光钓，震泽难回范蠡船。
生比鸿毛犹负国，死留碧血欲支天。
忠贞自是孤臣事，敢望千秋青史传？
国亡家破欲何之？西子湖头有我师。
日月双悬于氏墓，乾坤半壁岳家祠。
惭将赤手分三席，敢为丹心借一枝。
他日素车东浙路，怒涛岂必属鸱夷！

到杭州后，浙江提督张杰设宴招待，张煌言拒绝了，只说：“父死不能葬，国亡不能救，死有余辜。今日之事，速死而已！”此外别无一语。

杭州张苍水祠塑像

康熙三年九月初七日（1664 年 10 月 25 日），张煌言被杀害于杭州弼教坊。赴刑场时，大义凛然，抬头望见吴山，叹息说：“大好江山，可惜沦于腥膻！”并赋《绝命诗》一首：“我年适五九（45 岁），复逢九月七。大厦已不支，成仁万事毕。”

到刑场后，他拒绝跪而受戮，“坐而受刃”。同时就义的还有幕僚罗纶、僮仆杨冠玉等人。监斩官见杨冠玉年幼，有心为他开脱。杨冠玉却断然拒绝道：“张公为国，死于忠；我愿为张公，死于义。要杀便杀，不必多言。”言毕，跪在张煌言

面前引颈受刑，时年仅 15 岁。在此之前两天，张煌言夫人董氏和独子张万祺在镇江被清廷杀害。

张煌言死后由鄞县万斯大等人收尸，并由张煌言外甥朱湘玉到总督衙门买回首级殡殓，安葬于杭州南屏山北麓荔枝峰下，成为与岳飞、于谦一同埋葬在杭州西湖边的第三位民族英雄，后人称之为“西湖三杰”。清朝乾隆四十一年（1776），谥忠烈，牌位入祀忠义祠。

有《张苍水集》行世。诗文洋溢着强烈的爱国主义情怀与大义凛然的英雄主义气概。当代著名诗人柳亚子曾有《题张苍水集》：“廿年横海汉将军，大业蹉跎怨北征。一笑素车东浙路，英雄岂独郑延平！”“起兵慷慨扶宗国，岂独捐躯为故王？二百年来遗恨在，珠申余孽尚披猖。”“北望中原涕泪多，胡尘惨淡汉山河。盲风晦雨凄其夜，起读先生正气歌。”

杭州张苍水先生祠

朱大典：人在城在，人亡城亡

朱大典（1581—1646），字延长，号未孩，浙江婺州（今金华）人。明万历四十四年（1616）中进士，不久授章邱知县。天启二年（1622），任兵科给事中，上疏谏阻太监王体乾、魏忠贤等求功荫锦衣世袭之议。天启五年出为福建副使，因抵御“红毛番”侵扰有功，晋升为右参政。父丧，回乡守制。崇祯三年（1630），以原官起用。五年，升右佥都御史、山东巡抚，先驻青州调度兵食，继督兵与农民起义军作战，功升右副都御史。因平定孔有德等兵变有功，于六年升兵部右侍郎，仍为山东巡抚。八年二月，农民起义军攻占凤阳，毁皇家祖陵，朱大典奉命总督漕运兼巡抚庐、凤、淮、扬四府。带领在山东巡抚任内所募集的健卒千人、马千五百匹，作为亲军前往凤阳坐镇。后因“坐失州县”“平贼逾期”的罪名被贬官。十四年（1641），总督江北及河南湖广军务，仍坐镇凤阳。在此期间，又因为贪污问题遭到弹劾，被朝廷革职候审。十六年（1643），在东阳县许都聚众起义，次年正月围攻婺州。朱大典之子万化募兵守城。义军从婺州撤退后，巡按御史左光斗向朝廷控告朱大典纵子交贼，朱大典遭到逮捕治罪，抄家充饷。明朝崇祯皇帝自杀后，福王于南京称帝，朱大典出任南明政权的兵部左侍郎，不久升任尚书，总督上江军务。福王被南下清军俘虏后，朱大典率 3000 名官兵还乡，据婺州府城固守。鲁王政权建立后，被任命为东阁大学士，建行台督师，辖金华、兰溪、汤溪、浦江四县。之后，在福建的唐王政权也授予朱大典文渊阁大学士，

并封为婺安伯。清顺治三年（1646）三月，清兵下浙东，已投降清军的阮大铖驰书招降，朱大典将招降书撕毁并将招抚使处决，以示与婺州府城共存亡的决心。清兵围城两旬，后阮大铖知婺州城西门新筑城墙尚未坚固，遂调来“红衣大炮”，发炮攻毁这段城墙，清军乘机蜂拥而入。清军攻入城内后，朱大典召集家人与幕僚共32人集中在他的指挥部——金华八咏楼，令人点燃旁边的火药库炸药，集体殉国，真正做到了人在城在，人亡城亡。在此战役中，朱大典全家祖孙三代22口人全部殉难，满门忠烈。

朱大典大义凛然的民族气节、舍生取义的精神，连他的敌人也不得不折服。康熙年间，朱大典及在婺城保卫战中殉难的严万龄、朱万化、朱万仍、朱钰等被入祀乡贤祠和忠烈祠。乾隆四十二年（1777），朱大典被清廷赐谥为烈愍公，并在金华通济桥北的双溪驿前，建造了一座高10米的青石牌坊，横额上勒刻“表海崇勋”4个大字。

智言慧思

操守为居官根本。

——（明）王凤生《越中从政录》

丝毫不用囊中物，好作清官答圣时。

——（清）徐氏《寄子诗》

安民首在任贤，除弊必先去贪。

——《清史稿·费淳传》

阅读链接：

郭佐堂：《爱国名臣张国维》，张国维故居管理委员会，1995年编印。

（清）张廷玉：《明史》本传，中华书局，1974年版。

树棼：《节义千龄——张煌言传》，上海文艺出版社，1981年版。

李振华：《张苍水传》，正中书局，1967年版。

平日犯颜急尽节，如之二者实堪怜
——“一代完人”刘宗周

清乾隆四十年（1775），乾隆皇帝为明朝抗清死节大臣刘宗周、黄道周遗稿《刘宗周黄道周集》题诗一首：“搜罗四库事磨研，去取其间公道传。人各抒忠斯可录，言虽触讳忍从捐。宁同仲达吠尧日，不愧观文报宋年。平日犯颜急尽节，如之二者实堪怜。”乾隆在诗前还写下了如下一段序言：“比因汇集《四库全书》，各省博访遗编以进，裒聚既广，则甄别宜精。而明末诸人文集内多有论列边防兵事诋触本朝者，馆臣随时检出请毁，理固宜然。……若黄道周之博物典汇，刘宗周之疏稿，则不可毁。盖二人当明政不纲，权移阉宦，独能守正不阿，多所弹劾，至尽想见其风节凛然。而且心殷救败，凡有指陈，悉中时弊。假令当时能用其言，覆亡未必如彼之速。卒之致命遂志，以身殉国，允为一代完人。若因字句干犯并其全书而弃之，致使忠臣正士其言论不能并传不朽，余岂忍为之哉！”在乾隆看来，刘宗周、黄道周二人，虽然是抗清的前朝大臣，但他们平日能够做到犯颜直谏，国家有难时能够为国尽忠，以身殉国，可以称得上是“一代完人”，他们的言论虽然对于本朝有诋触，

也不忍心毁掉，应该保留下来让其不朽。

刘宗周像

刘宗周（1578—1645），字起东，号念台，浙江绍兴府山阴县（今绍兴）人。明朝万历二十九年（1601）中进士。刘宗周步入政坛时，已经是明王朝的末世，皇帝深居九重宫禁，不理朝政，奸佞乘机弄权，明王朝朝政极端腐败，已经到了风雨飘摇随时可能倾倒覆灭的地步。身为理学名臣的刘宗周，仍然抱着“一日不死，一日为君父之身”的忠君思想，立朝以正，“清直敢言”，他前后上疏凡百余次，指陈朝政之得失，崇正辟邪，但结果往往是以忤逆皇帝的意旨而被罢黜，先后 3 次被皇帝革职为民，沦落乡野。第一次，任礼部主事时，上疏指斥权奸魏忠贤与客氏，被罢官回乡。第二次是崇祯元年（1628）任顺天府尹时，奏请不报，遂以有病辞官。崇祯八年（1635），刘宗周再起被授为工部侍郎，累擢左都御史。崇祯十四年（1641），因直言得罪崇祯，第三次被革职为民。刘宗周从步入政坛之日起，在长达 40 余年的时间里，他实际任官的时间仅 4 年半，绝大部分时间都是革职回原籍，教授学生，读书著述。

对于刘宗周的遭际，我们应该实事求是地指出，一方面，刘宗周忠君爱民，正身立朝，自然与当时极端腐败的朝廷格格不入。但另一方面，我们也应看到，身为理学名臣的刘宗周也有迂阔不切实际的一面，例如，崇祯皇帝上台后，求治心切，对刘宗周十分器重，先后任命他为吏部左侍郎、都察院左都御史，但刘宗周入朝后，献圣学三篇：“一曰明圣学以端治本，二曰躬圣学以建治要，三曰崇圣学以需治化。”其后又上振肃风纪之要：建道揆，贞法守，崇国体，清伏奸，惩官邪，饬吏治。当

时的明王朝面临关外清军与关内李自成、张献忠农民起义军的双重夹击，当务之急是在军事上取得胜利，而刘宗周的献计献言与实际的需要之间距离是那么遥远。

更要命的是，当时有人向崇祯皇帝推荐来华多年的欧洲传教士汤若望制造火器以对付清军与农民起义军，得到崇祯皇帝的认可，刘宗周却两次站出来反对。他说：自古以来，用兵之道，在于行仁义，有节制。火器无益于成败，且将来必为中国之害。他还说："汤若望西番外夷，向来倡邪说，以鼓动人心，已不容于圣世。今又创为奇技淫巧，以惑君心，其罪愈不可挽，乞皇上放还彼国，以永绝异端，以永尊吾中国礼教冠裳之极。"崇祯皇帝听了这种迂阔不经的言论十分恼怒，当即反驳说："火器乃国家长技，汤若望非东寇西夷可比，不过令其一制火器，何必放逐？"从刘宗周一直到晚清的理学名臣都强调天理人心，却极力反对器物层面的进步，甚至在鸦片战争以后被西方洋枪洋炮打得晕头转向的情况下，理学名臣们还在那里高谈阔论天理人心那一套虚幻玄妙的东西，而极力反对西方的科技文化，拼命反对搞洋务，这不能不说是理学家们的悲哀。

明朝覆灭后，福王在南京监国，称南明，南明朝廷宣布刘宗周开复原官，自称"草莽孤臣"，痛陈时政，并弹劾当朝奸臣马士英等，并争阮大铖必不可用，遭马党嫉恨，险被暗害，遂乞骸骨归。

清朝顺治二年（1645）五月，南京被清军攻克。六月十一日（7月4日），清军攻克杭州。刘宗周在老家感到大势已去，誓死

不做亡国奴。他喟然叹息说："北都之变，可以死，可以无死，以身在田里，尚有望于中兴也。南都之变，主上自弃其社稷，尚曰可以死，可以无死，以俟继起有人也。今吾越又降矣，老臣不死，尚何可待乎？"遂一一告别祖墓，投水求死，但被人救起，获救后绝食二十余日，于闰六月初八日（7 月 30 日）卒。临终前留下《绝命诗》一首："留此旬日生，少存匡济志。决此一朝死，了我平生事。慷慨与从容，何难亦何易？"刘宗周死后，其门人私谥正义。南明鲁王追谥忠端，南明唐王追谥忠正，清康熙四十年追谥忠介。因他生前讲学于山阴县城以北的蕺山，学者尊称他为蕺山先生。刘宗周著作颇富，今人辑为《刘宗周全集》出版。

刘宗周是明朝最后一位儒学大师，也是宋明理学（心学）的殿军。他开创的蕺山学派，在中国思想史特别是儒学史上影响巨大。清初大儒黄宗羲、陈确、张履祥等都是这一学派的传人。

阅读链接：

（明）刘宗周著，吴光编：《刘宗周全集》，浙江古籍出版社，2007 年版。

东方朔：《刘宗周评传》，南京大学出版社，1998 年版。

陈永革：《儒学名臣——刘宗周传》，浙江人民出版社，2005 年版。

肝脑涂长垒，精魂泣太空

——定海三总兵

清道光二十一年（1841）八月，在抵抗英国侵略军入侵浙江定海的战斗中，葛云飞、郑国鸿、王锡朋等3位总兵先后壮烈牺牲，后人将3位为国捐躯的民族英雄称之为“定海三总兵”。

葛云飞（1789—1841），字鹏起，浙江山阴县（今属杭州萧山区）人。青少年时代，能开六钧硬弓，能用百二十斤大刀，挑起一抱粗、二丈长的大梁，臂力惊人。清道光三年（1823）考中武进士。初授守备，任职于水师营，后因功屡次升迁。道光十八年（1838）以副将署定海镇总兵。他服膺岳飞“文臣不爱钱，武将不惜死”的格言。他治军非常严格，恪守“诚信必孚，赏罚必明，情伪必察，劳苦必均”。他经常深入兵营，与士卒同甘苦。有一次，他的家人给他送来一件皮

葛云飞像

衣，他说："士卒冒冰霜，吾忍独暖乎？"葛云飞虽是武将，却爱好读书，旁涉子史，写得一手好诗，是有名的儒将。他生平著有《名将录》《制械制药要言》《水师缉捕管见》《浙海险要图说》及诗文，凡数十卷。他曾自制佩刀两把，一曰成忠，一曰昭勇，并赋《宝刀歌》云："快逾风，亮夺雪，恨斩佞人头，渴饮仇人血。有时上马杀贼贼胆裂，灭此朝食气烈烈。吁嗟乎，男儿自处一片心肠热。"其《四十自伤》诗云："马不嘶风剑不鸣，等闲已老健儿身。近来不敢窥明镜，恐照头颅白发新。"有人认为，这首诗足与岳飞《满江红》中的"莫等闲，白了少年头"辉映千古。

道光十九年（1839），葛云飞父亲去世，按照惯例丁忧回籍。鸦片战争爆发后，英国侵略者的炮火很快波及到浙东沿海。浙江巡抚乌尔恭额与浙江提督祝廷彪认为葛云飞"谋略可任"，要葛云飞提前结束丁忧，墨绖从军，葛云飞二话没说，迅即出山，乌尔恭额随即委任他补定海总兵。到任后，他以劲兵扼守招宝、金鸡两山，关内安设巨炮，江岸筑土城，而江心及隘巷，则树木桩、排筏，以阻遏英军来犯。不久，安徽寿春镇总兵王锡朋、浙江处州（今丽水）镇总兵郑国鸿先后调至定海，与葛云飞共同防守。

道光二十一年（1841）八月中旬，英国侵华舰队 29 艘军舰结集于舟山群岛黄牛礁一带，侦察定海洋面。3 位总兵决定分守要地。王锡朋负责守卫晓峰岭，郑国鸿负责守卫竹山门，葛云飞率部踞守定海土城，当敌要冲。英国侵华舰队在经过几天的侦察与试探性攻击后，于八月十七日（10 月 1 日）早晨对定海发起进攻，与守军展开激战。由于敌我武器装备上的巨大差距，守军处于被动挨打的地步，王锡朋、郑国鸿先后战死。在此情况下，葛云飞抱着必死的决心，率领守军与敌人展开肉搏战，战斗中右脸被敌人长刀劈破，胸部中枪，壮烈牺牲。葛云飞牺牲后，清廷下令依照提督例抚恤，追赠骑都尉兼一等云骑尉世职，谥壮节。近代诗人王在田《吊葛将军》诗云："墨绖身临敌，由来孝作忠。阵云连海黑，炮火彻天红。肝脑涂长垒，

王锡朋像

精魂泣太空。”讴歌了葛云飞将军为国尽忠壮烈成仁的光辉事迹。

王锡朋（1786—1841），字樵佣，顺天府宁河县（今属天津市宁河县）人。嘉庆十四年（1808）中武举人。初随陕甘总督杨遇春出征新疆，平准噶尔叛乱，后又参与镇压瑶民起义，作战骁勇，曾获皇帝赐予的“锐勇巴图鲁”称号，道光十三年（1833），任福建汀州镇总兵，道光十八年（1838），调任安徽寿春镇总兵。鸦片战争爆发后，调至上海吴淞口，协助江南提督陈化成抗击英军，所部寿州兵以骁勇善战闻名。道光二十一年（1841）春，奉令率领800官兵增援定海。当英国侵略军进攻定海时，他奉令驻守定海县城西的晓峰岭。八月十七日（10月1日），英国侵略军第55团主攻晓峰岭，王锡朋率领守军官兵奋起还击，由于敌人火力过于猛烈，守军官兵伤亡很大，王锡朋持刀与敌人展开搏斗，战斗中右臂中弹，改用左手继续劈杀，随后，被敌人的炮弹击中倒地，凶残的英军寸磔其遗体。清廷谥刚节。

郑国鸿（1777—1841），字雪堂，湖南凤凰厅（今湖南凤凰县）人，祖籍溆浦县。出身军人家庭，18岁袭云骑尉世职，历任守备、都司、参将、副将。郑国鸿通晓《诗》《易》，著有《诗经疏义》《葩经括旨》《昌学崇源》等，是一名儒将。道光二十年（1840）

郑国鸿像

任浙江处州镇总兵。道光二十一年（1841）二月，奉命率处州镇1200官兵增援定海，负责扼守竹山。进攻竹山的英国侵略军是第18团。在敌人强大炮火进攻下，郑国鸿所部官兵遭受重创，在弹尽援绝、身负重伤的情况下，65岁的老将郑国鸿一人冲入敌阵，与敌人展开搏斗，不幸中炮阵亡，所率领的处州镇官兵全部为国捐躯。清廷赐白银500两治丧，照提督例抚恤，追赠骑都尉兼一等云骑尉世职，赠武显将军（正二品），谥忠节。

1884年夏，浙江巡抚刘秉璋奏请在定海县城南郊半坡亭修建了一座“三忠祠”。祠中安放着葛云飞、郑国鸿、王锡朋三位总兵的牌位。正堂供奉三总兵塑像，神态凛然，令人肃然起敬。他们为国捐躯的英雄事迹已写进中国近代史教材中，将永远激发中国人的爱国主义精神。

智言慧思

清风两袖朝天去，免得闾阎话短长。

——（明）于谦《入京》

暗中朘剥民膏脂，人虽不语天自知。

——（明）于谦《忠肃集》卷一一

阅读链接：

陈蔡：《定海三总兵》，中华书局，1964年版。

吴顺珠：《定海三总兵——舟山鸦片战争遗址公园巡礼》，人民日报出版社，2005年版。

首正大义，截断众流

——章太炎以文章颠覆清王朝

民国著名政论家、《大公报》总经理胡政之在回顾辛亥革命的历史后指出："辛亥革命差不多是靠文章把清廷颠覆。"（《胡政之文集》下册，第1118页）在这场用文章打倒清王朝的思想意识形态战争中，浙籍知识分子的贡献举足轻重，但影响最大的无疑要推章太炎。

章太炎像

章太炎（1869—1936），名炳麟，字枚叔，余杭县（今杭州市余杭区）人。少年时代即有强烈的民族主义意识，曾说过"明亡于满清，不如亡于李自成"之类惊世骇俗的言论。1900年，他正式剪辫易服，从学者转变为职业革命家。他学术造诣深厚，熟悉中国历史典故，又深受明清之际黄宗羲、顾炎武等大儒的民族主义思想影响，他从黄宗羲（字太冲）与顾炎武两人的名字中各取一字，组合而成"太炎"二字作为自己的别号，并行于世。

章太炎的《訄书》

章太炎的论著以深厚的中国历史文化知识为基础，以爱国主义、民族主义为立论依据，从历史的、种族的角度论述民族民主革命的必要性，文辞典雅、笔锋犀利，具有很强的说服力和感染力。1902 年春，章太炎流亡日本，与中国民主革命领袖孙中山订交。夏历三月十九日，是明朝末代皇帝崇祯的忌日，为了借此宣传反清革命思想，章太炎与秦力山等在日本东京发起二百四十二年纪念会，章太炎起草的大会宣言，号召中国留日学生努力奋斗，推翻清朝。当时，保皇派首领康有为、梁启超也在日本办报著书，鼓吹君主立宪，诋毁革命，在留日学生中还有一定的影响力。康有为发表《答南北美洲诸华侨论中国只可行立宪不可行革命书》，声称革命将导致“血流成河，死人如麻”，动乱一百年而不得安定，数万万人将因此失去生命云云，以此吓唬谈革命者。针对康有为的恐吓，章太炎于 1903 年 5 月发表《驳康有为论革命书》，逐条驳斥康有为的论调，公开斥责光绪皇帝是“载湉小丑，未辨菽麦”。指出立宪之难远远超过革命，革命是补泻兼备的良药，“公理之未明，即以革命明之；旧俗之未去，即以革命去之”。文章旁征博引，笔锋犀利，成为辛亥革命史上不可多得的重要文献。

邹容的《革命军》小册子成稿后，请章太炎润色。《革命军》肯定革命是“天演之公例”、“世界之公理”，革命的目的是建立一个完全独立、强大、自由、平等的中华共和国。章太炎读后，认为要唤醒四万万民众，就需要这样的“雷霆之声”，欣然为该书作序，称赞它是“义师先声”。恼羞成怒的清王朝为此制造“苏报案”，逮捕章太炎、邹容，分别判处三年、二年监禁。1905 年 4 月，邹容死于狱中。章太炎的《驳康有为论革命书》与邹容的《革命军》、陈天华的《警世钟》《猛回头》是辛亥革命史上影响最大的反清革命宣传著作。

阅读链接：
陈永忠：《革命哲人：章太炎传》，浙江人民出版社，2008年版。
许寿裳：《章太炎传》，百花文艺出版社，2009年版。
张兵：《章太炎传》，团结出版社，1998年版。

1906年6月，章太炎刑满出狱，被革命党人迎接到东京，主编同盟会机关报《民报》。当时《民报》正在和保皇派的喉舌《新民丛报》进行大论战。论战的中心议题是要不要推翻清王朝、要不要实行民主共和、要不要改变封建土地所有制度。章太炎挥笔上阵，先后发表《俱分进化论》《革命之道德》《军人贵贱论》《国家论》《革命军约法问答》《代议然否论》《讨满洲檄》《中华民国解》《定复仇之是非》等一系列文章和时评，以鲜明的立场、渊博的知识，与同盟会其他宣传家一道抨击保皇派的谬论，将其驳斥得体无完肤。

在反清革命宣传中，虽然也有个别人存在大汉族主义的瑕疵，但总体基调是健康的。即以历来被人认为汉民族主义思想浓厚的章太炎来说，他也在《致留日满洲学生书》中郑重声明："所谓民族革命者，本欲复我主权，勿令他人攘夺耳！非欲屠夷满族，使无孑遗，欲效昔日扬州十日之为也；亦非欲奴视满

杭州太炎先生纪念馆

人不与齐民齿叙也。……贵政府一时倾覆，君等满族，亦是中国人民，农商之业，任所欲为，选举之权，一切平等，优游共和政体之中，其乐何似！我汉人天性和平，主持人道，既无屠杀人种族之心，又无横分阶级之制。域中尚有蒙古、回部、西藏诸人，既皆等视，何独薄遇满人哉？”（《章太炎书信集》，第 292 页）这就明确宣告：在推翻满族贵族的封建专制统治以后，中国境内的各少数民族同汉族一道共同生活在共和民主政体之下，享有同等的权利，一切平等。这种思想认识已经达到了相当高的境界。辛亥武昌起义爆发后，基本上没有发生历史上改朝换代之际屡见不鲜的民族大屠杀的悲剧，以最小的流血牺牲建立起了共和制度，与革命党人对民族主义有正确的理解与宣传是有很大关系的。

章太炎所撰邹容墓志铭

“文字成功日，全球革命潮！”这是晚清思想家蒋智由的两句诗。在革命党人强大宣传影响下，越来越多的人民相信，中国一切不幸的祸根都在这个腐朽而卖国的清朝政府身上，要救国必须推翻清王朝，这已经成为朝野上下普遍的信念。辛亥革命的枪声一响，已经完全失去人心的清王朝顷刻间土崩瓦解。

中华民国成立后，章太炎在致友人书中对自己的革命宣传曾有如下的自我评价：“当庚辛扰攘以来，言革命者有二途：软弱者与君主立宪相混，激烈者流入自由平等之谬谈。弟《驳康有为书》一出，始归纯粹。因是入狱，出后至东京，欢迎者六千人。后作《民报》，天下闻风，而良吏宿儒，亦骎骎趋向矣。”弟“首正大义，截断众流”，“鼓吹之功，必贤于（孙）中山远矣”（《东方杂志》第 33 期第 1 号，1936 年 1 月）。

只解沙场为国死，何须马革裹尸还

——徐锡麟视死如归

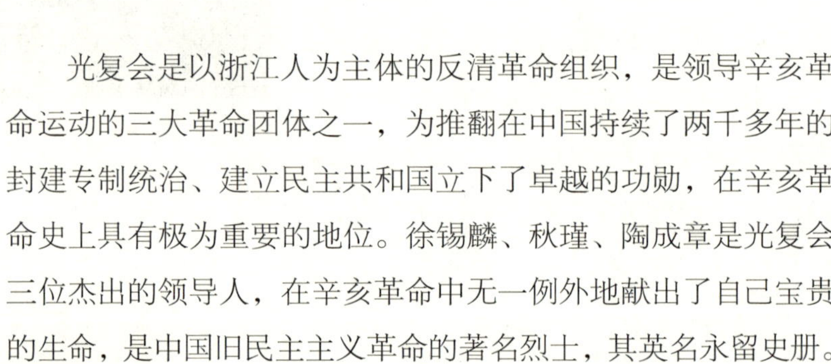

光复会是以浙江人为主体的反清革命组织，是领导辛亥革命运动的三大革命团体之一，为推翻在中国持续了两千多年的封建专制统治、建立民主共和国立下了卓越的功勋，在辛亥革命史上具有极为重要的地位。徐锡麟、秋瑾、陶成章是光复会三位杰出的领导人，在辛亥革命中无一例外地献出了自己宝贵的生命，是中国旧民主主义革命的著名烈士，其英名永留史册。

徐锡麟像

徐锡麟（1873—1907），字伯荪，浙江山阴县（今绍兴市）人，少年时代熟读史书，具有强烈的爱国主义情怀。清光绪三十年十一月（1905年1月），徐锡麟在上海加入蔡元培等发起成立的反清革命团体光复会。因为他“为人目光远大，热心公益，克己从人，对会友亲如家人手足，为众望所归”，很快取代“短于策略”“不耐人事烦扰”的蔡元培，成为光复会实际上的领袖。同年夏，徐锡麟与陶成章、龚宝铨等在绍兴创办大通学堂，培养光复会人才，这样，绍兴取代上海、嘉兴，

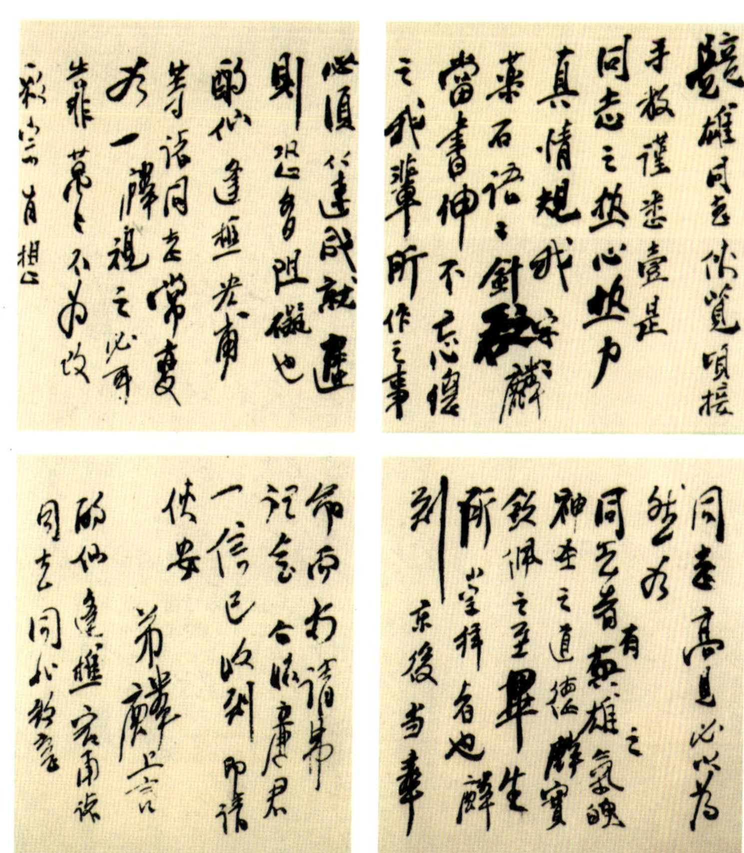

徐锡麟致秋瑾部署皖浙起义行动的书信

成为光复会本部的活动中心，大通学堂则成为“浙江革命之大本营”。

光绪三十二年（1906），徐锡麟捐了个安徽候补道员身份，通过表伯父、前任湖南巡抚俞廉三的关系，于年底前往安徽省城安庆，担任安徽陆军小学堂会办，很快取得安徽巡抚恩铭的信任。光绪三十三年（1907）春，升任安徽巡警处会办兼巡警学堂会办、陆军小学堂监督，他以巡警学堂为主要活动基地，酝酿武装起义。

在离开绍兴到安庆任职前，徐锡麟邀请女革命家秋瑾到绍兴主持大通学堂。他们在杭州西湖南岸的白云庵进行了秘密会谈，对今后的革命行动进行了筹划与分工，决定由秋瑾负责大通学堂及浙江的革命运动；徐锡麟则在安徽官场中活动，并待机而动；由陈伯平担任皖浙两省之间的交通联络。经过陈伯平等居间联系，徐锡麟、秋瑾达成了浙江、安徽两省同时起义的计划。7 月初，因为起义计划提前泄露，时机紧迫，徐锡麟在来不及通知秋瑾的情况下，临时决定于 7 月 6 日在安徽巡警学堂毕业典礼上起义。

阅读链接：

谢一彪：《徐锡麟评传》，人民出版社，2011 年版。

徐乃常编：《徐锡麟集》，中国文史出版社，1993 年版。

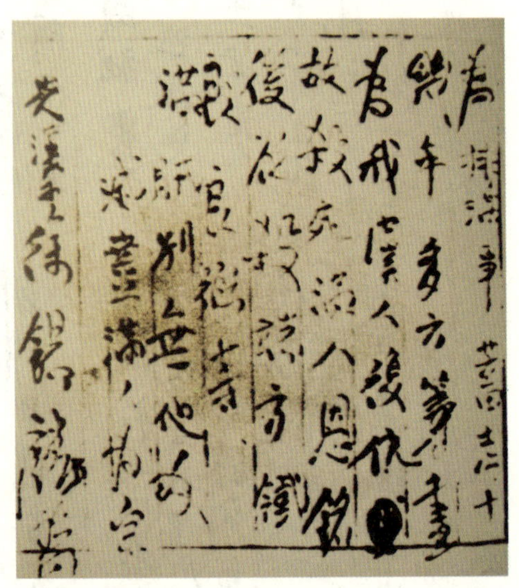

徐锡麟绝命书

当天上午 8 时，当安徽巡抚恩铭等文武官员进入典礼会场就座后，徐锡麟大声报告说：“回大帅，今日有革命党起事！”恩铭闻言惊愕地问：“徐会办从何得此信？”话音未落，陈伯平向恩铭扔去一个炸弹，可惜是个哑弹，恩铭惊慌站起准备逃离会场，徐锡麟急忙拔出两支手枪向恩铭连续开枪，陈伯平、马宗汉也同时向恩铭开枪，当场将其击倒在地，侍卫急忙背起中枪的恩铭逃窜，回到巡抚衙门不久，身中 7 枪的恩铭死去。

在徐锡麟等集中向恩铭开枪的同时，在场的官员早已逃逸。徐锡麟随即向学生宣布起义，带领学生数十人冲向安庆军械所，同时通知事先已经有联络的安徽新军将领带队入城，准备一举占领安庆省城。但由于城门已经关闭，这些计划都未能实行。徐锡麟与他率领的起义学生很快被清军团团包围，双方展开激战，战至下午，陈伯平与 4 名学生战死，徐锡麟、马宗汉以及 40 余名学生被俘。

7 月 6 日晚，安徽布政使冯煦主持审讯，徐锡麟侃侃而谈，毫无惧色。一人承担，绝不连累任何同志。当审讯官员告诉他明天要对他实行挖心肝酷刑时，徐锡麟大笑着回答："恩铭死，我志偿。我志既偿，即戮我身为千万片，亦我之愿，区区心肝，何须顾及！"

最后索纸笔写下如下的亲供："为排满事，蓄志十几年，多方筹划为我汉人复仇，故杀死满人恩铭，后欲杀端方、铁良、良弼等满贼。别无他故，灭尽满人为宗旨。"次日上午，徐锡麟从容就义，并被官府残忍地挖心祭祀恩铭。8 月 25 日，马宗汉也被杀害。当年参与安庆起义并在起义失败后被捕陪斩的朱蕴山（原巡警学堂学生）1911 年写下《过百花亭追忆徐伯荪师》，诗云："苌弘一去两千载，碧血长留天地间。公舍私恩殉公义，杀身应比古贤坚。"

徐锡麟早年在《出塞》诗中写道；"军歌应唱大刀环，誓灭胡虏出玉关。只解沙场为国死，何须马革裹尸还！"这首诗成为徐锡麟短暂而辉煌一生的真实写照。徐锡麟舍生取义的壮举永远留在了中华民族的史册中。

安庆起义三烈士徐锡麟、陈伯平、马宗汉墓园

已拼侠骨成孤注，赢得英名震万方

——鉴湖女侠秋瑾

1961 年鲁迅诞辰 80 周年之际，毛泽东主席为了表达自己对这位中国现代文学巨匠的深切怀念之情，写了《七绝两首》。第一首诗直抒胸怀，歌颂了鲁迅在黑暗中坚持斗争的博大胆识和硬骨头精神；第二首诗由鲁迅联想到绍兴历史上众多光彩夺目的名人，挥笔写下了“鉴湖越台名士乡，忧忡为国痛断肠。剑南歌接秋风吟，一例氤氲入诗囊”的著名诗句。鲁迅的故乡绍兴是古今名人荟萃之地，从卧薪尝胆的越王勾践，到南宋伟大的爱国主义诗人陆游，再到“秋风秋雨愁煞人”的秋瑾，表现出来的是几千年来绍兴人延续不断的爱国主义、英雄主义的传统和血脉，它告诉世人绍兴不是藏污纳垢之地，而是复仇雪耻、英雄辈出之地。在辛亥革命中以“鉴湖女侠”著称的秋瑾女士就是绍兴众多彪炳史册的英雄人物之一。

“鉴湖女侠”秋瑾像

秋瑾，清光绪元年十月十一日（1875 年 11 月 8 日）出生于福建闽县，光绪十六年（1890），

秋瑾从福建返回绍兴老家，除继续学业外，还随萧山县外婆家的表兄弟学习过武艺。光绪二十年（1894）夏，秋瑾与家人随父亲秋寿南前往湘潭县定居，因秋寿南在湘潭县厘金局任职，与当地官绅有很多来往，光绪二十二年四月五日（1896 年 5 月 17 日），经媒人说合，双方父母做主，秋瑾与湘潭县城内大富商王黼臣之子王廷钧（字子芳）结婚。王子芳是个纨绔子弟，秋瑾本人对此婚事极不愿意，但迫于父母严命只得将就，婚后夫妻感情淡漠，秋瑾长期抑郁不欢，激起对封建纲常伦理道德的痛恨，从追求家庭革命最终走上民主革命的道路。

光绪三十年五月（1904 年 6 月），秋瑾摆脱封建家庭的束缚，换上一身男装，离开祖国前往日本留学，在日本补习一段时间的日语后，进入东京青山实践女校学习，同时积极参加中国留日学生的各项活动，广泛结交革命志士，与宋教仁、陶成章等著名革命骨干有较多的往来。光绪三十一年（1905）春，秋瑾回到上海，四月，在上海由徐锡麟介绍加入光复会。次年八月，由冯自由介绍，在日本东京黄兴的寓所宣誓加入同盟会，并被同盟会领袖孙中山、黄兴指定为同盟会总部评议员兼浙江省支部主盟人，从此投身于反清民族民主革命领导人行列，成为一名职业女革命家。她也是同盟会里唯一的女主盟人，因而更加引人注目。

绍兴轩亭口烈士就义处建立的纪念碑

作为绍兴人文精神的传承人，自号“竞雄”“鉴湖女侠”“汉侠女儿”的秋瑾，她身上充分体现了越乡剑文化的色彩，也就是尚武、励志自强、

杭州孤山秋瑾墓及汉白玉像

复仇雪耻等精神气质。作为杰出的女诗人、挑战黑暗世界的侠女剑客，秋瑾先后写下了《剑歌》《宝剑行》《宝刀歌》《宝剑篇》等著名诗篇，诗歌中既有“不惜千金买宝刀”“据鞍把剑气纵横”的豪情，也抒发了“气吞胡虏剑如虹，九世腥膻一扫空”的英雄气概。“将军大笑呼汉儿，痛饮黄龙自由酒”，已经成为秋瑾的毕生理想与追求。

光绪三十二年（1906）底，秋瑾应光复会领导人徐锡麟的邀请，回到浙江领导反清武装起义，两人在杭州西湖南岸的白云庵初步商定了皖浙两省同时起义的计划，以安庆为重点，绍兴为中枢，金华、处州（今丽水）等地同时发动，两省起义成功后会攻江苏南京。其分工是安徽方面由徐锡麟主持，浙江方

面由秋瑾主持，由陈伯平负责皖浙间的沟通联络。

光绪三十三年正月（1907 年 2 月），秋瑾回到绍兴老家，接替徐锡麟担任绍兴大通学堂督办，以此为中心，加紧组织武装起义的力量。推举徐锡麟为起义军首领，秋瑾自任协领，光复军编组为 8 个军。原定五月二十八日（7 月 8 日）由金华首先发难，各地相继响应。但因为起义计划泄露，徐锡麟在安庆被迫提前发动，结果失败被捕，浙江起义计划也因此暴露，当局随即派兵前往绍兴捉拿秋瑾。友人劝秋瑾赶快走避，她拒绝了，她说："我怕死就不会出来，革命要流血才会成功。如果满奴能将我绑赴断头台，革命成功至少可以提早五年。牺牲我一个，可以减少后来千百人的牺牲，不是我革命失败，而是我革命成功。……我不入地狱，谁入地狱！"（《近代史资料》1957 年第 2 期）

7 月 13 日下午 4 时，秋瑾被捕。当晚，绍兴知府贵福与山阴、会稽两知县会审，秋瑾只简单地说了一句："革命党之事，不必多问。"不再回答任何问题。第二天，贵福命人再审，秋瑾用笔供纸上写下"秋风秋雨愁煞人"七个字。7 月 15 日凌晨 4 时，秋瑾在绍兴轩亭口壮烈就义。

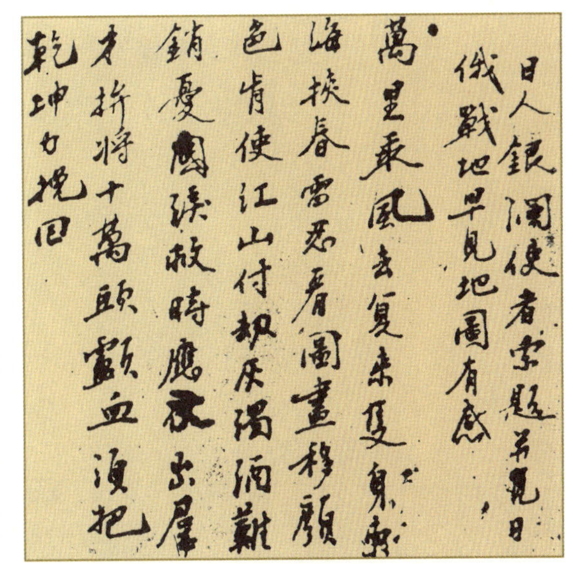

秋瑾手迹

浙皖光复军起义虽然失败了，但对清政府的打击是十分沉重的。指挥镇压安庆起义的清两江总督端方哀叹说："吾等自此以后，无安枕之日矣！"（《徐锡麟史料》，第 164 页）清朝官吏大有人人自危、草木皆兵之感。

孙文为秋瑾题词

秋瑾牺牲后，著名诗人柳亚子写下了《吊鉴湖秋女士》，诗云："饮刃匆匆别鉴湖，秋风秋雨血模糊。填平沧海怜精卫，啼断空山泣鹧鸪。马革裹尸原不负，蛾眉短命竟何如。凭君莫把沉冤说，十日扬州抵得无？""漫说天飞六月雪，珠沉玉碎不须伤。已拚侠骨成孤注，赢得英名震万方。碧血摧残酬祖国，怒潮呜咽怨钱塘。于祠岳庙中间路，留取荒坟葬女郎。"在诗人看来，秋瑾烈士与中国古代的民族英雄岳飞、于谦同样是彪炳史册的伟人。如今，他们三人均长眠于西子湖畔，供后人凭吊缅怀。

阅读链接：

穆长青：《秋瑾评传》，甘肃教育学院内部印行，1982 年版。

欧阳云梓：《秋瑾评传》，中国社会科学出版社，2011 年版。

秋瑾：《秋瑾集》，上海古籍出版社，1985 年版。

光复之际，陶君实有巨功

——光复会后期领袖陶成章

1912年1月14日，光复会后期领袖陶成章被不明身份的刺客刺杀于上海法租界广慈医院病房，担任中华民国临时大总统不到半个月的孙中山先生接到这个噩耗，义愤填膺，当即电令沪军都督陈其美迅速捉拿凶手，“明正其罪，以慰陶君之灵，泄天下之愤”。电报对陶成章在辛亥革命中的历史功绩与地位有如下的评价：“陶君抱革命宗旨十有余年，奔走运动，不遗余力，光复之际，陶君实有巨功”。

陶成章像

陶成章（1878—1912），字焕卿。绍兴人。1882年，入陶氏义塾，读书过目成诵，博通经史。15岁即在陶氏义塾任塾师，酷爱历史，鄙视制艺。甲午战败后，萌发投笔从戎、反清革命之志。1895年，任绍兴东湖通艺学堂教习。1900年，北上京城，拟行刺慈禧太后，因戒备森严无法下手，遂离开北京前往东北和蒙古考察。1901年，再次北上欲行刺西太后，因旅费缺乏，被迫徒步南返。1902年，第三次北上京城行刺，依然失败，他认为革命要想

陶成章（前排左二）在日本东京与光复会骨干合影

成功，非掌握军队不可，于是在蔡元培资助下，东渡日本留学。从此，陶成章走上了职业革命家的道路。

关于陶成章在辛亥革命中的历史贡献，有学者总结了以下几条：一是参与创建光复会，并在徐锡麟、秋瑾先后牺牲后，成为光复会后期实际上的领袖（名义领袖为著名学者章太炎），在他的领导下，光复会成为辛亥革命的重要领导力量。二是以极大的精力联络浙江各地会党头目，在“反清革命”的旗帜下，将他们引导到革命的道路上来，壮大了革命队伍。三是在海外筹措巨额经费，支持国内的革命运动。四是经营江浙革命运动，为辛亥武昌起义后东南地区的光复奠定了基础。

陶成章烈士墓

遗憾的是，这位辛亥革命的功臣在革命成功后不到半个月就被政敌派遣的刺客刺杀身亡。孙中山在下令缉拿凶手并抚恤烈士后代的同时，还于1916年8月下旬亲赴浙江绍兴“陶社”祭祀陶成章，亲书“焕卿同志千古”“气壮山河”匾额，再次高度评价。

阅读链接：

胡国枢：《光复会与浙江辛亥革命》，杭州出版社，2002年版。

谢一彪编：《光复会史稿》，人民出版社，2009年版。

前贤不让，洵是鲁连子房一流

——辛亥传奇人物陈其美

陈其美（1877—1916），字英士，湖州人。在辛亥革命领导层中，他是一个带有传奇色彩的人物。他参加革命的时间较晚，当辛亥革命在全国风起云涌的时候，他还在浙江石门县城（今桐乡市崇福镇）的一家名叫“善长典”的当铺当学徒。1906 年夏赴日本留学，入东京警察学校学习，在此期间加入中国同盟会。1908 年春，回到上海，以上海这个中国最大的城市为依托，从事反清革命活动。

陈其美像

陈其美以上海为舞台，后来居上，在辛亥革命中发挥了举足轻重的作用。一是与宋教仁、谭人凤等组建中部同盟会，实现了同盟会武装反清战略的大转移，为辛亥革命的胜利开辟了道路。中部同盟会将长江流域的革命力量联成一体，有力地推动了长江流域各省革命活动的开展，直接促成了武汉两大

杭州孤山陈其美雕塑

革命组织的联合和武昌起义的爆发。陈其美在上海的数年经营，为中部同盟会在上海的成立奠定了基础。学者认为，陈其美与宋教仁是中部同盟会的“两大柱石”。“如果说宋教仁是策划者，陈其美则是实行家。”陈其美以“四捷”（即口齿捷、主意捷、手段捷、行动捷）著称，在上海滩这个华洋杂处、鱼龙混杂的城市，陈其美一手抓住青红帮势力，一手联系以湖州帮、宁波帮为核心的江浙财团势力，这就为他在历史转折关头呼风唤雨奠定了扎实的基础。

1911 年辛亥武昌起义爆发后，陈其美积极策动上海起义，与光复会领导人李燮和等合作，于 11 月 4 日一举光复上海，对稳定和推动革命局势的发展起了巨大的作用。上海光复后，陈其美倡议组织江浙联军，保证了攻打南京战役在指挥上的统一，并在军队、军械弹药和军饷物资等各方面给予江浙联军支持，保证了攻打南京战役的胜利，这就为革命中心由武汉转移到南京创造了条件。之后，他倡仪组建临时中央政府，并大力推崇革命军统帅黄兴为临时政府大元帅，将组建中央政府的主导权

转移到同盟会手中。陈其美并与黄兴、宋教仁等密商推举孙中山为临时政府大总统，在亚洲第一个共和国的建立过程中发挥了关键性的作用。

1913 年“二次革命”失败后，陈其美流亡到日本，在日本积极支持孙中山组织中华革命党，并担任中华革命党总务部长，后又担任中华革命军东南军总司令、淞沪司令长官等，在上海等地领导反对袁世凯专制独裁的武装斗争。1916 年 5 月 18 日，被袁世凯指使的暴徒刺杀于上海萨坡赛路 14 号。

对于陈其美的革命生涯，孙中山给予了高度评价。在陈其美遇难后的第 3 天，即 1916 年 5 月 20 日，孙中山就在致黄兴函中说：“英士忠于革命主义，任事勇锐，百折不回，为民党不可多得之人。”（《孙中山全集》第 3 卷，第 291 页）1916 年 6 月 19 日，孙中山在祭陈其美文中称：“东南半壁，君实锁钥。”（《孙中山全集》第 3 卷，第 309 页）1917 年 4 月，孙中山向中华革命党各支分部发出通告，再次高度评价陈其美，称：“陈君英士，功业彪炳，志行卓绝。……为吾党唯一柱石。”（莫永明、范然:《陈英士纪年》，第 455—456 页）1919 年，孙中山在《建国方略》一书中，又一次高度评价了陈其美在辛亥革命中的历史功绩：“武昌既稍能久支，则所欲救武汉而促革命之成功者，不在武汉之一着，而在各省之响应也。吾党之士皆能见及此，故不约而同，各自为战，不数月而十五省皆光复矣。时响应之最有力而影响于全国最大者，厥为上海。陈英士在此积极进行，故汉口一失，英士则能取上海以抵之，由上海乃能窥取南京。

后汉阳一失，吾党又得南京以抵之，革命之大局因以益振。则上海英士一木之支者，较他着尤多也。”(《孙中山选集》

但正如李新主编的《中华民国史》所指出的：“沪军都督陈其美是一个自称‘以冒险为天职’的人，集豪放与逼狭于一身，敢作敢为，但又爱玩弄权术，当都督后既立有为人们所称道的功绩，也做了些亲痛仇快的事。”

在湖州陈其美墓园的牌坊石柱上刻着两副对联。其一为于右任手书的“春尝秋禘生民泪；山色湖光烈士坟”。其二为蔡元培手书的“轶事足征，可补游侠货殖两传；前贤不让，洵是鲁连子房一流”。一般人认为，蔡元培的对联最逼真最全面地概括了陈其美的特点。一位民国史专家因此称陈其美为“民国第一豪侠”。他写道：“蔡元培说过，陈其美可以和历代侠士齐名列传，称得上是民国第一豪侠。众所周知，

湖州陈其美故居

辛亥革命过程中，会党是一支重要的力量，会党领袖就是传统习惯上所说的江湖义士、绿林好汉。陈其美立志革命之后，就从事运动会党，他的豪放、泼辣的品格，使他在驾驭会党领袖时，能够得心应手。然而，会党毕竟是落后的社会组织，会党领袖同样可以被执政的统治者所收买，陈其美也终于被会党分子所暗杀。同时，陈其美还有另一层重要的品格，他是商人之子，他自己也在商界服务，因而和资产阶级有着密切的联系，他因为得到资产阶级的支持而取得成功，也因为资产阶级的背弃而惨遭失败。他是辛亥革命时期具有峥嵘特异品格的英雄。”（朱信泉主编《民国著名人物传》第 1 卷，第 194 页）

阅读链接：

张学继：《陈其美与辛亥革命》，黑龙江人民出版社，2002 年版。

张学继：《陈其美》，团结出版社，2011 年版。

论功为联军最，纪律之严也过他军

——浙军鏖战紫金山为共和民主开路

清宣统三年九月十五日（1911 年 11 月 5 日），驻杭州的新军第二十一镇步队第四十一协及该镇直属炮队营、工程营、辎重营等部队在同盟会、光复会临时组织的敢死队的配合下举行反清武装起义，推翻清政府在浙江省城杭州的统治机构，宣布浙江独立，脱离清政府的统治。

在上海、杭州相继光复后，沪军都督陈其美倡议组建江浙联军攻打清政府在江南的最后一个重镇南京，得到各方面的积极响应。11 月 9 日，浙江军政府都督汤寿潜下令编组“浙军攻宁支队”（以下简称浙军），调集杭州城内几乎所有的兵力共

朱瑞像

吕公望像

叶仰高像

3000余人，由支队长朱瑞、参谋长吕公望率领，于12日从杭州出发，到达江苏境内后，与镇军、苏军、光复军、沪军等组成江浙联军，总兵力1万余人，在联军总司令徐绍桢统一指挥下攻打南京。

浙军作为联军主力之一，先后在南京郊外的乌龙山、马群与清军展开激战，击毙清军统帅张勋手下大将王有宏，将张勋所部赶回南京城内。

接着，浙军协同镇军、沪军攻打清军在南京紫金山上固若金汤的要塞天保城。为了啃下这个硬骨头，浙军火线招募192名“奋勇队”队员，分成两队，第一队由叶仰高率领100名奋勇队员进攻天保城正面；第二队由张兆辰（字星白）率领奋勇

浙军向紫金山开进

中华民国元年 2 月 15 日，临时大总统孙中山率官员到紫金山明孝陵举行祭告典礼，浙军担任仪仗队

队员 92 名，从侧面进攻天保城。经过十多个小时的激战，终于在 12 月 1 日凌晨占领天保城。在战斗中，“奋勇队”第一队队长叶仰高及多名队员壮烈牺牲。

攻占天保城后，浙军随即在天保城架起大炮居高临下攻击南京城内的清军。当天晚上，清朝两江总督张人骏、江宁将军铁良、江南提督张勋及其残兵败将仓皇出逃，南京宣告光复。12 月 2 日，浙军与联军各部整队入城。

联军攻打南京之役，浙军战功最为卓著。孙中山说：攻克南京之战役，“浙军之力居多”。张謇说：“浙军论功为联军最，而纪律之严也过他军。”汤寿潜说：“此役所以底成功者，实赖浙军誓死血战……此为二十世纪我中国最可尊可敬之军人。”联军总司令参谋茅乃登评论说：“浙军尤奋死力，首摧敌锋，歼渠帅，卒能以兼旬之力，下名城而立政府。”

在南京光复后，陈其美、汤寿潜会同江苏都督程德全发起在南京成立中华民国南京临时政府，特别是身处关键位置的沪军都督陈其美，全力拥戴革命领袖孙

浙军攻克金陵阵亡诸将士之墓

中山与黄兴，在亚洲第一个共和国的建立过程中发挥了关键性的作用。

严格说来，这些功劳不仅仅是陈其美个人的，因为在陈其美的背后，包含着众多的浙籍革命党人的奋斗，也离不开众多浙江商帮人士在经济上的全力支持，宁波帮的虞洽卿、朱葆三、李厚祐、李厚礽、赵家蕃、赵家艺，湖州帮的杨信之、杨谱笙、庞青城、张静江、张弁群、周觉等等，他们不仅仅是拥有巨资的工商领袖，而且他们中的许多人参加了同盟会，成为孙中山的忠实追随者，在辛亥革命前后出钱出力，全力协助陈其美，在辛亥革命过程中发挥了不可替代的作用。

阅读链接：

汪林茂：《浙江辛亥革命史》，浙江大学出版社，2011 年版。

丁贤勇编：《浙江辛亥革命研究集粹》，浙江古籍出版社，2011 年版。

兵学泰斗，抗战功臣

——无双国士蒋百里

蒋百里（1882—1938），名方震，字百里，浙江海宁县（今海宁市）人。他生活在中华民族危机最为深重的时代，为了挽救民族危亡，他自幼立志学习军事，先后留学日本、德国，成为学贯中西的军事理论家、军事教育家。“他一生以国防为其中心思想，以建军工作及军人之精神教育为其不二职志。”（陶菊隐《蒋百里先生传·自序》）

1936 年，蒋方震在书房留影

1912年底，蒋百里出任保定军官学校校长。到校之日，蒋百里向全校师生保证："我此次奉命来长本校，一定要使本校成为最完整之军校，使在学诸君成为最优秀之军官。将来治军，能训练出最精锐良好之军队。"从1912年至1923年，保定军官学校共招收9期学生，毕业生共计6574人。在国民党将领中，保定军校毕业生占有很大比例。其中一级上将3个，二级上将10个，上将（包括追赠上将）14个，加上将衔12个，中将（包括追赠、加中将衔）220个，挂中将衔53个，少将137个，挂少将衔21个。保定军校毕业生在国民党政府的政治、经济及外交方面的影响也很大。有40多人担任过国民党政府的重要行政职务，包括行政院代院长副院长、内政部部长、经济部常务次长、监察院副院长、交通部部长副部长、航政局局长、驻外公使，还有十几个重要省份的省政府主席，更多的人担任过厅长、局长等，很多人还当选过国民党中央执行委员会委员。在国民党政府开办的53所军事学校中，保定军校毕业生在其中的31所学校中担任过校长、教育长等职务。蒋百里任保定军校校长不足1年，但他是保定军校历史上学问最大、名气也最大的校长。因此之故，凡是保定军校毕业生都以做蒋百里的学生为荣。

蒋百里像

蒋百里是近代中国少有的学贯中西、汇通古今的军事理论家。几十年间，他一直用他的如椽大笔，不断地著译，为建立中国自己的军事学理论贡献了

他毕生的智慧与精力，他在中国近代军事学领域的贡献是多方面的：（1）全面系统地介绍西方近现代的军事理论，包括对西方战争观的介绍，介绍西方的义务兵役制，对制空权理论的介绍，对西方总体战略思想的介绍等。（2）首创国防经济学理论，这个理论发端于《军事学识》《裁兵计划书》《义务民兵制草案释义》《中国五十年军事变迁史》等论著，继续发展国防经济思想；1934年发表的《从历史上解释国防经济学之基本原理》，正式提出了国防经济学的理论。1937年蒋百里在出版《国防论》时，又写了《国防经济学》（导言第一种至第三种），标志着蒋百里提出了完整的国防经济学理论。蒋百里指出："我于世界民族兴衰，发见一条根本的原则，就是生活条件与战斗条件一致者强，相离者弱，相反者亡。"这一结论，来自蒋百里对于古今中外各民族兴亡史的科学考察，是他多年来研究国防问题得出的精辟结论。余子道先生在《蒋百里国防经济思想述论》一文中，对于蒋百里的国防经济理论有如下的评价："蒋百里的国防经济思想含有丰富、深邃的内容，涉及于历史、军事、经济、科技等诸部门学科，既富于科学哲理，又具有现实指导意义，是中国近代军事思想发展史上的一个丰碑，为近代中国军事理论中的一块瑰宝。"（3）近代国防理论奠基人。1937年夏，蒋百里在庐山讲学期间，庐山训练团编印了蒋百里的著作《国防论》。这本书，被赞誉为"民国国防思想的奠基石"，蒋百里因此成为中国近代国防理论的奠基人。

蒋百里还是抗日战争的重要功臣。蒋百里从留学日本学习军事开始，就立下宏愿，要为改变自己祖国受侵略受奴役的厄运而贡献自己的才智。在蒋百里的军事思想中，他那颇具预见性和前瞻性的抗日战略思想占有极为重要的地位，也是他对近代中国军事思想发展的又一重大贡献。他第一个指出日本是中国唯一的敌国，他说："我们跟日本人这一仗非打不可，几十年来，日本一直不希望中国出现领袖人物，不希望看到中国统一。"（蒋百里《军国主义之衰亡与中国》）他第一个预言中国的

阅读链接：

陶菊隐：《蒋百里传》，中华书局，1985年版。

张学继：《蒋百里生平及军事思想研究》，中国文联出版社，1998年出版。

张学继：《兵学泰斗——蒋方震传》，杭州出版社，2004年版。

抗日战争必须是持久战。“感谢我们的祖先，中国有地大、人众的两个优势条件，不打则已，打起来就得运用拖的哲学，拖到东西战争合流，我们转弱为强，把敌人拖垮而后已。”他提出了一套关于“国防中心区”建设的构想，“将来有这么一天，我们对日作战，津浦、京汉两路必被日军占领。我们国防应以三阳为据点，即洛阳、襄阳、衡阳”。到后来，蒋百里又完善了他的“国防中心区”建设的构想。他主张把国防线划定在大约东经113度线上，即大体北起太原，经洛阳、襄阳南至衡阳（即三阳线），大致是中国东部平原与西部山地的连接带。他提出，此线以东地区，我宜利用空间换取时间，消耗和疲敝敌人，同时积蓄力量，加强战略后方；此线以西，资源丰富，幅员辽阔，足以持久抗战。中日全面战争发生后，中国战时大本营宜设于芷江、洪江一带，这地区有森林、矿产，又有沅江流贯其间，是天然的防守地带。空军基地则以昆明为宜。蒋百里根据他的预测，提出了一系列关于国防建设的设想。抗战历史已经证明了蒋百里的预见性。

蒋百里对日本大和民族有深刻的研究，1938年出版《日本人—— 一个外国人的研究》，发行量达到10余万册。《大公报》主笔王芸生评价说：“这本书虽是为国际宣传而作，却是一本不朽的名著，尤足代表百里先生文章的特色及风格。……‘胜也罢，败也罢，就是不要同他讲和！’这话是我们抗战的指针。同胞们，我们宁忍心忘掉了百里先生，但万万不要忘掉了他这句最最要紧的话！”

蒋百里还是中国抗战必胜论的有力宣传者，针对抗日战争初期以国民党副总裁汪精卫为代表的民族投降主义分子对抗日战争悲观失望、鼓吹抗日亡国的谬论，蒋百里应汉口《大公报》主笔王芸生之约，拿起他的如椽大笔，写下了《抗战一年之前因与后果》《抗战的基本观念》一系列煌煌大文，驳斥失败主义论调，宣传抗日必胜论的真知灼见，一扫“亡国论”的阴霾，极大地鼓舞与振奋了中国人民争取抗日战争胜利的信心。他的文章，“文笔生动，感情丰富，论断明决，尤尽力建设国民之心理国防，影响军人青年心理甚大，功在文坛，不下战场”。

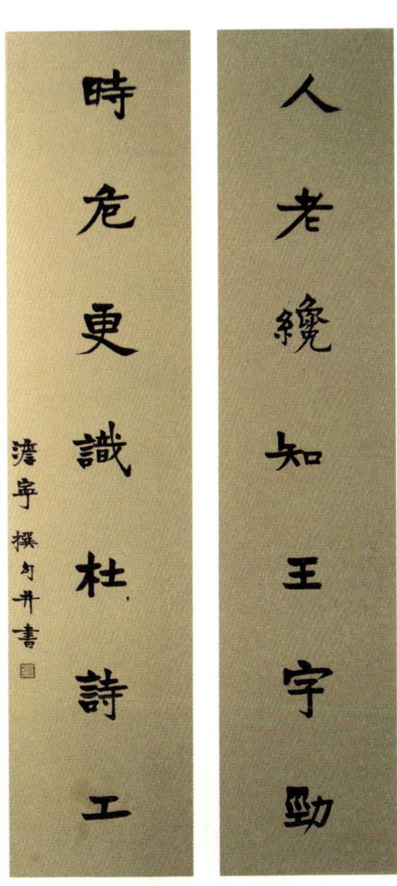

蒋百里手书七言联

1938 年 11 月 4 日凌晨，时任国防大学代理校长的蒋百里在主持国防大学从湖南常德迁往贵州遵义途中，因心脏麻痹症突发在广西宜山县城旅店去世，年仅 57 岁。本来是他发挥军事才干的最好时机，却被突如其来的疾病夺去生命，这是中国抗战事业的重大损失。黄炎培在挽联中写道：“天生兵学家，亦是天生文学家，其才略至战时始显。”

此老真倔强，致身惟利物

——民国第一善人朱庆澜

在民国时代的慈善人物中，贡献最大、影响最大的，无疑当推朱庆澜，他是名副其实的民国第一善人。

朱庆澜（1874—1941），字子桥，浙江绍兴县钱清乡渔后村人，其父朱锦堂终生在山东任刑名师爷，1874 年 3 月 11 日，朱庆澜出生在山东首府济南。朱庆澜 5 岁丧父，10 岁嫡母弃养，15 岁遭生母之丧。身为长子，自少年时代即挑起养家糊口的重担。1893 年随父亲生前朋友、新任奉天府尹松林前往关外谋生，初任巡警总局巡检，后转入巡防营，因作战勇敢，由哨长、队官、管带、统领，一步一个脚印，成为奉天有名的青年将领。1904 年，赵尔巽出任盛京将军后，对这位干练有为的世交（赵尔巽的父亲任山东巡抚时，朱庆澜的父亲是赵父最信赖的幕僚）十分欣赏，立即调他为奉天营务处督办，并让他兼任步、骑、炮八营统领，作

朱庆澜像

为将军府的亲兵卫队。1909年6月，赵尔巽调任四川总督，朱庆澜随同入川，初任四川巡警道，次年任四川新军第三十三混成协协统，1911年升任第十七镇统制。朱庆澜虽然不是同盟会员，但他同情革命，主动延聘留日归国的同盟会员程潜、方声涛、姜登选等到第十七镇任职，并且利用自己的职务掩护他们从事革命活动。1911年11月27日，四川宣布光复，成立大汉四川军政府，朱庆澜因为同情革命，被推举为大汉四川军政府副都督。但为时不久，尹昌衡等人打着“川人治川”的口号发动兵变，朱庆澜与程潜、方声涛、姜登选等外省籍人士被迫全部离川。

1912年3月，朱庆澜任黑龙江督军公署参谋长，1913年10月，任黑龙江护军使。1914年6月改任黑龙江将军，至1916年6月止。在黑龙江掌握大权4年，政绩斐然，却不妄取分文，离任时依然是两袖清风，骑马挎刀带随从清清白白而去，成为当时美谈。

1916年10月，朱庆澜出任广东省长。上任后，全力支持孙中山领导的护法运动，并将省长警卫军20营兵力交给孙中山，从此孙中山领导的国民党才有了自己的正规武装。

朱庆澜辞去广东省长后，应江苏省长王瑚的邀请，到苏北射阳河北岸创办华成泰和盐垦公司，任董事长。将盐碱地改造成良田，解决当地百万人的生计问题。

1922年10月，经孙中山推荐，东三省保安总司令张作霖任命朱庆澜为中东路护路军总司令，不久又兼东三省特别行政区行政长官。在任期间，不仅协助张作霖收回中东铁路共同管理权和森林资源经营权，收回松花江、黑龙江航行权，而且在开发建设哈尔滨方面也有十分突出的成绩。但由于不赞同“东北王”张作霖穷兵黩武的内战政策，朱庆澜在第二次直奉大战前夕挂冠而去。

1925年冬，张作霖在战胜直系军阀曹锟、吴佩孚之后，控制了北京中央政府。他本来还想重用朱庆澜，但朱庆澜认为各派军阀混战不休，建设无从着手，遂婉言

谢绝，从此脱离军政两界，全心身投入社会救济与慈善事业，成为周济天下苍生的民国第一善人。

20世纪20年代中后期，华北各省，特别河南、山东两省饱受军阀混战的蹂躏，再加上旱魃肆虐、贪官污吏反复搜括，致使这两个省饿殍遍野。朱庆澜心伤之余，决定立即行动起来，他一面组织灾民赴东北吉林、黑龙江开垦荒地，一面联合北京、天津各慈善团体成立华北慈善联合会，募集到180万元，然后亲到东北购买18万担粮食运到华北灾区，将冀、鲁、豫三省及天津数百万濒临死亡边缘的灾民救活。

1928年以后，西北各省特别是陕西、甘肃两省连续3年大干旱，而且雹灾、蝗灾、瘟疫一起袭来，连年绝收，赤地千里，十室九空。属于重灾区的陕、甘两省居民初则食野菜树皮树叶，继则啃食死尸，甚至易子而食，数百万人死亡。面对这惨绝人寰的旱情，国民党当局熟视无睹，各派军阀依然争战不已，更使灾情雪上加霜。朱庆澜亲至西安调查灾情，目睹尸横遍地之惨状，立即以华北慈善团体联合会会长名义，发起“三元钱救一命”的大规模募捐行动。在他的号召下，各界人士纷纷解囊，甚至寓居天津的前清逊帝溥仪也对朱庆澜说：“三元钱救一命，我拿出三千元救一千条性命。”这次朱庆澜共募捐到数百万元，到东北购买16万担粮食，亲自押运粮食通过国民党新军阀混战的主战场河南前往陕西，一路上想劫夺这批粮食的军队与土匪团伙甚多，但慑于朱庆澜的崇高威望，最终全都放弃了劫粮的邪恶念头。1930年5月14日，朱庆澜押运赈粮抵达陕西，

不顾劳累，第二天即率领慈善工作人员，乘破旧卡车奔赴重灾区。当时，陕西武功存活灾民多日未食，竟至口不能语。朱庆澜见到奄奄一息的灾民，令工作人员将水滴入口中施救，一位老妇未得，即以手指口索要。朱庆澜令司机：“把水箱中的水吸出给她喝！”司机面有难色说：“水箱无水，车如何开得？”朱庆澜说：“救人要紧，即便大家辛苦走回去，亦不忍见灾民受苦！”仅这一天，滴水救活的灾民达 700 多人。许多灾民衣不遮体，一些青年妇女亦赤身裸体，见人避入杂物或钻进窑洞。朱庆澜立即脱下夏布长衫，撕成数块，送给妇女遮体，随行工作人员亦纷纷效仿。从灾区返回，朱庆澜立即重返天津，筹措衣物、布匹，运往灾区。同时，还在西安、扶风等地设置教养院，收容无家可归的儿童上千人。1931 年 1 月，陕西籍的国民党元老、南京国民政府监察院院长于右任在陕西视察灾情期间见到朱庆澜，对他说：“我等陕西之子子孙孙永远不会忘记您。”

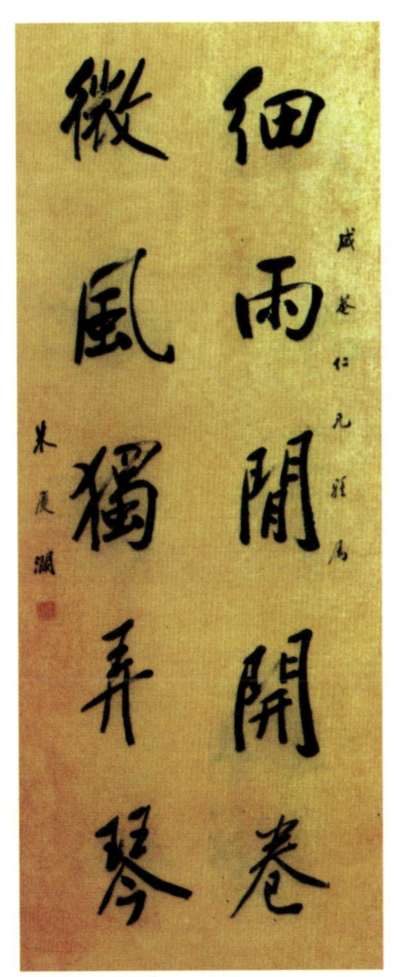

朱庆澜手书联语

1931 年长江、淮河流域发生空前的洪灾，受灾地区达 8 省，受灾人口 1 亿以上，占全国人口 1/4。灾情发生后，南京国民政府决定成立“全国救济水灾委员会”（以下简称全救会），由朱庆澜与行政院副院长宋子文、内政部长刘尚清、实业部长孔祥熙、赈务委员会委员长许世英等 5 人任特派员。8 月 16 日，宋子文任全救会委员长，朱庆澜任委员兼灾区工作组主任，下设急赈、工赈、农赈、运输四处，

几乎包揽了全部救济工作。他深入灾区，查勘灾情，有针对地给予救济。在洪水消退后又主持以工代赈，修复被洪水冲毁的江堤。长达数月的操劳，使其劳累昏迷，经抢救才得苏醒。

江淮洪水刚退，日寇发动“九一八事变”，以武力侵占东北三省。朱庆澜被推举为东北后援会会长，积极支持东北义勇军抗日，并救助流亡关外的东北人士。1933 年后，朱庆澜相继担任东北热河后援协进会会长、辽吉黑民众后援会会长，支持抗日，拯救流离失所的难民。

1936 年 2 月，由军事委员会副委员长冯玉祥推荐，朱庆澜担任南京国民政府赈务委员会委员长。1937 年抗日战争爆发后，年过花甲的朱庆澜以极大的爱国热情主持战区难民救济与转移工作，并在后方各城市设立难民救济站，同时设立难童教养院，收养失去亲人的儿童。

朱庆澜为上海市民义勇军题词

1938 年 6 月 9 日，国民党最高统帅部下令掘开花园口段黄河大堤，水淹日军的同时，也淹灭了河南、江苏、安徽等数十县的老百姓，致使数百万人民无家可归。朱庆澜见此情景，立即建议运送灾民前往陕西黄龙山区开垦谋生。这个建议得到国民政府采纳，朱庆澜担任黄龙山垦区管理局局长，主持开垦事宜，在潼关设立救济总站，护送难民到垦区落户，并按照

苏联模式创建眉扶第一集体农场，使他们落户谋生，安置了无数的黄泛区灾民及陕西本地灾民。

朱庆澜后半生全心身投入慈善事业，经手的款项数以千万计，但他公私分明，募捐来的款项自己一分钱也不沾染，他和自己家人的生活开支，全部靠朋友的接济。多年的奔波和劳累，使朱庆澜积劳成疾，咯血不止。1941 年 1 月 13 日，朱庆澜病逝于西安，西安各界以隆重的葬礼将他安葬在终南山麓。在葬礼上，送葬的人们齐声唱起了《朱子桥将军之歌》:“……朱公的精神,后人的榜样。朱公的精神,如日月之光！”

在重庆，军事委员会委员、一级上将冯玉祥发表《哭朱将军》:“朱子桥，老将军，我民国，大伟人，一生最清廉，行兼智仁勇。只知有国，不知有身。公而忘私，识远器深。宽厚为怀，勤劳诚恳。四川、广东、东三省，所到之处留美名。……大仁大义，一片慈心，全国人民记在心中。”

军事委员会代理参谋总长、一级上将程潜含泪写下《朱子桥先生挽诗五首》，高度评价老长官朱庆澜周济天下苍生的伟大胸怀，诗云:“难纷久不息，生民多阻饥。穷居企兼善，虚室廑深思。洪水荡长江，老幼苦流利。缨冠拯昏垫，发廪苏孑遗。千万一时尽,家无升米私。勤惠本天性,私谥复何疑？”“此老真倔强,致身惟利物。”

阅读链接：

邵桂花、陈志新：《朱庆澜传略》，吉林人民出版社，2003 年版。

《齐齐哈尔文史资料》编辑部编：《朱庆澜先生史料专辑》，1986 年编印。

示威常忆南京路，领队高歌义勇军

——沈钧儒与抗日救亡运动

1931 年 9 月 18 日，日本侵略军以武力进攻我国东北，国民党中央当局及东北地方当局均采取不抵抗政策，致使东北三省锦绣河山很快沦陷，随后，日本侵略者在东北搜罗汉奸败类，在东北建立了伪满洲国。日本侵略者得寸进尺，随即将侵略魔爪伸向了华北，到 1935 年前后，华北五省二市已处于名存实亡的地步，第二个伪满洲国呼之欲出。面对半壁江山沦陷、亡国灭种惨祸即将临头的严重局面，中国共产党首先高举抗日民族统一战线的旗帜，呼吁国民党当局停止内战、一致抗日。中国共产党的呼吁，在国民党统治区首先得到了民族资产阶级、小资产阶级、知识分子、城市市民群众等的响应，以上海、北平、南京等大城市为中心，形成了一个有广大群众参与的抗日救亡运动。这场运动的领头人就是沈钧儒。

沈钧儒（1875—1963），号衡山。浙江秀水县（今嘉兴市）人，出生于苏州，其先世是官宦世家、书香门第。清光绪三十年（1904）中进士。次年赴日本留学，毕业于东京私立法政大

沈钧儒（前排左一）等救国会领袖走在游行示威队伍的前头

学速成科，毕业回国后参与立宪运动，曾任浙江省谘议局副议长。1912 年中华民国成立后，沈钧儒积极参加政党政治活动，企图移植西方资产阶级的民主政治于中国，再次遭到失败，他个人也到处碰壁。20 世纪 20 年代末，沈钧儒开始长期担任上海法学院教务长，培养法学人才，同时加入上海律师公会，兼做律师职业。

沈钧儒是一位伟大的爱国者。1931 年“九一八事变”后，他先后发起成立浙江省国难救济会、中华民国国难救济会，为抗日救亡而奔走呼吁，被人称为“政治律师”。1935 年 8 月 1 日，中共中央发表《为抗日救国告全体同胞书》(即著名的“八一宣言”)，宣言明确提出了建立抗日民族统一战线，提出了抗日民族统一战线的组织形式——抗日联军及国防政府，并提出了抗日救国十大纲领等。在“八一宣言”的启迪与中共地下党组织的具体组织与推动下，沈钧儒等人的爱国激情更加高昂。1935 年 12 月 9 日，北平发生要求抗日救亡的爱国学生运动，沈钧儒等在上海迅速响应。月底，上海文化界救国会成立，沈钧儒在成立大会上宣布：“本会以团结上海文化界同人，

推动文化运动，发扬民族精神，保障国家主权领土之完整为宗旨。……目前各地学生已首先发动救国运动，整个文化界自应加以声援，并团结全国民众，务期达到救国之总目标，争取中华民族解放之实现。”（周天度等编《救国会史料集》，第 73 页）

在此前后，上海妇女界救国会、上海各大学教授救国会、上海职业界救国会、上海国难教育社、上海市小学校救国联合会、上海学术界救国会、上海电影界救国会等团体相继成立，形成了以上海文化界救国会为中心的抗日救亡运动。沈钧儒不仅是德高望重的长者，而且是政治斗争经验丰富的战士，自然而然成为上海抗日救亡运动中众望所归的领袖人物。1936 年 1 月 28 日，上海各救亡团体宣布成立上海各界救国联合会，沈钧儒被一致推举为上海各界救国联合会主席。

上海各界救国联合会组织的抗日救亡的示威游行等活动，走在队伍前列的，总是这位身材矮小、胸前飘着美髯、步履坚定沉着的长者，其情景十分感人。

著名教育家陶行知于 1936 年 7 月 13 日写下了《留别沈钧儒先生》组诗，共四首，热情歌颂了沈钧儒崇高的爱国主义精神，其中第二、三首写道：“老头！老头！他是中国的大老，他是同胞的领头。他为了中国得救，他忘了自己的头。唯一念头，大众出头！”“老头！老头！他是中国的大老，他是战士的领头。冒着敌人的炮火，要报四十年的冤仇。拼命争取，民族自由！”（周天度等编《救国会史料集》，第 153 页）

曾经参与上海抗日救亡运动的著名剧作家、诗人田汉在沈

沈钧儒（后排右三）等七君子于 1937 年出狱后拜会爱国老人马相伯

钧儒去世后写下《挽沈老》，诗的最后两句是：“示威常忆南京路，领队高歌义勇军。”十分生动形象地勾画了当年沈钧儒领导上海抗日救亡运动的情景，不愧是诗人神来之笔。

1936 年 6 月 1 日，全国各界救国联合会在上海宣布成立，大会通过了沈钧儒等起草的《全国各界救国联合会成立大会宣言》《抗日救国初步政治纲领》《全国各界救国联合会章程》等文件，沈钧儒与章乃器、陶行知、李公朴、王造时、沙千里、史良等 14 人为常务委员，沈钧儒以常委兼组织部长，成为全国救国联合会的最重要领导人之一。

7 月 15 日，沈钧儒与章乃器、陶行知、邹韬奋等 4 人联名发表《团结御侮的几个基本条件与最低要求》，系统地阐述了关于救亡联合阵线的立场与主张，并对国内各党派提出具体的希望与要求：要求执政的国民党改变先安内后攘外的政策，停

1937 年 7 月 31 日，“七君子”出狱后合影，左起依次为：王造时、史良、章乃器、沈钧儒、沙千里、李公朴、邹韬奋

战议和，共同抗日；赞同中国共产党在“八一宣言”中提出的停战内战、联合各党各派共同抗日救国的主张，希望共产党在具体行动上，表现出主张联合各党各派抗日救国的一片真诚；要求全国民众“竭力督促政府抗日，而且尽可能与政府合作，从事抗日”。文章最后引用三国时代曹植的《七步》五言诗：“煮豆燃豆萁，豆在釜中泣。本是同根生，相煎何太急！”文章希望同是炎黄后裔的国民党与共产党立即停止互相残杀的内战，化干戈为玉帛，共同对敌。“只有掉转枪头一致向外，才是我们唯一的出路。”

《团结御侮的几个基本条件与最低要求》与此前发表的救国会宣言、纲领、章程等重要政治文件，在全国引起广泛而热烈的反响。但国民党当局无视全国人民要求抗日救亡的愿望，

继续顽固推行先安内后攘外的反动政策，并于1936年11月下旬悍然逮捕了沈钧儒与章乃器、邹韬奋、李公朴、王造时、沙千里、史良等救国会领袖，这就是震惊国内外的“七君子事件”。

沈钧儒等“七君子”被捕后，在狱中始终坚持“爱国无罪”的立场，与国民党当局展开了针锋相对的斗争。1937年7月全面抗战爆发后，国民党当局迫于全国舆论的压力，于7月31日将“七君子”释放。

阅读链接：

周天度、孙彩霞：《沈钧儒传》，人民出版社，2006年版。

周天度、孙彩霞编：《救国会史料集》，中央编译出版社，2006年版。

周天度编：《沈钧儒文集》，人民出版社，1994年版。

安危谁与共，风雨忆同舟

——第二次国共合作功臣张冲

八年抗日战争期间，对于在抗日战场上为国捐躯的将领，如佟麟阁、赵登禹、郝梦龄、张自忠、王铭章、戴安澜等，共产党与国民党一道表示隆重的悼念，这是可以理解的。但对于非死于战场的国民党文官，共产党公开表示隆重悼念并给予高度评价的极为罕见，张冲可以算是一个特例。

张冲像

张冲（1904—1941），字淮南，亦作怀南，浙江乐清人。1919 年考入温州的浙江省立第十中学学习，1923 年毕业后考入交通大学北平铁道管理学院，同年加入中国国民党。1925 年转学哈尔滨中俄工业大学，次年又考入哈尔滨政法大学。不久担任国民党哈尔滨市党部委员兼青年部长、特派员。因参加反对奉系军阀张作霖的活动，于 1927 年 3 月被奉系军阀逮捕下狱，幸赖母校哈尔滨政法大学校长雷殷的庇护，幸免于难。1929 年，张

冲被释放后前往南京国民政府首都南京。由于他才华出众，熟谙俄语，通晓苏联事务，深得掌管国民党党务、特务等大权的陈果夫、陈立夫兄弟器重。1930 年，任国民党中央组织部调查科（“中统”前身）采访股总干事，主管情报事务，成为“中统”的骨干与“智多星”，一手制造了许多反共大案与要案。顾顺章事件发生后，张冲曾带中统特务到上海抓捕在沪中共中央机关首脑，在抓捕落空后，张冲炮制了“伍豪启事”，企图致中共主要领导人周恩来于死地。但就是这么一个长期处在反共第一线的国民党特务首脑，面对日本军国主义灭亡中国企图的全面暴露、中华民族亡国灭种危机的日益加深，张冲的思想发生了深刻变化，他曾私下对同事说：“中国四万万人联合起来抗日，尚未必有把握，岂能再有内战？最好让出几省给中共施行土地政策和政治改革，我们与他们作政治比赛。”（《江苏文史资料》第 45 辑，第 16 页）从这时开始，张冲坚决主张恢复孙中山的三大政策，联共抗日，并为实现这个目标作出了巨大的努力。

1935 年 11 月，在国民党第五次全国代表大会上，张冲当选为国民党中央执行委员，从此，他以这个身份为建立国共合作奔走牵线。张冲奉命先后同中共代表潘汉年、周恩来等进行了长达数年的艰苦谈判，为第二次国共合作的建立作出了重要贡献。周恩来在《悼张淮南先生》一文中说：“我识淮南先生，虽在‘西安事变’之后，但淮南先生奔走两党团结，却早在‘西安事变’之前。临潼变作，淮南先生亦被羁留近两旬，我于事后知之，以不及谋面为憾。事平，先生复入陕，遂得相见。为商两党团结事，几朝夕往还，达三四月。彼时，甚至以后，参与其事者固不仅先生一人，唯先生为能始终其事。先生与我，并非无党见者，唯站在民族利益之上的党见，非私见私利可比，故无事不可谈通，无问题不可解决。……其后，淮南先生伴我一登莫干（山），两至匡庐（庐山），凡所奔走，靡不与闻。因先生之力，两党得更接近，合作之局以成。”

1937年春夏之交，张冲（中）与周恩来（右）、叶剑英（左）在西安合影

全面抗战爆发以后，杨杰、张冲分别担任正副团长，率领“国民政府工业部赴苏实业考察团”出访苏联，争取苏联对中国抗战的支持与援助，并采购急需的军需物资。随着共产党及其领导的八路军、新四军在敌后战场的发展壮大，国共摩擦纠纷越来越多，国民党内的反共情绪也越来越强烈。1939年底，张冲又被蒋介石推到了国共谈判的第一线。但为时不久，国民党制造‘皖南事变’，使国共关系达到全面破裂的边缘，身为国民党的谈判代表，张冲处境十分困难，尽量做一些亡羊补牢的工作，不使亲痛仇快的事态继续恶化，他穿梭奔走于周恩来与蒋介石之间，不断传话解释沟通。张冲全力维护国共合作抗日的态度，遭到了国民党内反共强硬派的敌视。在国民党军政要员

参加的一次会议上，一个顽固派将领对张冲破口大骂，并将桌子上的茶杯向张冲掷来，张冲受此侮辱，感到气愤，也深感自己处境之险恶。为此，张冲作好了以身殉国的思想准备，他给家人留下遗嘱，并交代自己的亲信："我一旦身遭不测，你必须把保险柜里我和周恩来先生历年往来的信件全部烧毁，不能留下一书半纸。"

周恩来在《悼张淮南先生》中说:"此中风浪之险，环境之恶，为五年来所创见，先生劳神焦思，力维大局，备极憔悴。"1941 年 6 月 21 日，张冲突然染上致命的伤寒病，住进了重庆歌乐山的中央医院，因医治无效，于 8 月 11 日去世。

对于张冲的逝世，国共两党给予了隆重的悼念。当天晚上，国民党中央社发布了新闻消息。蒋介石送的挽联是："赴义至勇秉节有方，斯人不永干将沉光。"蒋介石随即着侍从室主任贺耀组主持大殓典礼，国民党中央、国民政府及军事委员会各部、委、会等单位均派员与祭。10 月 9 日，国民政府发布褒扬令，11 月 9 日，在重庆夫子池新运服务社大礼堂举行追悼大会，蒋介石等国民党众多要员出席。中共方面，中共代表周恩来、董必武、邓颖超、钱之光等出席了追悼会。中共领导人毛泽东、林伯渠、吴玉章、董必武、陈绍禹、秦邦宪、邓颖超等 7 人联名送的挽联是："大计赖支持，内联共，外联苏，奔走不辞劳，七载辛勤如一日；斯人独憔悴，始病寒，继病疟，深沉竟莫起，数声哭泣已千秋。"第十八集团军正副司令朱德、彭德怀送的挽联是："国士无双，

1937 年 3 月，国共两党谈判代表张冲（右）、周恩来（左）在杭州谈判期间留影。

斯人不再；九原可作，万里相招。”

与张冲结下深厚友谊的周恩来更是深致哀悼，亲自参加追悼会，致送挽联：“安危谁与共，风雨忆同舟。”寥寥十字，确切恰当，更显感情真挚，寄意深沉。周恩来还在重庆《新华日报》发表《悼张淮南先生》一文，以饱含深情的笔触全面回顾与张冲先生谈判折冲5年的历史，对张冲为建立和维护国共合作的作用，给予高度的评价。文章最后说：“淮南先生的精神尚在，这是团结的象征。前线的血还在流，怎能分得出属于何党何派？碧血丹心，精忠报国，都是我们中华民族的优秀儿女，而淮南先生正是其中杰出的一个。”

1995年秋，乐清市人民政府将张冲遗骨安葬在他老家北白象镇瑄头村狮子山上，高大墓碑上刻着周恩来的手迹——张淮南先生。配以张冲事略碑文、周恩来《悼张淮南先生》全文以及中共第一代领导人挽张冲挽联。

智言慧思

居官以正己为先，不独当戒利，亦当远名。

——（明）刘大夏

人生盖棺论定，一日未死，即一日犹责未已。

——（明）刘大夏

阅读链接：

马雨农：《张冲传》，团结出版社，2012年版。

为国捐躯，名垂青史

——抗日名将陈安宝

陈安宝像

陈安宝（1891—1939），字善夫，浙江黄岩县（今台州市黄岩区）人。早年在家乡读完小学。1911 年，赴南京投考入伍生队。1912 年中华民国成立后，转入武昌陆军第二预备学校学习。1914 年 8 月，考入保定陆军军官学校第三期步兵科，1916 年 12 月毕业，分发到浙军服役，初在浙军第一师第三团任见习官，后转入浙军第二师，先后任排长、连长。1926 年，浙军第二师改番号为国民革命军第二十六军，先后在该军第一师及第六师任营长、团长。1931 年，升任第十七旅旅长。1932 年 5 月，任第七十九师副师长。1936 年 1 月，被国民政府授予陆军少将军衔。4 月，任第二十九军第七十九师师长。

1937 年 7 月 7 日，抗日战争爆发，陈部奉令率部到河南辉县一带集结，加入程潜任司令长官的第一战区战斗序列。同年 10 月，奉命率部加入淞沪战场担任阻击牵制日军的任务。1938 年 2 月，奉命率部队从诸暨渡富春江攻击余杭的日军，采取“围城打援”的办法，用一部分兵力直扑余杭县城，另一部分则在中途设伏，袭击从杭州方面来援的敌军，给日军以重大杀伤。8 月，任第二十九军军长，仍兼第七十九

师师长，移防江西永修。12 月，辞师长兼职，专任第二十九军军长。

1939 年 3 月 27 日，侵华日军第一〇一师团占领江西省会南昌，我统帅部决定乘敌人立足未稳之机，由第九战区与第三战区协同作战反攻南昌。预计使用的兵力是第九战区的第一、第十九、第三十集团军与第三战区的第三十二集团军，共 10 个师，由第十九集团军总司令罗卓英统一指挥。第三战区参战的部队是第三十二集团军（总司令上官云相），下辖陈安宝任军长的第二十九军（辖第十六、第二十六、第七十九、第一〇二师）以及预备第五师、预备第十师。统帅部下达给第三十二集团军的作战任务是，以 3 个师的兵力由赣江以东进攻南昌，并组织 1 个团的部队，以奇袭手段袭取南昌。4 月 23 日，陈安宝指挥第二十九军第十六、第七十九两个师与预备第五师、预备第十师一部在上官云相总司令的指挥下，渡过抚河，向南昌方向攻击前进，于 26 日进抵南昌南郊。27 日，日军集中第一〇一师主力实施反击，在猛烈炮火及空军火力支援下，与中国军队激烈争夺南昌南郊的各村庄据点。第二十九军第七十九师师长段朗如因部队伤亡过大，不得不于 28 日夜间改变原定作战计划，并及时向第二十九军军部与第三十二集团军总司令部作了报告。上官云相总司令接到报告后以段朗如师长擅自更改作战计划为由，报请第三战区司令长官部批准将段朗如撤职查办。蒋介石急于攻克南昌，在接到报告后下令以贻误军机罪将段朗如“军前正法”，令第十六师师长何平“戴罪图功”，并

命令上官云相总司令到前方督战，并不切实际地下达了于5月5日以前攻克南昌的命令。蒋介石这种十分草率与随心所欲的严厉处置，无疑给参战部队官兵带来空前的压力，带给陈安宝军长的震动尤其大，因为第七十九师是他一手训练出来的部队，现在遭到如此处置，让他感到十分难过，好几天没有吃饭。

陈安宝烈士陵园

5月2日，第二十九军第一〇一师投入战斗，先后收复向塘、市汊街。第二十九军第十六师一度攻克沙潭埠，但不久又被日军夺去。上官云相令第二十九军第二十六师加入战斗。5月3日，陈安宝奉命指挥第二十六师、第七十九师第二三七团及预备第五师反攻。由于时间紧迫，陈安宝未等部队全部调齐，就带领幕僚班子先行抵达茌港指挥。这是一场十分惨烈的战斗，敌我双方的争夺达到白热化，由于日军武器装备占优势，我军伤亡十分惨重。5月5日下午，第二十六师师长刘雨卿受重伤，预备队拼光。5月6日下午4时许，陈安宝军长带领随从官兵冒着日军的猛烈炮火赶往前沿阵地指挥，途中在稻田的田埂上中了日军的炮弹，壮烈殉国。

1939年夏，陈安宝烈士的灵柩运回家乡，安葬在家乡横街山，沿途数万群众设祭，悼念抗日英雄魂归故里。

1940年7日7日，国民政府发布命令，追赠陈安宝烈士为陆军上将。褒扬令称：

"陆军第二十九军军长陈安宝，久经战阵，夙著勋劳，洊领军符，盖以捍卫国家自矢。南浔诸役，督率所部，奋勇转战，屡挫凶锋，不幸在莲塘阵地殉职，深堪轸悼，应予明令褒扬，交军事委员会从优议恤，生平事迹，存备宣付国史馆，以彰忠烈。"

1940年8月，中国共产党在延安为张自忠、陈安宝、郑作民、钟毅等在抗战中牺牲的将军举行追悼大会。中央大礼堂悬挂着毛泽东主席题写的"尽忠报国"、朱德总司令题写的"取义成仁"、周恩来副主席的"为国捐躯"，各方面人士送的挽联很多。大会给张、陈、郑、钟等将军的家属发了慰问电。

1983年12月，中华人民共和国民政部正式追认陈安宝为革命烈士。1984年4月6日，黄岩县人民政府决定，将抗战初期陈将军捐资重建的作新小学，恢复以烈士命名的"安宝小学"。1995年，修建陈安宝烈士陵园，前国防部长张爱萍题写了"陈安宝烈士陵园"几个大字，并题词"为国捐躯，名垂青史"。原中央军委副主席、国务委员兼国防部长迟浩田上将题写了"抗日名将陈安宝之墓"。整个陵园气象恢宏，庄严肃穆，成为弘扬爱国主义的重要基地。

阅读链接：

美溪：《抗日殉国的陈安宝将军》，《黄岩文史资料》（第1期）。
郭汝瑰、黄玉章主编：《中国抗日战争正面战场作战记》（下册），江苏人民出版社，2002年版。
郑九蝉等：《金头颅：抗日名将陈安宝传》，浙江教育出版社，2009年版。

血荐许昌古城

——抗日名将吕公良

吕公良像

吕公良（1903—1944），原名吕周，开化人。1923年考入衢县第八中学师范部读书，1926年毕业。同年8月考入黄埔军校第五期步科学习。因为崇拜孙中山先生倡导的“天下为公”，改名吕公良。

1928年从军校毕业后，分发到国民革命军第八十九师服役，历任见习排长、连长、参谋、师参谋处长等职。1936年随部队北上抗日，在绥远参与攻克百灵庙战役。1937年8月，随部队扼守南口居庸关，同年10月任第八十九师参谋长，11月参与晋中太谷战役，与八路军并肩抗日。1938年春，参加徐州会战立功，同年秋，参与赣北战役，升任第八十五军参谋长。

1938年秋，吕公良回老家开化探亲，正值华埠镇抗日后援会修建“七七纪念亭”落成，应邀为该亭题了两副楹联：“国耻恨重重，拼焦土飞烟不辞一战；亭名思七七，问银河洗甲更待何年。”“风景不殊，漫话临论往事；国仇未报，记取勾践当年。”并题写了“抗敌阵亡将士纪念碑”碑名。

1939年春，吕公良在枣阳参与第一次鄂北会战，转战豫南。同年秋任第十三军

参谋长，参与第二次鄂北大会战、枣宜会战。1941年春，任第三十一集团军总部高级参谋。后任华中抗日总队第五纵队司令。冬，改任河南界首警备司令，旋调周口警备司令。1943年冬，受命组建新编第二十九师，任师长。同年夏，率领第二十九师开赴新郑整训。整训完毕，遂奉命担任河南中牟一带的黄河河防。同年11月，新编第二十九师归属第一战区第二十八集团军暂编第十五军建制。1944年3月奉命率部扼守中原战略要地河南许昌并兼任许昌守备司令。4月24日，吕公良主持召开了许昌各界人士参加的军民誓师大会。他慷慨激昂地说："守土抗战，保家卫国，人人有责。养兵千日，用兵一时，我们要有必胜的信念，要有与阵地共存亡的决心。"会后，吕公良处决3名汉奸，以示抗日决心。

4月下旬，日军集结7万余人大举侵犯平汉线，许昌古城首当其冲，吕公良指挥部队奋起抵抗，终因弹尽粮绝，所部3000多名将士先后壮烈牺牲。部下苦劝他更换便衣，设法逃出许昌，但吕公良凛然正色说："我身为堂堂中国军人，沙场捐躯，虽死犹荣，岂能丧失民族气节为人耻笑？"5月1日，在率领残部突围时中日军埋伏，与副师长黄永淮等壮烈牺牲。同年10月20日，国民政府追赠其为陆军少将。

1988年，中华人民共和国民政部追认为革命烈士。2004年4月1日，值烈士殉国60周年之际，其家乡浙江省开化县修建了一座吕公良革命烈士陵园，作为爱国主义教育基地。

红色传奇

无论是在第一次国共合作的大革命时期，
还是中共独立领导
中国革命的土地革命时期、
第二次国共合作的抗日战争时期
以及三年解放战争时期，
都有无数浙江人
为了民族独立与自由、
人民解放与幸福而忘我奋斗、
流血牺牲的身影。

引 言

1921年8月初，中国共产党第一次全国代表大会在嘉兴南湖的一条游船上胜利闭幕，她向全世界庄严地宣告了中国共产党的诞生。南湖上这条原本十分普通的游船因此而获得了一个永载中国革命光辉史册的美丽名字——红船，开天辟地的中国革命巨轮从这里正式起航。

从这时开始，成千上万的浙江优秀儿女在中国共产党伟大旗帜的引领下开始了惊天地、泣鬼神的浴血奋斗。无论是在第一次国共合作的大革命时期，还是在国共合作破裂后中共独立领导中国革命的土地革命时期、第二次国共合作的抗日战争时期以及三年解放战争时期，都有无数浙江人民与全国人民一起为了民族独立与自由、人民解放与幸福而忘我奋斗、流血牺牲的身影。

2005年6月21日，时任浙江省委书记习近平在《光明日报》发表《弘扬红船精神　走在时代前列》的文章，将浙江人为新中国建立及社会主义建设过程中表现出来的奋斗精神概括为“红船精神”，指出它是“中国革命精神之源”，是“开天辟地、敢为人先的首创精神，坚定理想、百折不挠的奋斗精神，立党为公、忠诚为民的奉献精神”。这是对“红船精神”的精辟概括。

开天辟地

——浙籍先进知识分子参与筹建中国共产党

中国共产党创建史上，以俞秀松、沈定一、邵力子、陈望道、施存统、沈雁冰（茅盾）、沈泽民、杨贤江等为主要代表的浙江籍先进知识分子发挥了重要作用。

1920年初，在北京的陈独秀、李大钊开始酝酿建立无产阶级政党的问题。2月，陈独秀由北京到上海，浙籍知识分子沈定一、邵力子、沈雁冰与他取得联系。4月，经共产国际同意，俄共远东局派维经斯基等人来到中国，了解中国革命运动的情况。维经斯基等在北京会见李大钊后，到上海找陈独秀。俞秀松担任维经斯基的助手，协助他做了大量工作，沈定一出席了维经斯基在上海组织的座谈会。

四五月间，陈独秀在上海组织了几次讨论社会主义和中国改造问题的座谈会，俞秀松、沈定一、邵力子、陈望道、施存统、沈雁冰、杨贤江、戴季陶、刘大白、沈仲九等浙籍知识分子先后参加。在座谈会的基础上，1920年5月，在上海成立了马克思主义研究会，浙籍知识分子参加的有陈望道、施存统、俞秀松、沈雁冰、邵力子、沈定一、戴季陶、刘大白、沈仲九等（其中，

陈望道1920年8月翻译出版的《共产党宣言》（全译本）

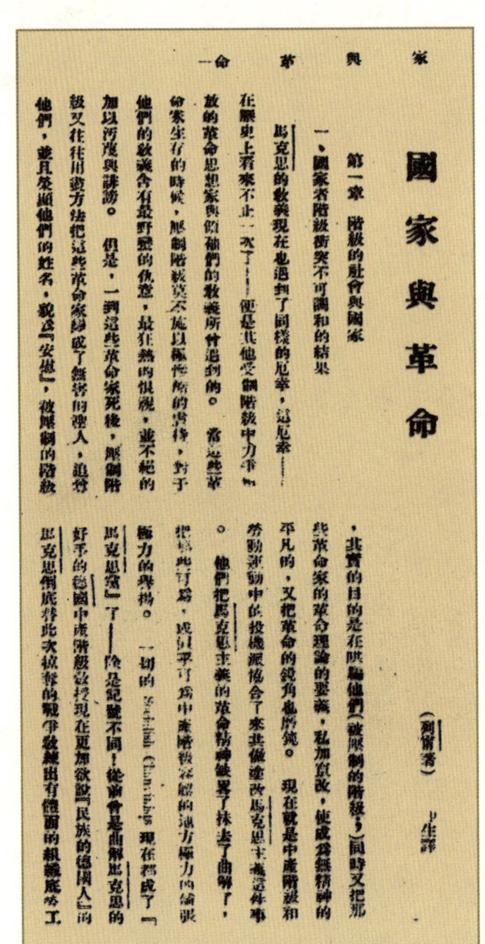

家　與　革　命　一

國家與革命

（列甯著）　P生譯

第一章　階級的社會與國家

一、國家者階級衝突不可調和的結果

馬克思的教義現在也遇到了同樣的厄幸，這厄幸——在歷史上看來不止一次了！——便是其他受制階級中力爭解放的革命思想家與領袖們的教義所曾遇到的。 當這些革命家生存的時候，壓制階級莫不施以極慘酷的虐待，對于他們的教義含有最野蠻的仇意，最狂熱的恨視，並不絕的加以污蔑與誹謗。 但是，一到這些革命家死後，壓制階級又往往用盡方法把這些革命家變成了無害的偶人，追尊他們，並且榮顯他們的姓名，說為「安慰」被壓制的階級，其實的目的是在哄騙他們（被壓制的階級，）同時又把那些革命家的革命理論的要義，私加竄改，使成為無精神的平凡的，又把革命的銳角也磨鈍。 現在就是中產階級和勞動運動中的投機派協合了來共做塗改馬克思主義這件事。 他們把馬克思主義的革命精神缺略了抹去了曲解了，把[illegible]此[illegible]為，或[illegible]乎[illegible]為中產階級容認的論方極力的鋪張極力的讚揚。 一切的 Social-[illegible] (Chauvinists) 現在都成了『馬克思黨』了——除是記號不同！從前曾是曲解馬克思的好手的德國中產階級教授現在更加欲說『民族的德國人』的馬克思倒底替此次掠奪的戰爭教練出有體面的組織底勞工

1921年5月7日出版的《共产党》第4号刊登了沈雁冰翻译的《国家与革命》（列宁原著）

戴季陶、刘大白、沈仲九等加入后不久退出）。6月，中国共产党上海小组在全国率先成立，至1921年7月中共一大召开前，共发展了15名党员，其中浙江籍知识分子有7名，即陈望道、施存统、俞秀松、沈雁冰、邵力子、沈定一、沈泽民，几乎占了上海小组党员人数的一半。

上海共产党小组成立后，浙籍知识分子进行了多方面的工作。邵力子主编的上海《民国日报》副刊《觉悟》，陈望道主编的《新青年》，陈望道、俞秀松编辑的《劳动界》，戴季陶、沈定一主编并担任主要撰稿人的《星期评论》等刊物在宣传马克思主义、启发与团结工人上起了很好的作用。陈望道、施存统

等人翻译介绍了大量有关马克思主义、社会主义的文章与著作，特别是陈望道翻译出版的《共产党宣言》，为中国先进知识分子接受马克思主义创造了重要条件。

在组织准备方面，1920 年 8 月 22 日，上海社会主义青年团成立，俞秀松担任书记，浙籍青年王一飞、华林、梁柏台、王会悟、宣中华等人随后加入，成为最早的一批团员。俞秀松还参与创建了上海机器工会和印刷工会，组织工人夜校和俱乐部。1921 年 3 月，中国社会主义青年团临时中央执行委员会在上海成立，俞秀松担任书记。在上海共产党组织成立后，俞秀松“实际上一个人承担了上海党组织的全部工作”。在陈独秀离开上海去广州后，陈望道成为上海共产党组织的负责人之一。此外，施存统在日本发展中共党组织，成为旅日中共组织的负责人。沈定一则在广州参加中共广州支部的工作，主编支部刊物《劳动与妇女》期刊，宣传马克思主义。

由此可见，浙籍先进知识分子在中国共产党的创建过程中作出了相当重要的贡献。在中国共产党早期的历史上，留下了浙江籍先进知识分子为之奋斗的足迹。

阅读链接：
中共上海市委党史研究室编：《中国共产党上海史》（上册），上海人民出版社，1999 年版。
中共浙江省委党史研究室：《中国共产党浙江历史》第一卷（1921—1949），浙江人民出版社，2011 年版。

革命声传画舫中

——中国革命的巨轮从嘉兴南湖起航

1921年7月23日，中国共产党第一次全国代表大会在上海开幕。出席大会的各地党代表13人，他们是上海代表李达、李汉俊，北京代表张国焘、刘仁静，长沙代表毛泽东、何叔衡，武汉代表董必武、陈潭秋，济南代表王尽美、邓恩铭，广州代表陈公博，旅日党组织代表周佛海，陈独秀私人代表包惠僧，他们代表当时全国50多名党员。共产国际代表马林、尼柯尔斯基列席会议。

南湖红船

南湖游船内景

会议进行到7月30日晚上，位于上海法租界望志路106号的会场（李汉俊代表的私人寓所）遭到法租界巡捕的搜查，各位代表的活动受到租界当局的监视，会议已不适合在上海继续举行，需要找到一个安全的新会址。由于上海党组织中浙江籍人士较多，所以有人建议乘火车到杭州西湖继续开会，但大家考虑到西湖游人太多，容易暴露，而且从上海到杭州也较远，建议未被采纳。这时，负责一大会务工作的李达夫人王会悟建议到浙江嘉兴南湖开会，租一条游船，以游湖为掩护在船上开会。王会悟是浙江桐乡人，早年在嘉兴女子师范预科读过书，对嘉兴情况较熟悉，而且嘉兴距离上海仅100公里，乘沪杭线火车只需不到3个小时。于是王会悟的建议得到了代表们的赞同。

南湖会议会务之一的王会悟

南湖位于嘉兴城南，又名鸳鸯湖，湖中建有烟雨楼，有历代名家留下的墨迹，是游览胜地。南湖游船，可以包租，随意停泊。为了安排好在南湖开会事宜，王会悟和部分代表于8月1日到达嘉兴，在市内张家弄鸳湖旅馆开了两个房间，同时委托旅馆的账房雇了一条中型游船。其他代表则于次日乘上海至嘉兴的早班火车出发，大约在上午10点半抵达嘉兴。王会悟到车站迎候，把代表们领到南湖渡口狮子汇，上了预订的游船。当天，

阴有小雨，湖面上游船不多，代表们叫船主把船撑到比较偏僻的水域，王会悟坐在船头望风。开会时还特意把带来的麻将牌倒在桌上，以掩人耳目。中午，代表们在船上吃午饭，饭菜是事先预订的。下午，湖上游船逐渐增多，湖面上到处是留声机唱京戏的声音，一派喧闹。

上海会场出事后，代表们都主张缩短会期，以一天时间结束会议，所以中共一大南湖会议从上午 11 点开始后，加快了讨论速度，集中研讨急需解决的具体问题。会议通过的《纲领》明确宣布党的名称为“中国共产党”，规定党的奋斗目标是：以无产阶级革命军队推翻资产阶级，由劳动阶级重建国家，直至消灭阶级差别；采取无产阶级专政，以达到阶级斗争的目的——消灭阶级；废除资本私有制，没收一切生产资料归社会所有。《纲领》的组织部分规定党的组织要采取“苏维埃形式”，也就是民主集中制的形式。会议通过的《决议》，确定党成立后的中心任务是组织工人阶级，领导工人运动，强调以产业工会为组织工会的主要

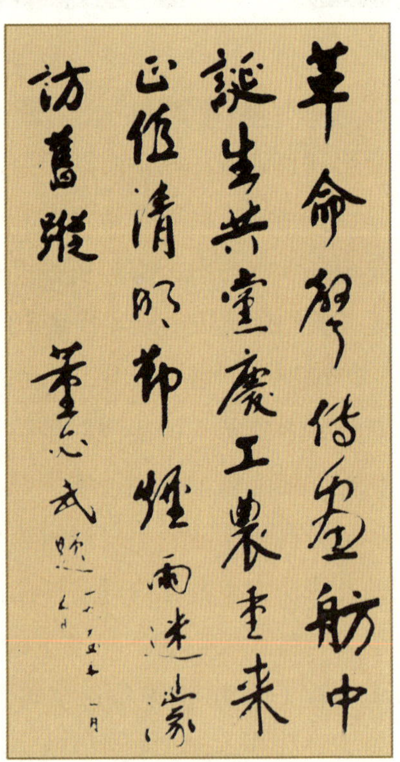

董必武题诗手迹

形式。由于时间仓促，大会没有通过宣言，决定将宣言草案和代表们的意见交即将成立的中央局和共产国际代表马林会商决定。会议最后选举了中央领导机构，选举陈独秀、张国焘、李达组成中央局，陈独秀任中央局书记，张国焘任组织主任，李达任宣传主任。

1964 年 4 月 5 日，一大代表之一的董必武以国家领导人身份视察嘉兴南湖，故地重游，感慨万端，特赋诗一首："革命声传画舫中，诞生共党庆工农。重来正值清明节，烟雨迷蒙访旧踪。"中共一大闭幕，标志着中共正式诞生，中国革命有了全新的领导者，中国革命的巨轮从嘉兴南湖开始远航。

嘉兴成为中国共产党的诞生地之一，有一定的偶然性。但偶然的背后却也蕴含着某种必然性，这就是大批浙江籍知识分子积极参与了中国共产党的创建活动，并成为上海的共产党早期组织的骨干成员，最终促成中共一大会议从上海转移到嘉兴南湖。

阅读链接：

《中国共产党浙江历史》第一卷（1921—1949），中共党史出版社，2011 年版。

第一次国共合作的决策在这里作出

——中共中央西湖会议

1922年8月29日至30日，中国共产党中央执行委员会在风景如画的杭州西子湖畔召开全体会议，史称中共中央西湖会议。

这次会议的主题是讨论中国共产党与中国国民党两党合作的形式问题。会议在高度秘密的状态下举行，出席会议的有陈独秀、李大钊、张国焘、蔡和森、高君宇，共产国际代表马林和翻译张太雷，共7人。中共两位主要创始人出席会议，使会议显得很不寻常。会议由陈独秀主持。会上，马林阐述了中国共产党员以个人身份加入国民党的必要性和可能性。他说，中国革命在很长时期内，只能是民族民主革命，而现在无产阶级的力量和其所能起的作用都还很小。孙中山领导的国民党是一个民主和民族的革命政党，是一个各阶层革命分子的联盟，是一个松散的组织。但由于国民党有较长的历史和较大的影响，

陈独秀像

孙中山不会赞同与共产党在党外的对等合作。因此，共产国际认为“共产党人应该支持国民党”，“共产党人应该在国民党内开展工作”。共产党人加入国民党，既可谋革命势力的团结，又可使国民党革命化，并且影响国民党所领导的工人。因此，共产国际认为共产党与国民党实行党内合作是形势使然。

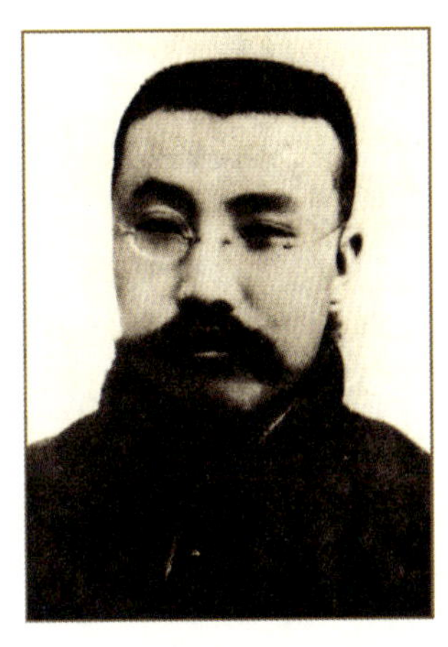

李大钊像

马林发言后，与会者围绕是否加入国民党的问题展开了激烈的讨论，主要有三种意见：第一种意见是明确反对“党内合作”，认为国民党是资产阶级政党，共产党员加入无异与资产阶级相混合，会丧失自己的独立性；第二种意见是基本同意“党内合作”，认为国民党组织非常松散，共产党员加入不会受到约束，采取共产党员加入的方式，是实现民主联合战线易于行得通的办法；第三种意见则认为，共产国际的决议可以服从，只是必须向国民党提出一定的条件，即孙中山必须根据民主主义的原则改组国民党，取消“打手模”及向个人宣誓等入党手续。

经过两天的热烈讨论和马林的说服，会议以互相谅解的形式，通过了陈独秀提出的在国民党取消“打手模”以后，中共少数负责同志可以根据党的指示加入国民党的决定，从而为实现国共合作迈出了重要一步。在此基础上，1923 年 6 月在广州召开的中国共产党第三次代表大会，正式决定共产党员以个人身份加入国民党，实现国共合作。

西湖会议是中国共产党历史上一次重要会议，初步统一了党的最高领导层对国共合作的认识，为国共合作的最终实现铺平了道路，对中国共产党以及中国革命的前景，产生了深远的影响。

阅读链接：

《中国共产党浙江历史》第一卷（1921—1949），中共党史出版社，2011 年版。

全国农民运动历史上最先发轫者

——衙前农民运动

1921年4月，中共早期党员沈定一从上海回到家乡萧山县衙前村，开始实施其“中国底社会革命，应该特别注意农民运动”的革命实践。

他从办理教育入手，邀请原浙江省立第一师范学校进步教师刘大白及该校学生活跃分子宣中华、徐白民、唐公宪以及杨之华等到衙前，筹办衙前农村小学校，在筹办过程中，通过访贫问苦和社会调查、民间演讲、开办书报社等形式，向农民宣传革命道理。在沈定一等人的启发与发动下，农民们开始积极投入捍卫自身权益的斗争。5月，在打击哄抬粮价的斗争中，

衙前农民减租斗争中使用的会斗、会升

涌现了李成虎、单夏兰等一批农民积极分子。9月26日，衙前农村小学校正式开学，发表了《衙前农村小学校宣言》，宣布该校将摆脱和摈弃为有产阶级训练爪牙的教育，而为穷人的儿女提供受教育的机会。

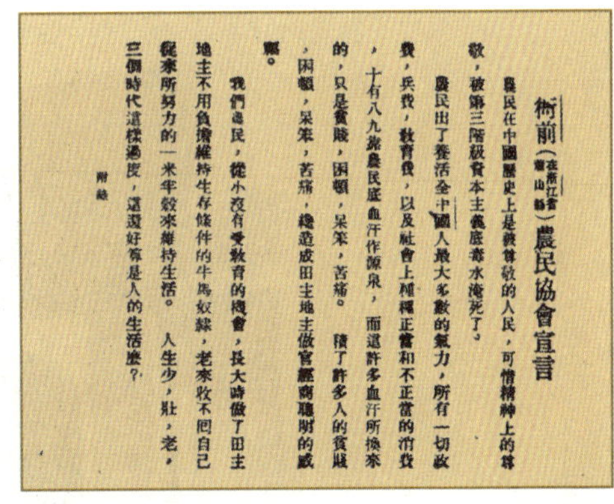

衙前（在浙江省萧山县）農民協會宣言

農民在中國歷史上是最尊敬的人民，可惜精神上的尊敬，被第三階級資本主義底毒水淹死了。

農民出了養活全中國人最大多數的氣力，所有一切政費，兵費，教育費，以及社會上種種正當和不正當的消費，十有八九靠農民底血汗作源泉，而還許多血汗所換來的，只是貧賤，困頓，呆笨，苦痛。積了許多人的貧賤，困頓，呆笨，苦痛，纔造成田主地主做官經商聰明的威嚴。

我們農民，從小沒有受教育的機會，長大時做了田主地主不用負擔維持生存條件的牛馬奴隸，老來收不回自己從來所努力的一米半穀來維持生活。人生少，壯，老，三個時代這樣過度，這還好算是人的生活麽？

附錄

衙前农民协会宣言

9月27日，衙前及附近农村的农民在衙前东岳庙集会，宣告成立衙前农民协会，发布了经全村农民议决的《衙前农民协会宣言》和《衙前农民协会章程》。宣言提出了“世界上的土地应该归农民使用”“土地该归农民所组织的团体保管分配”的革命主张。章程宣布农民协会“与田主、地主立于对立地位”。衙前农民协会选举李成虎、陈晋生、单夏兰、金如涛、朱梅云、汪瑞张等6位贫苦农民为衙前农民协会委员。

衙前农民协会的成立，推动了萧（山）绍（兴）等县农民运动的发展。在短短两个多月里，萧山、绍兴、上虞等县共有82个村建立了农民协会。11月24日，衙前农民协会联合会成立，并作出了“三折还租”（按原租额交租）、改大斗为公斗（用每斗15斤的公斗量租）、取消“东脚费”（地主下乡收租时由佃农负担的路费）、反对交预租等规定，组织与领导农民开展抗租与反封建斗争，减轻了广大农民的负担，得到了他们的拥护。

李成虎像

农民运动的深入开展，使萧山、绍兴等地的地主阶级惶恐不安，他们纷纷致电浙江军政当局，要求平息农民运动。浙江省长沈金鉴随即下令“严行拿捕惩治”，并到处张贴布告，解散各地农民协会，强令入会农民销毁会员证。12月

衙前农民协会旧址东岳庙

18 日，浙江省军政当局派遣的 60 多名全副武装的军警包围正在衙前东岳庙开会的农民协会联合会会场，逮捕在场的农协委员，搜缴农协委员名册。农协主要领导人单夏兰、陈晋生、李成虎等先后被捕，李成虎于 1922 年 1 月 24 日在萧山县狱中被迫害致死。衙前农民运动惨遭镇压。

衙前农民运动是中国共产党成立后领导的第一次有组织有纲领的农民运动，被称为“全国农民运动的历史上最先发轫者”。这次农民运动虽然时间不长，但它揭开了中国现代农民革命斗争的序幕，显示了农民群众潜在的伟大力量。

阅读链接：

中共浙江省委党史资料征集研究委员会等编：《衙前农民运动》，中共党史资料出版社，1987 年版。

红色雄师

——中国工农红军第十三军

胡公冕像

从1928年开始，在中国共产党的领导下，浙南地区的永嘉、瑞安、平阳、乐清、泰顺、遂安、仙居等县先后爆发了多起大规模的农民武装暴动，在此基础上产生多支红军游击队。1930年3月上旬，中共中央军委派胡公冕、刘蜚雄、金国祥等前往永嘉，成立浙南红军游击总指挥部，胡公冕任总指挥，刘蜚雄任参谋长，下辖3个支队，共400余人。5月初，根据中央军委指示，浙南红军游击队在永嘉枫林统一编为中国工农红军第十三军（简称红十三军），由中共中央军委统一指挥，军长胡公冕，政委金贯真，政治部主任陈文杰，军部设在永嘉县楠溪乡五尺村。军部建立后，以永嘉西楠溪30多支红军游击队整编为红一团，团长雷高升，政治委员金国祥，下辖3个大队、3个直属游击队及1个补充营，官兵3200人。以台州温岭县坞根游击队为基础，改编为红二团，团长柳苦民，政治委员杨敬燮，下辖3个游击大队、1个直属特务队及天台游击队。红三团由永康、缙云、仙居的红军游击队改编而成，团长程仁谟，政治委员楼其团，政治部主任宋桓，下辖3个大队、1个中队。红十三军

金贯真像

是中共中央军委列入正式序列的全国14支红军之一，最盛时官兵人数达6000左右。红十三军成立后确定的发展方针是：向有群众组织的地方发展，一面配合区县暴动，一面实行红军政纲，实行土地革命，由此充实和改造红军。但在中央提出的“赤化浙江”思想指导下，红十三军建立后把攻打中心城镇作为主要的军事行动，先后进攻平阳县城、缙云县城、永嘉县瓯渠镇、黄岩县乌岩镇等地，大小战斗百余次，活动遍及浙江南部二十余县，在一定程度上牵制了国民党中央军“围剿”中央苏区的兵力，宣传了党和红军的主张。

雷高升像

红十三军军部旧址永嘉五尺村

1930 年 5 月，蒋介石下令成立苏浙皖三省“剿匪”总指挥部，调遣重兵对红十三军各部队展开大规模“清剿”，并对红军主要活动地区进行大规模烧杀。红十三军军部所在地永嘉县楠溪乡五尺村被政府军纵火烧毁 350 间房屋，占全村房屋的 2/3 以上。在永康、缙云县边境，政府当局纵火烧毁红军家属与革命群众的房屋 720 余间，不少中共党员与革命群众遭到杀害。在政府当局优势兵力的进攻下，红十三军遭受了严重损失，部队大部分被打散，军长胡公冕及军部外来干部杨波等先后转移到上海，一部分在永嘉、仙居、黄岩边境坚持，分散进行游击战；另一部分分散隐蔽，等待时机。1935 年 11 月，红十三军余部加入红军挺进师。

红十三军纪念碑

阅读链接：

《红十三军与浙南特委》，中共党史资料出版社，1988 年版。

《中国共产党浙江历史》第一卷（1921—1949），中共党史出版社，2011 年版。

打不垮的钢铁队伍

——中国工农红军挺进师

粟裕像

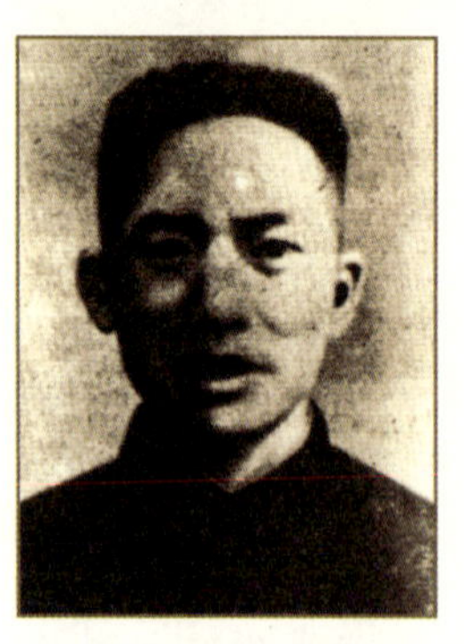

刘英像

1935 年 1 月下旬，中国工农红军北上抗日先遣队（即红十军团）余部与闽浙赣军区红三十师第一团合编为中国工农红军挺进师（简称红军挺进师或挺进师），该师编为 3 个支队和 1 个师直属队，共 538 人，粟裕任师长，刘英任政治委员，王永瑞任参谋长，黄富武任政治部主任。根据中央军委的指示，红军挺进师的任务是进入浙江开展游击战争，创建苏维埃根据地，以积极的作战行动打击吸引和牵制敌人。3 月上旬，挺进师进入闽北苏区，部队由 3 个支队扩编为第一、第二、第三 3 个纵队，下辖 6 个支队。红军挺进师翻越仙霞岭，于 3 月 23 日抵达浙江省江山县，开始了挺进师在浙南、浙西南地区开辟游击根据地的艰苦卓绝的战斗。

1935 年夏，红军挺进师建立了以仙霞岭为中心的 100 余平方千米的浙西南游击根据地，队伍发展到 5 个纵队，官兵近 1000 人，连同地方工作人员达 2000 余人。但在国民党军对浙西南游击区发动的第一次大“围剿”中，浙西南根据地遭受严重摧残，许多领导骨干牺牲，队伍锐减到 300 余人。

1935 年 10 月，粟裕、刘英率领红军挺进师主力转移到闽浙边，以泰顺东部山区为中心开辟革命根据地。11 月，成立中共闽浙边临时省委员会，刘英任书记，粟裕任组织部长，叶飞任宣传部长兼少共临时省委书记。同时成立闽浙边临时省军区，粟裕任司令员，刘英任政治委员。至 1936 年底，红军挺进师发展到 1500 余人。1937 年 2 月，国民党军调集重兵对浙南根据地发动第二次“围剿”。根据地中心区

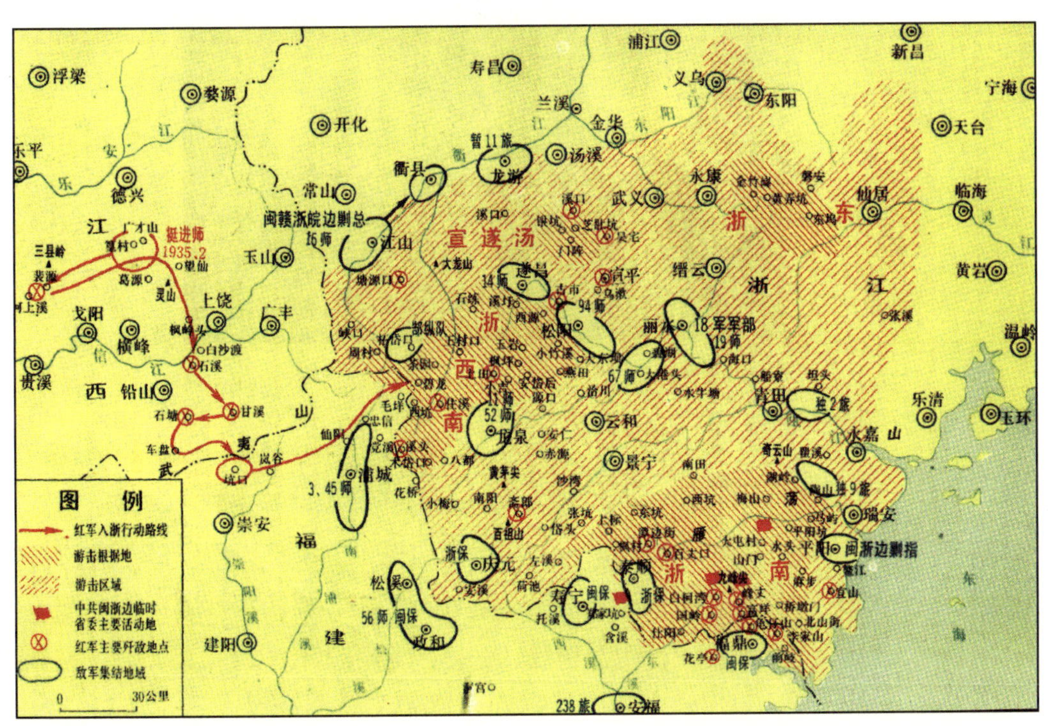

土地革命时期浙西南、浙南游击根据地示意图

红军挺进师纪念碑

的军民付出了巨大牺牲。1937 年 8 月，浙南国共双方达成合作抗日的协议。10 月，有三四百名挺进师战士到平阳县山门镇集中，改编为国民革命军闽浙边抗日游击总队。1938 年 3 月，粟裕率领抗日游击总队开赴皖南，编入新四军。刘英等一批干部则坚持在浙南，继续领导浙南党组织开展工作。

红军挺进师在浙江进行艰苦卓绝的三年游击战争，在国民党统治的核心区域创建了浙南、浙西南游击根据地，这是中国共产党在土地革命战争后期创立的最后一块根据地，也是在整个中国革命走向低潮的过程中少有的局部反攻。红军挺进师在浙江的活动不仅牵制了国民党军的大量兵力，有力地掩护和策应中央红军战略转移，而且在浙江各地培养了大批革命的新生力量，为浙江的解放事业奠定了坚实的基础。

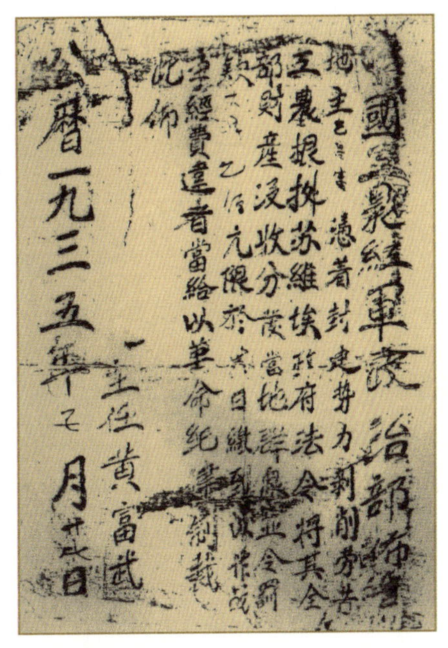

國工農紅軍政治部佈告

地主 憑著封建勢力剝削勞苦工農根據蘇維埃政府法令將其全部財產沒收分發當地群眾並令罰款 元限於 日繳到以作戰爭經費違者當給以革命紀律制裁

此佈

主任 黃富武

公曆一九三五年七月廿七日

红军挺进师发布的关于没收地主财产的布告

阅读链接：

《红军挺进师与浙南游击区》，浙江人民出版社，2007 年版。

《南方三年游击战争——浙南游击区》，解放军出版社，1993 年版。

浙东敌后抗战的坚强堡垒
——浙东敌后抗日根据地

浙东敌后抗日根据地是抗日战争时期中国共产党领导的全国 19 个根据地之一，也是中共领导的华中八大战略区之一。

谭启龙像

1941 年、1942 年，侵华日军相继发动宁绍战役和浙赣战役，国民党军队在日军进攻下纷纷溃败，宁波、绍兴、金华等地大部分城镇沦陷。鉴于这种形势，中共中央及时作出了开辟沪杭甬三角地带的重要决策。

何克希像

1941 年 5 月到 9 月，中共浦东工委委派武装力量 900 余人分 7 批南渡杭州湾，进入浙东三北（余姚、慈溪、镇海三县北部）地区，会同中共地方组织，开展抗日游击战争。1941 年 12 月，太平洋战争爆发，浙东的战略地位更加突出。1942 年 6 月，中共中央华中局先后从苏南和苏中地区调派数批干部到浙东工作。7 月，成立以谭启龙为书记的中共浙东区党委。8 月，成立以何克希为司令员的三北游击司令部。我军攻占四明山中心的重镇——余姚县梁弄镇，使梁弄成为浙东地区抗日的指挥中心和战略基地，并相继开辟了以诸（暨）北枫桥为中心的抗日根据地,以及金（华）义（乌）浦（江）和诸（暨）义（乌）东（阳）抗日根据地，1943 年底，成立金萧支队。浙东抗日游击根据地得到进一步的扩大和发展，初步建立起以四明山为中心的浙东敌后抗日根据地。

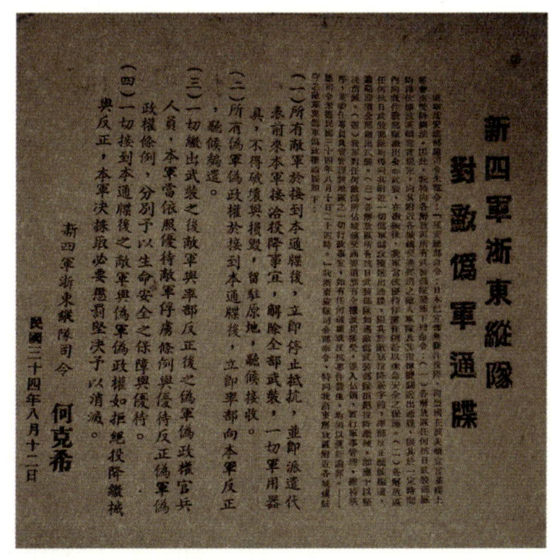

新四軍浙東縱隊
對敵偽軍通牒

（一）所有敵軍於接到本通牒後，立即停止抵抗，並即派遣代表前來本軍接洽投降事宜，解除全部武裝，一切軍用器具，不得破壞與損毀，留駐原地，聽候接收。

（二）所有偽軍偽政權於接到本通牒後，立即率部向本軍反正，聽候編遣。

（三）一切繳出武裝之後敵軍與率部反正後之偽軍偽政權官兵人員，本軍當依照優待敵軍俘虜條例與優待反正偽軍偽政權條例，分別予以生命安全之保障與優待。

（四）一切接到本通牒後之敵軍與偽軍偽政權如拒絕投降繳械與反正，本軍決採取必要懲罰堅決予以消滅。

新四軍浙東縱隊司令 何克希

民國三十四年八月十二日

1945 年 8 月 12 日，新四军浙东纵队司令何克希发布的《对敌伪军通牒》

1944 年 11 月，浙东第一届军政大会召开，向中共中央、毛主席发了致敬电，毛主席复电：“代表大会来电阅悉。望努力杀敌，发展武装部队，扩大解放区，改善解放区军队与人民的生活，准备配合盟军驱逐日寇。”毛主席的复电极大地鼓舞了浙东军民，更加明确了斗争方向，坚定了必胜的信心。1945 年 1 月，建立了以连柏生为主任的浙东行政公署，各地区、县、区、乡各级抗日民主政府也相继成立。

浙东抗日游击根据地是在敌、伪、顽包围、夹击的极端复杂而又困难的情况下发展、壮大的。这里地区狭小，孤悬敌后，既要与日伪军作战，又要对付国民党反共顽固派掀起的摩擦和“围剿”，回旋余地小，斗争异常尖锐复杂。据统计，从 1941 年 5 月到 1945 年 8 月，浙东军民进行了大小战斗 643 次，收复上虞、南汇两座县城，攻克敌伪据点 110 多个，毙伤俘日军少佐顾问、伪军上校总队长、团长以下官兵 9197 人，缴获大量的武器和军用物资。新四军抗日游击纵队以数量不多

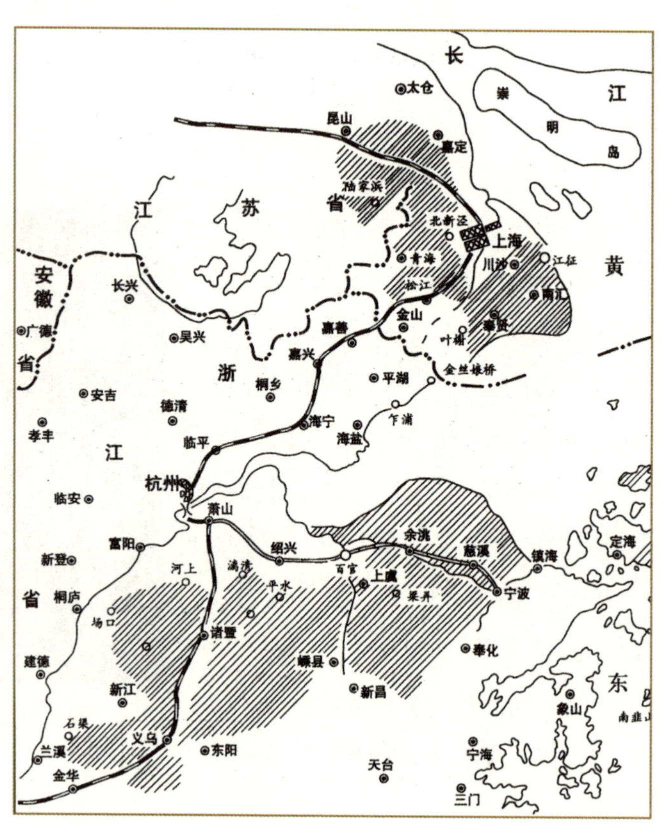

抗战时期浙东抗日根据地示意图

的兵力抗击、牵制、消耗着 2 万多日本侵略军和 2 万以上的伪军，起着底定局部而影响全局的作用，其政治影响更不可低估。1945 年 9 月，浙东抗日游击根据地已拥有包括四明、会稽、三北、浦东 4 个专区和 16 个县级政权，解放了 400 多万人口，抗日武装由开始时的几百人发展到 1.5 万人。浙东军民的抗战在中华民族抗战史上写下了辉煌的一页。

阅读链接：

宁波市新四军暨华中敌后抗日根据地研究会编：《浙东抗战与敌后抗日根据地史料丛书》（第一至第九卷），中共党史出版社，2001 年版。

兵家必争之地

——浙西抗日根据地

以天目山为中心的浙西地区位于（南）京、沪（上海）、杭（州）三角地带，战略地位十分重要，抗日战争时期成为兵家必争之地。

按照中共中央关于发展东南的战略部署，1944 年 12 月下旬，新四军第一师师长兼苏中军区司令员粟裕率领第一师主力部队南下，于 1945 年 1 月上旬达到浙西长兴县，与上年南下后坚持战斗在郎（溪）广（德）长（兴）地区的新四军第十六旅会合。根据中央军委 13 日的电令，成立苏浙军区，粟裕任司令员，谭震林任政治委员（未到任），刘先胜任参谋长，活动区域包括苏南、浙西、浙东，其地域包括钱塘江、富春江以北与以西的郎广长、天北、天东、杭嘉湖四个地区之长兴、孝丰、安吉、广南、吴兴、武康、德清、余杭、临安、新登、富阳等 11 个县。它北靠苏南，西连皖南，以天目山为依托，京杭国道横贯全境，乃是我军拟大举跃进东南，准备收复日寇占领下之京、沪、杭的前进战略基地。

叶飞像

浙西抗日根据地建立后，国民党顽固派十分恐惧。国民党第三战区调集 7.5 万兵力，从 1945 年 2 月至 6 月，先

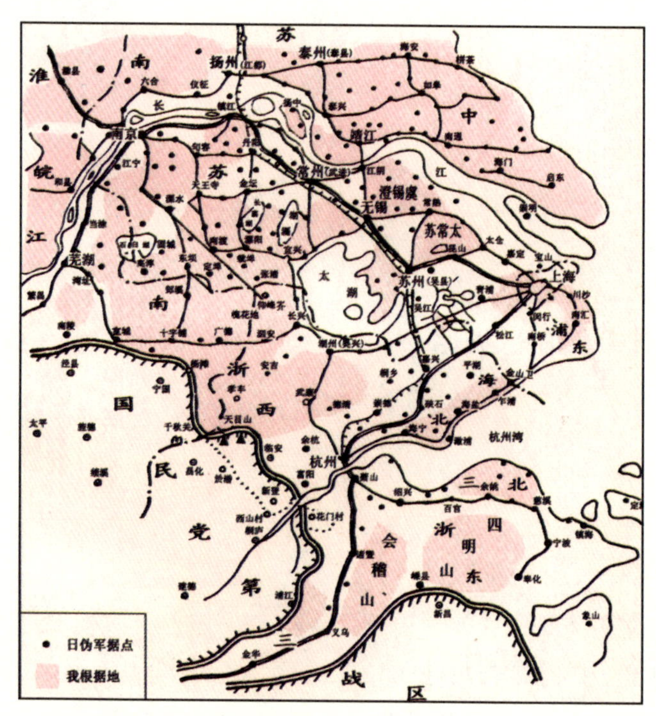

抗战时期苏浙军区（统辖浙西、浙东、苏南、苏中、淮南、皖江等抗日根据地）示意图

后向苏浙军区部队发起 3 次大规模的进攻。苏浙军区部队在粟裕司令员的领导与指挥下，被迫起而自卫反击，3 次打退国民党顽固派的猖狂进攻，歼灭顽军 1.2 万人，取得了天目山反顽战斗的重大胜利，浙西抗日根据地更加巩固。在反顽战斗中，苏浙军区部队也付出了 2100 余人的伤亡（其中阵亡 504 人）。

抗日战争胜利后，根据中共中央关于“向北发展，向南防御”的战略方针，苏浙军区部队北撤到苏北。

阅读链接：

浙江省新四军历史研究会编：《新四军苏浙军区战史》，浙江人民出版社，2008 年版。

战斗在国民党统治的腹心地区

——解放战争时期浙东游击根据地

浙东游击根据地是解放战争时期中共浙东党组织根据党中央的战略部署，在原浙东敌后抗日根据地的基础上开辟、恢复和发展起来的。其地域包括四明、台属、路西（金萧）、路东（会稽）、路南、东海等地区，涉及现宁波、绍兴、台州、金华、舟山、杭州等6个市地的20余县。毛泽东曾经将浙东、浙南根据地称为解放战争时期南方七大游击根据地之一。

浙东游击根据地的斗争经历了隐蔽坚持、打出旗帜、全面开展武装斗争与接管城市迎接解放三个阶段。

抗日战争胜利后，浙东敌后抗日根据地党政军机关与部队15000余人奉命北撤，留下少数党员干部继续在原地秘密坚持。在国民党随后发动的疯狂“清剿”中，他们顽强地生存了下来，保持了有生力量，直至1946年底。

1947年1月，中共上海分局决定成立中共浙东工作委员会（简称浙东工委），书记刘清扬，副书记马青。2月，上海分局作出《关于外县工作决定》:“要抓住时机，争取速度打开局面，建立敌后第二战场的坚强堡垒。”浙东工委确立了大力发展武装，以开辟台属广大地区为重点的战略方针。为加强党的领导，先后建立了四明、台属、三东（东海）、路西（金萧）工委以及路南特派员、会稽临工委等地区一级党组织。各地武装力量相继建立，初步打开了武装斗争的局面。

1948 年 1 月，浙东工委改组为浙东临时工作委员会（简称浙东临工委），张瑞昌任书记。5 月，浙东临工委改归中共华中工委领导。5 月 14 日晚，驻上海浦东的解放总队和南汇自卫队 300 余人南渡浙东，与当地武装合编成三支队、五支队两个主力部队。浙东临工委决定一面坚持四明山斗争，同时组成机动部队外线出击，配合当地武装打击敌人，扩大影响，打开局面。

1949 年 1 月 25 日，浙东临工委与各路主力武装在新昌回山会师，随即召开浙东临工委第二次扩大会议，决定组建浙东人民解放军第二游击纵队，司令员马青，政治委员顾德欢，参谋长张任伟，政治部主任诸敏，直辖三支队，另有金萧一支队，会稽二支队，永康六支队，台属四支队、五支队仍留四明山区继续战斗。各地区部队纷纷出击，捷报频传。四明、金萧老区进一步巩固、扩大，路南部队同处属部队协同作战；在台属，

马青像

顾德欢像

解放战争时期，浙东行政公署临时总办事处主任马青（后排左二）、副主任朱之光（后排左三）与浙东第二游击纵队及支队领导诸敏（前排左）、陈布衣（前排右）等合影

游击队攻克天台，解放了三门县，同浙南游击武装取得联系；在路西，金萧支队渡富春江西进，在皖南与皖浙总队会师，打通了皖浙通道。

3 月 29 日，浙东临工委在诸暨陈蔡召开第三次扩大会议，对迎接浙江解放作出具体部署。经过数月的外线出击，到解放大军渡江南下前夕，浙东游击根据地已扩展至北至杭州湾、东临东海、南连浙南游击根据地、西达皖浙边界的广大地区，游击武装发展到近万人，先后解放县城十余座，并配合南下大军解放全浙东。

5 月 16 日，《浙江省委关于结束前浙东临委工作的决定》评价了浙东游击根据地的历史地位与作用："临委在上海党及华中工委的领导下，在浙东全党同志的努力下，完成了党给予的光荣任务，保持了党的革命旗帜，坚持扩展了原有阵地，传播了党的政策，与当地人民在斗争中建立了很好的联系。在浙东浙西敌人空虚的地区，发展了游击战争与党的武装，开辟了相当广大的游击区，二三年来解除了相当

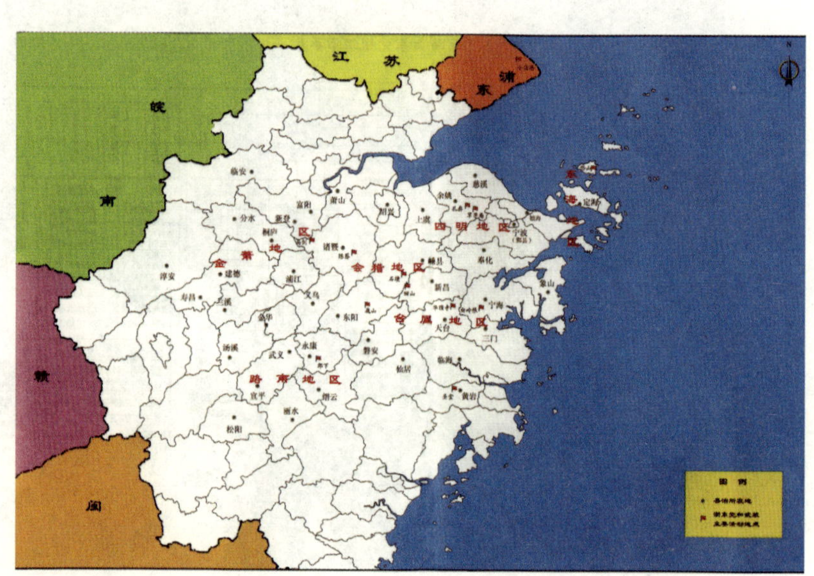

解放战争时期浙东游击根据地示意图

数量的敌人反动地方武装，有力地打击了敌人抽丁、征粮的反动计划。在斗争中吸收与培养了相当数量的工人、农民与知识分子参加了游击区的武装工作、群众工作与其他工作。这一切对于今天解放浙江、彻底肃清敌人残余武装力量，使党在浙江新解放地区迅速站稳起来，是有其重要作用的。”

阅读链接：

《浙东游击根据地史》，中共党史出版社，2009 年版。

《浙东游击根据地》，中共党史出版社，1995 年版。

红旗不倒

——中国革命南方战略支点浙南

浙南是一块具有悠久革命历史的红色热土，从大革命开始到 1949 年浙江解放，浙南始终红旗不倒，成为中国革命南方重要的战略支点之一。

1924 年 12 月，浙南在中共中央直接领导下建立了中共温州独立支部，领导浙南进行革命斗争。1927 年大革命失败后，浙南人民在中共领导下，开展风起云涌的工农武装暴动，建立工农红军游击队，以武装推翻国民党反动统治。1930 年 5 月，浙南红军游击队改编为中国工农红军第十三军（简称红十三军），红旗漫卷浙南二十余县，沉重地打击了国民党的反动统治。面对国民党绝对优势兵力的疯狂“围剿”，

中共浙南特委常委兼组织部长郑丹甫像

中共浙江省委常委、中共浙南特委书记龙跃像

中共浙南特委常委兼平阳县委书记郑海啸像

浙南人民付出了巨大的生命财产牺牲。

1935年3月，中国工农红军挺进师在师长粟裕、政委刘英指挥下，进入浙西南，开辟浙西南游击根据地。在根据地内建立了竹溪、玉岩、住溪、王村口等4个区苏维埃政府以及19个乡苏维埃政府、157个村苏维埃政府及分田委员会，开展土地革命。

1935年9月，粟裕、刘英率领红军挺进师主力由浙西南转战到闽浙边区，不久与叶飞领导的中共闽东特委和中国工农红军闽东独立师一部会合，成立了以刘英为书记的中共闽浙边临时省委。1936年3月，重建中共浙南特委。同年8月，成立浙南人民革命委员会。工农红军挺进师以闽浙边的福鼎、鼎平两地区为依托，逐步向北发展。1936年9月，与坚持在平阳一带的叶挺鹏领导的浙南地下党和红军游击队会师，创建了以福鼎、泰顺、平阳、瑞安为中心的浙南游击根据地，继续坚持斗争。1937年抗日战争爆发后，浙南红军游击队改编为新四军一部，由粟裕率领开往皖南，参加抗日战争。

粟裕率领主力北上后，刘英奉中共中央指示留在浙南继续坚持斗争。1938年9月，中共浙江临时省委改组为浙江省委，1939年7月在平阳召开中共浙江省第一次代表大会，刘英当选为省委书记。在中共浙江省委领导下，重建党组织与抗日武装，开展抗日救亡运动。从1940年春起，国民党顽固派调集重兵，对浙南地区发动残酷的“清剿”，数以千计的中共党员、革命群众遭到逮捕甚至杀害，其中龙泉县住龙乡五居溪村吴老六兄弟

7人有6人被国民党残忍杀害。由于国民党当局的残酷“清剿”，中共浙江省委贯彻中央关于“隐蔽精干，长期埋伏，积蓄力量，以待时机”的指示，始终坚持浙南这一阵地。

解放战争时期，以中共浙南特委书记龙跃为首的党组织始终战斗在浙南地区，在斗争中大力发展游击武装。1948年11月，中共浙南特委改组为中共浙南地委，龙跃继续担任书记。同时成立中国人民解放军浙南游击纵队，龙跃兼任司令员及政治委员，浙南游击纵队下辖3个支队、1个独立支队、1个警卫大队，官兵人数发展到2000人左右，加上党政及地方工作人员，达到3000人以上。浙南游击纵队粉碎国民党军的多次“清剿”，向国民党军据守的各据点发起攻击，摧毁了国民党的乡镇政权。1949年4月，浙南游击纵队括苍支队解放玉环县城，活捉国民党县长。5月6日，国民党第二〇〇师师长兼温州专员叶芳在解放军大军压境之下宣布起义，温州和平解放。浙南游击纵队乘胜前进，于5月10日解放瑞安、乐清，12日解放平阳，13日解放青田，随后会同解放军第三野战军南下大军迅速解放了浙南各县。在浙南解放过程中，浙南游击纵队歼灭国民党军9300余人，接受国民党军起义投诚2400余人，为浙江的解放作出了巨大贡献。

阅读链接：

浙江省新四军历史研究会编：《浙南人民革命风云》，2009年编印。

为了党和工人阶级的事业，我宁愿牺牲一切

——汪寿华

汪寿华是中国早期工人运动的著名领袖之一，也是在 1927 年国民党右派发动的“四一二反革命政变”中第一个牺牲的烈士。

汪寿华像

汪寿华（1901—1927），浙江诸暨人。1917 年秋考入浙江省立第一师范学校。“五四运动”爆发后，他积极参加学生运动，经常阅读《新青年》等进步刊物，开始接受马克思主义。1920 年汪寿华在上海加入社会主义青年团，1921 年 4 月赴苏联学习，1923 年加入中国共产党。1925 年，汪寿华奉命回国，回到老家诸暨与赵兰花结婚，两天后，他就赶赴上海参加中共第四次全国代表大会。当时外面风声吃紧，赵兰花十分担心丈夫的人身安全。汪寿华镇定自若地安慰妻子：“不要害怕，即使我被害，望你靠做针线过活，好好照顾母亲。千万不要哭，哭了会使反动派得志，革命群众丧气！”

中共四大后，汪寿华先后担任中共上海区委（江浙区委）

委员、常委，区委农工部主任委员，区委职工运动委员会书记。在“五卅运动”中，汪寿华兼任上海总工会宣传部主任，协助李立三、刘华、刘少奇等领导工人运动。“五卅运动”结束后，李立三、刘少奇相继离沪，刘华被敌人杀害，汪寿华遂任上海总工会代理委员长。北洋军阀控制的上海反动当局几次查封上海总工会，四处搜捕汪寿华。汪寿华不得不改名换姓，乔装深入工人群众，在白色恐怖中继续领导上海工人运动。从 1926 年 5 月开始，以中共上海区委军事特别委员会成员的身份多次发动上海各行业工人进行大规模罢工斗争，并参与领导上海工人的第一、二次武装起义。由于缺乏经验等原因，两次起义均告失败。1927 年 3 月 21 日，上海工人第三次武装起义爆发，在汪寿华和周恩来、罗亦农、赵世炎等人的指挥下，上海 7 个区的工人纠察队同时向敌人发动攻击。汪寿华曾派人到龙华请进驻上海不久的国民革

上海工人第三次武装起义推翻北洋军阀统治后成立上海特别市临时市政府，图为临时市政府全体委员合影，前排右一为汪寿华

命军（北伐军）东路军前敌总指挥白崇禧派遣部队配合上海工人阶级，内外夹攻，消灭上海的北洋军阀。但白崇禧早已接到蒋介石的密令，按兵不动，汪寿华知道后十分气愤："他们不来，我们自己干！"经过 28 小时的血战，起义军最终占领了除租界以外的整个上海地区，取得了上海工人第三次武装起义的胜利。3 月 22 日，成立上海特别市临时市政府，汪寿华当选为临时市政府委员之一；3 月 27 日，汪寿华主持召开上海市工人代表大会，被推选为上海总工会委员长，成为上海数十万工人阶级有威望的领袖，因此而成为国民党右派首要的打击对象。

蒋介石进入上海后，加紧策划反革命政变。在乌云压城的危急关头，汪寿华领导上海总工会接连采取了一系列的反击措施，戳穿国民党右派的阴谋和借口，表示了革命到底的坚强决心。在中共上海区委主席团会议上，汪寿华曾汇报会见蒋介石的情况："昨见老蒋，先加慰劳，他并无赞扬上海工人。我报告一点上海工人暴动的经过，他不大注意。""蒋介石提出外交方面要工会方面听军事当局指挥，我没有答复。"可见，双方话不投机。

4 月 11 日下午，上海青帮头子杜月笙派管家到湖州会馆，给汪寿华送来请帖，邀他当晚去杜公馆"赴宴"，共商机密大事。汪寿华收到请柬后向党组织作了汇报，党内有人怀疑这是杜月笙摆的鸿门宴，为汪寿华的安全考虑，不主张去，但汪寿华泰然表示：他过去常和青洪帮流氓打交道，不去反叫人耻笑，为了党和工人阶级的利益，宁愿冒险一试。汪寿华于当晚 8 时准

时赴宴，他刚跨进杜公馆的大门，即被杜月笙手下的“四大金刚”劫持，这些流氓威胁汪寿华将上海工人纠察队交出来，遭到断然拒绝。流氓随即将汪寿华打昏，塞进麻袋，拖到门外的汽车里，急驶到枫林桥。在汽车上，汪寿华醒后英勇反抗，凶残的敌人死死扼住他的咽喉，致使他再次昏死过去。开至枫林桥后，流氓们选择一片荒林，匆促挖坑，竟将一息尚存的汪寿华活埋了。在这个月黑风高的杀人夜，汪寿华成了在国民党右派发动的反革命政变中第一个牺牲的烈士。

1957 年，在纪念上海工人阶级三次武装起义 30 周年之际，周恩来总理召见了汪寿华的遗孀，并对她说：“不能忘记革命先烈，他们是为革命开路的人。”

阅读链接：
中共上海市委党史研究室编：《中国共产党上海史》，上海人民出版社，1999 年版。
陈国治、钱茂竹：《绍兴名人佳话》，新华出版社，1991 年版。
任武雄等：《血洒龙华花更艳——龙华革命烈士故事》，少年儿童出版社，1981 年版。

中国共产党早期杰出的革命活动家
——俞秀松

俞秀松像

俞秀松（1899—1939），又名寿松，字柏青。浙江省诸暨县（今诸暨市）人。1908年起在老家读小学，1916年考入杭州的浙江省立第一师范学校学习，1919年"五四运动"爆发后，与宣中华等人创办《双十》周刊，后改名《浙江新潮》，并为《浙江新潮》撰写发刊词。1920年3月，到上海陈望道等主持的《星期评论》社工作。4月，共产国际派维经斯基到上海，与陈独秀等商讨建党问题，俞秀松担任维经斯基的助手，协助他做了大量工作。5月，参加上海马克思主义研究会。6月，参加上海共产党组织，并参与党纲起草工作，他是中共上海组织的主要发起人之一。8月，参加编辑中共上海党组织主办的《劳动界》，用通俗易懂的文字宣传马克思主义。

上海党组织成立后，受陈独秀委派，发起组织中国社会主义青年团。1921年3月，中国社会主义青年团临时中央执行委

阅读连接：

中共浙江省委党史研究室编：《俞秀松纪念文集》，当代中国出版社，1999年版。

《俞秀松传》，浙江人民出版社，2012年版。

《俞秀松文集》，中共党史出版社，2012年版。

员会在上海成立，俞秀松担任第一任书记，他是中国共青团的创始人之一。

1920年8月上海社会主义青年团成立，书记俞秀松（后排左一）与罗亦农（前排左一）等合影

1921年3月，俞秀松赴苏联出席少共国际第二次代表大会。1922年3月回到上海，5月当选为第一届社会主义青年团中央执行委员。1924年4月，任国民党浙江省临时执行委员会执行委员、常委兼中共党团书记。

1925年11月，俞秀松任中国留苏学生领队、中共党支部主要负责人，率领100余名党团员赴莫斯科中山大学学习，并担任中共旅莫支部委员、副书记，国民党中大特别党部主席，校学生公社主席。在此期间，因反对和抵制王明宗派主义被诬为“江浙同乡会”“反党小集团”头子和“托洛茨基派”，后虽经联共中央监察委员会审查而予否定，但仍被王明所掌控的党中央区别看待。1933年，被派到苏联远东伯力工作，在远东边区党委领导的《工人之路》报社任副总编辑。1935年6月，受联共中央派遣进入新疆工作，任新疆民众反帝总会秘书长及新疆学院院长、新疆省立第一中学校长，以及盛世才的新疆督办公署边防处政训处副处长，主编《反帝战线》杂志，多次在《新疆日报》上撰写社论和文章，宣传中共抗日救国的主张。1937年12月，因所谓“阴谋暴动罪”被军阀盛世才逮捕。1938年6月被押往苏联。1939年3月21日，在莫斯科被控参与所谓托洛茨基主义活动，被苏联最高法院军事委员会判处死刑。1962年，中华人民共和国民政部追认他为革命烈士。1996年8月，俄联邦军事检察院宣布为俞秀松彻底平反。他的家乡诸暨修建了俞秀松烈士陵园。

为革命而死，虽死无憾

——宣中华视死如归

宣中华像

1943年春，周恩来在重庆中共南方局干部学习会上所做的《关于1924至1926年党对国民党的关系》报告中，列举了中共在大革命时期为国共合作的统一战线工作作出卓越贡献的领导人，其中有湖北的董必武、陈潭秋，湖南的何叔衡、夏曦，浙江的宣中华，江苏的侯绍裘，北方的李大钊、于树德、李永声、于方舟等。

宣中华（1898—1927），诸暨县（今诸暨市）人。早年在诸暨读完小学。1915年，考入浙江省立第一师范学校学习。1919年，"五四运动"爆发后，被推选为杭州学生联合会理事长，是"五四运动"全国著名的学生领袖之一。1921年春，应陈望道之邀请前往上海，加入中国社会主义青年团。夏秋间，由中共党员沈定一介绍，到萧山衙前农村小学校任教。以农村小学校为阵地，从事革命活动，与沈定一等组织发动了以萧山

宣中华全身像

衙前为中心的萧绍农民运动，开展声势浩大的抗租减租斗争。1922 年 1 月，出席在莫斯科召开的远东各国共产党及民族革命团体第一次代表大会。1924 年 1 月，加入中国共产党。

第一次国共合作建立后，宣中华以个人身份加入国民党，并当选为浙江省代表，出席在广州召开的国民党第一次全国代表大会。会议结束后，回到杭州参与筹建国民党浙江临时省党部，于 3 月 30 日当选为执行委员。1926 年 3 月，主持召开国民党浙江省第一次代表大会，正式成立国民党浙江省党部，当选为执行委员会常务委员兼宣传部长，并经中共上海区委指派担任国民党省党部中共党团书记。1926 年底，赴南昌与国民革命军总司令蒋介石会晤，协商有关浙江临时省政府的人选问题。1927 年 1 月，以特派员身份赴宁波，组建浙江临时省政府。随后，率省党部代表团去温州等地迎接北伐军由福建进军浙江。2 月 24 日，在杭主持召开国民党浙江省党部执行委员会会议，再次当选为常务委员。4 月 11 日，国民党右派在杭州发动武装政变，包围浙江省党部、省政府等机构，搜捕共产党员和国民党左派人士。面对突如其来的白色恐怖，宣中华被迫于 14 日化装成列车长，搭乘火车离开杭州前往上海，在上海龙华车站被国民党右派指使的军警逮捕，面对严刑逼供及死亡的威胁，正气凛然地说："你们杀了我，只不过杀了一个宣中华，但千千万万革命者会起来杀你们的！""中华为革命而死，虽死无憾！"

4 月 17 日，宣中华在龙华英勇就义。

阅读链接：

中共诸暨市委党史办公室编：《宣中华》，1993 年印行。

看来，我的头要砍在杭州了

——张秋人临危受命

张秋人像

张秋人（1898—1928），浙江诸暨人。早年在绍兴越材中学与宁波崇信中学学习。1920 年到上海，结识陈独秀、俞秀松等人，开始接触马列主义。1921 年加入社会主义青年团。1922 年初，参加中国共产党。1924 年 1 月，任中共上海地方兼区执行委员会候补委员。6 月，任共青团江浙皖区兼上海地方执委会秘书（书记）。1926 年任黄埔军校政治教官，与恽代英、萧楚女并称为“三杰”。

1927 年蒋介石发动“四一二反革命政变”后，张秋人调到武汉的中央军校分校工作。同年 7 月，武汉汪精卫集团叛变革命，张秋人回到上海，到中共中央宣传部工作。不久，在上海的中共中央决定任命张秋人为中共浙江省委书记。当时，正是全国白色恐怖最严重的时候，浙江又是蒋介石的老家，反革命力量

十分强大，白色恐怖尤其严重，张秋人明知自己在浙江认识的人多，容易暴露而随时有可能被捕，仍然勇敢地接受了组织上的安排。他行前风趣地对友人说："看来，我的头要砍在杭州了！"

9 月 27 日，张秋人到达杭州，与党组织接上关系后，于第二天主持召开秘密会议，改组中共浙江省委，并讨论整顿组织与在农村举行秋收暴动等问题。

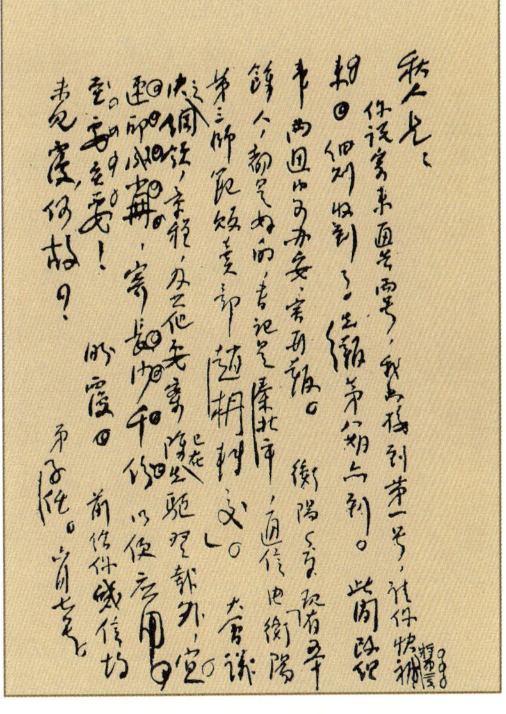

1922 年 6 月 7 日，毛泽东致张秋人函

29 日，在杭州的诸暨同乡好友徐白民夫妇要为张秋人接风，邀请张秋人与夫人徐镜平去游西湖叙旧。到达湖滨时，迎面碰上了黄埔军校第五期毕业的两个反动学生，张秋人一时疏忽，跟他们打了招呼就拱手而别。他们装着游玩的样子，租船下了西湖。船到西泠印社前时，张秋人发现这两个反动学生也租了船一路跟踪他们，便叫船夫用力划桨，向刘庄驶去，想在刘庄甩掉敌人。但那两个反动学生尾随紧追，他们刚上刘庄岸边，这两个家伙也急忙上了岸，并假惺惺地问张秋人："张先生，什么时刻到杭州的？住在哪里？请到黄埔军校同学会去玩一玩。"张秋人意识到这两个家伙不怀好意，一边镇静地回答："好！你们'同学会'在哪里？我有时间就去看你们。"一边跳上了船，用英语对爱人徐镜平说："我们遇着危险了，但不要慌张！"这两个家伙也跳上了自己的船，抢过船夫的桨，紧紧跟随，和张秋人他们乘的船并行，要张秋人去黄埔军校同学会谈话。眼看敌人马上就要跳到张秋人

的船上来揪他了。张秋人机警地一面应付敌人，一面仍用英语对爱人说："快去旅馆设法把重要文件毁掉！"紧跟不放的敌人也跳上船来，张秋人别无他法，纵身一跃，跳入湖水中。下半身陷在西湖底的"香灰泥"里，他一把拉掉皮带，迅速把西装裤蹬掉，把裤兜里藏着的那份党员名单塞进淤泥里，那份绝密情报是前一天才刚刚选出的16名中共浙江省委委员及候补人员的名单。跟随的反动学生随即大声喊叫："抓共产党！""衣冠不整"的张秋人终于落入敌人手中，被押送到了国民党警察局羁押，不久又转送到杭州湖滨武林路1号的陆军监狱。

在狱中，张秋人通过外面来探监的同志和进步看守，传递纸条，指导监外党组织的工作。他还把监狱里的同志组织起来，读书学习，鼓励同志们与敌人进行顽强坚强的斗争。张秋人对狱中难友说："共产党员活着一天就要工作一天，在牢房里不能革命，就要天天学习。"每天晚上，张秋人还要给难友讲革命史，从法国革命讲到巴黎公社，何人何事，连年月日都记得很清楚。难友薛暮桥，原来初中没有毕业，在张秋人的启发教育下，在杭州陆军监狱里，认真研读马列经典著作、政治经济学以及英文，后来成为著名的经济学家。

1928年2月8日，张秋人和薛暮桥正在狱中下棋，突然听到敌人传呼："张秋人开庭！"张秋人知道自己生命的最后时刻终于来到了，他整了整衣服，从容地迈出了牢门。他轻轻地把近视眼镜取下来送给了一位同情革命的进步看守，随即大声对难友说："同志们，今天要同你们分别了，你们继续努力吧！"

并高呼："共产党万岁！"难友们含着热泪，跟着张秋人唱起了雄壮的《国际歌》。

敌人把张秋人押送到法庭上，法官问他："你叫什么名字？几岁了？"张秋人嘲弄地大声回答："老子张秋人，今年三十大寿！"说罢，即向前抓起法官桌上的朱砂砚台，用力向法官头部投掷而去。被吓呆了的敌警蜂拥而上，颤抖着将张秋人推向刑场。张秋人奋力甩开了刑警的手，昂首阔步朝刑场走去。他一次又一次地高呼："马克思列宁主义万岁！中国共产党万岁！中国革命必然成功万岁！……"随着雄壮激昂的口号声，张秋人身中数枪壮烈牺牲。

张秋人是中共早期著名的革命活动家、杰出的宣传家。在他短暂的一生中，为中国人民的解放事业做了大量工作。1931年深秋，毛泽东在江西瑞金对钱希均说："张秋人是一个好同志，好党员，很有能力，很会宣传，很有群众基础，可惜他牺牲得太早了！"

阅读链接：

浙江省委党史资料征集研究委员会编：《先驱的足迹》，浙江人民出版社，1988年版。

中共党史人物研究会编：《中共党史人物传》（第9卷），陕西人民出版社，1983年版。

中共诸暨市委党史资料征集研究委员会办公室编：《张秋人》，1990年10月印行。

鞠躬尽瘁，死而后已

——沈泽民长眠红安

湖北省红安县是土地革命时期著名的鄂豫皖根据地中心区。1949年中华人民共和国成立后，为了纪念在长期革命斗争中牺牲的烈士，红安县修建了烈士陵园，长眠在这座烈士陵园的有原鄂豫皖革命根据地主要领导人之一的沈泽民。

沈泽民像

沈泽民（1902—1933），学名德济，浙江省桐乡县（今桐乡市）人，系沈雁冰（茅盾）之胞弟。浙江省立第三中学毕业后，考入南京河海工程专门学校。1920年赴日本留学，入东京帝国大学半工半读。1921年初回上海。1922年1月，出席中国社会主义青年团第一次全国代表大会，当选为团中央委员，参与团中央领导工作。1923年在南京建邺大学任教，被选为青年团上海地委委员。同年底，任上海大学社会学教授，并编《国民日报》副刊《觉悟》。1924年，被选为

沈泽民（右）与张闻天（中）、及兄长沈雁冰（左）合影

中共上海地委委员。参加国共合作，兼国民党上海执行部宣传部干事。1925年参加五卅运动，任党中央机关报《热血日报》编辑。1926年春，赴苏联入莫斯科中山大学学习。1928年4月，出席中国共产党第六次全国代表大会，担任大会翻译工作。1930年10月回到上海。1931年初，在中共六届四中全会上被补选为中央委员，担任中央宣传部部长。

同年4月，沈泽民调到鄂豫皖革命根据地工作，被中共中央指定为鄂豫皖分局书记。5月，中共鄂豫皖分局正式成立，张国焘任书记，沈泽民任副书记，负责党与苏维埃政府方面的工作。6月，中共鄂豫皖临时省委成立，沈泽民兼任书记。7月，张国焘患病，沈泽民代理中共鄂豫皖分局书记，与郑位三等一起领导根据地军民粉碎了国民党对根据地的第二次反革命军事“围剿”。

1932年1月，沈泽民主持召开中共鄂豫皖边区党的第一次代表大会，在大会上当选为中共鄂豫皖省委书记。同年3月，沈泽民协助张国焘，领导根据地军民粉碎了国民党对根据地的第三次反革命军事“围剿”，使鄂豫皖红军发展到45000余人，根据地人口达到350万。

不久，国民党调集数十万大军对鄂豫皖根据地发动第四次反革命军事“围剿”，

沈泽民之墓

由于敌我力量对比过于悬殊，红军处于不利地位，张国焘与徐向前、陈昌浩等被迫率领主力红军于同年10月离开根据地西征。

红军主力西征后，沈泽民负责全面领导鄂豫皖革命根据地工作。他主持召开鄂豫皖省委扩大会议，坦率承认目前危局“是自己的路线差错”造成的，并作出了转变斗争方针、进行游击战争的决定。12月，他在红安县檀树岗召开最高军事干部会议，作出重新组建红二十五军的重大决定，由吴焕先任军长，王平章任政委，徐海东任第七十四师师长，红二十五军成为保卫鄂豫皖根据地的主要军事力量。12月30日，沈泽民主持召开鄂豫皖省委紧急会议，决定以现有红军为基础，分散游击，坚持鄂豫皖根据地的斗争。他指挥红二十五军先后打了一系列胜仗，红二十五军迅速扩展到13000余人。由于根据地长期残酷的斗争，沈泽民已是重病缠身，疟疾加上肺结核，只能靠担架抬行。为了不拖累大家，他决定离开部队到山区养病。临行前，他检

阅了部队，和战友们一一话别，嘱咐他们 :“一定要以万死的精神，实现党的斗争方针的转变，去争取革命胜利！”在病重的日子里，他将鄂豫皖省委宣传部长成仿吾叫到面前，一边吐血，一边用药水将给中央的检查报告写在一条白色内裤上，他在报告中沉重地检讨道 :“到现在弄得如此局面，完全是过去错误造成的。”表示今后要“洗心革面，重新做起”。

根据他的指示，成仿吾穿上这条内裤到上海，通过鲁迅找到了党中央，将报告转给了党中央。这年 11 月 20 日，沈泽民吐血不止，在湖北黄安县（新中国成立后改名红安县）天台山芦花冲逝世，时年 33 岁。1949 年新中国成立后，红安县人民在烈士陵园修建了沈泽民同志陵墓，董必武副主席亲笔题写了“沈泽民同志之墓”的墓碑。

阅读链接 :

钟桂松 :《沈泽民传》，中央文献出版社，2003 年版。

张立国、钟桂松编 :《沈泽民文集》，浙江文艺出版社，1997 年版。

中央苏区司法战线杰出领导人
——梁柏台

梁柏台（1899—1935），浙江省新昌县人。早年先后就读于新昌县的双溪学堂、龙山学堂和知新学校。1918 年，考入浙江省立第一师范学校预科。1919 年，积极参加五四爱国运动，参与组织一师学生“全国书报贩卖团”，推销各地新书刊，传播新思想。1920 年冬，加入中国社会主义青年团。1921 年，梁柏台与刘少奇、任弼时、肖劲光等先后赴苏联，1922 年 8 月进入莫斯科东方大学学习。同年底，转为中国共产党党员。1924 年毕业后，被分配到海参崴工作，曾任中共海参崴支部书记，后被派往伯力省法院当审判员，从事革命法律研究和司法工作。同时任远东教务部编译局编译，翻译了《联共党纲和党章》《列宁主义入门》等。

梁柏台像

1931 年 5 月，梁柏台秘密回国。7 月，到达闽西苏区，暂留闽西苏区工作。9 月，到达中央苏区。11 月 7 日，出席中华苏维埃第一次全国代表大会，当选为大会主席团成员及宪

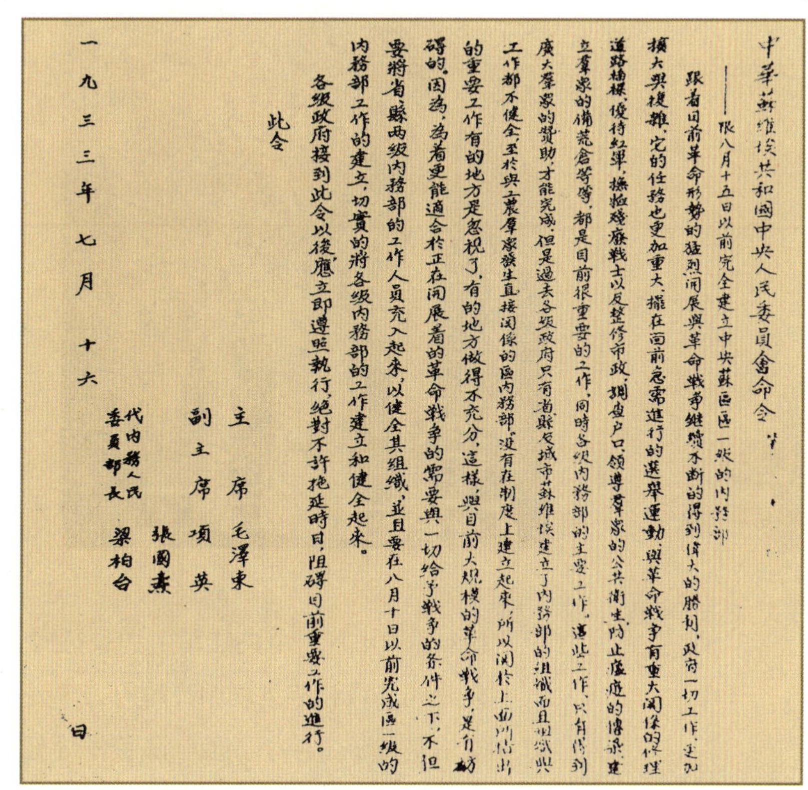

中華蘇維埃共和國中央人民委員會命令 第

——限八月十五日以前完全建立中央蘇區區一級的內務部

跟着目前革命形勢的猛烈開展與革命戰爭繼續不斷的得到偉大的勝利，政府一切工作，更加擴大與複雜，它的任務也更加重大，擺在面前急需進行的選舉運動，與革命戰爭有重大關係的修理道路橋樑，優待紅軍，撫恤殘廢戰士以及整修市政，調查戶口，領導群眾的公共衛生，防止瘟疫的傳染，建立群眾的備荒倉等等，都是目前很重要的工作，同時各級內務部的主要工作。這些工作，只有得到廣大群眾的贊助，才能完成，但是過去各級政府只有省縣及城市蘇維埃建立了內務部的組織而且組織與工作都不健全，至於與工農群眾發生直接關係的區內務部，沒有在制度上建立起來，所以關於上面所指出的重要工作有的地方是忽視了，有的地方做得不充分，這樣，與目前大規模的革命戰爭，是有妨礙的。因為，為着更能適合於正在開展着的革命戰爭的需要與一切給予戰爭的條件之下，不但要將省縣兩級內務部的工作人員充入起來，以健全其組織，並且要在八月十日以前完成區一級的內務部工作的建立，切實的將各級內務部的工作建立和健全起來。

各級政府接到此令以後，應立即遵照執行，絕對不許拖延時日，阻礙目前重要工作的進行。

此令

主　席　毛澤東
副主席　項　英
　　　　張國燾
代內務人民委員部部長　梁柏台

一九三三年七月十六日

1933 年 7 月 16 日，毛泽东、项英、张国焘与梁柏台联名发布的《中华苏维埃共和国中央人民委员会命令》第 45 号令

法起草委员会成员。大会通过了梁柏台参与起草的《中华苏维埃共和国宪法大纲》。大会前后，梁柏台还参与起草了《中华苏维埃共和国婚姻条例》和《苏维埃政府组织法》等法令。

中华苏维埃共和国临时中央政府成立后，梁柏台历任司法人民委员部副部长、内务部副部长和代理部长、临时最高法院法庭委员、临时检察长、司法人民委员以及《红色中华》主笔。在两年多时间里，协助何叔衡制定了《革命法庭条例》《革命法庭的工作大纲》《看守所章程》《中华苏维埃共和国惩治反革命条例》《中华苏维埃共和国司法程序》等十多个法律法规，建立起了中华苏维埃共和国的司法机关和司法制度。

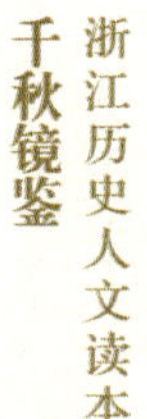

嵊州市梁柏台纪念碑亭

1934 年 10 月，中央红军主力长征时，梁柏台被任命为中共中央分局成员和苏维埃中央政府办事处副主任（主任陈毅），留守赣南坚持游击斗争。他与陈毅领导苏区军民坚壁清野，安置伤员，解决部队给养，妥善处理了大批文件资料。1935 年 3 月 3 日，梁柏台在率部通过江西雩都县（今江西于都县）南部封锁线时与敌遭遇，激战中左臂重伤被俘，旋被解往江西大庾县（今江西大余），不久被敌“铲共团”杀害，时年 36 岁。

阅读链接：

陈刚：《人民司法开拓者梁柏台传》，中共党史出版社，2012 年版。

中共浙江新昌县委党史办公室编：《梁柏台》，当代中国出版社，1994 年版。

中共新昌县委研究室编：《梁柏台遗墨》，2007 年印行。

救中共中央首脑机关于危难之中

——“龙潭三杰”之一的钱壮飞

钱壮飞像

1949年新中国成立后，周恩来总理曾多次满怀深情地提起钱壮飞。他说，要不是钱壮飞同志，我们这些人都会死在国民党反动派手里。钱壮飞同志在对敌斗争中立下的丰功伟绩，的确使我们的党少走了弯路，全党将永远纪念他。

钱壮飞（1896—1935），浙江湖州人。1915年考入北京医科专门学校，1919年毕业后在北京的京绥铁路医院工作。1926年加入中国共产党，以医生的身份为掩护，从事党的秘密工作。经常把党的文件和情报装在医用皮包或药箱里，以出诊为名送到党的机关和同志们的秘密住处。1927年，中共北方区委书记李大钊等负责人壮烈牺牲，中共北方区委领导的党组织遭到严重破坏。钱壮飞于1928年初转移到上海。1929年底，钱壮飞按照中共中央的安排，打入国民党中央组织部党务调查科（中统特务组织的前身），因为湖州小同乡关系，钱壮飞成为调查科科长徐恩曾最亲信的机要秘书。同时，中共中央决定由打入敌人内部的李克农、钱壮飞、胡底三人成立一个特别党小组，李克农任组长，由中共中央特科情报科长陈赓负责联系。他们三人战斗在敌人心脏，被誉为中共情报战线著名的“龙潭三杰”。三人互相配合，获取了国民党统治集团的大量重要情报，为保卫在上

阅读链接：

褚当阳：《100 位为新中国成立作出突出贡献的英雄人物：钱壮飞》，吉林文史出版社，2011 年版。

张学继、张雅蕙：《陈立夫大传》，团结出版社，2006 年版。

中共湖州市委党史研究室编：《钱壮飞》，中共党史出版社，2011 年版。

湖州革命烈士陵园钱壮飞塑像

海的中共中央机关的安全做了大量工作。

1931 年 4 月下旬，中共中央政治局候补委员、中共中央特科负责人之一的顾顺章在成功护送张国焘、陈昌浩和沈泽民等进入鄂豫皖革命根据地后，返回武汉逗留，结果被国民党中央组织部中央调查科驻武汉特派员蔡孟坚侦知，顾顺章随即被逮捕。顾顺章长期负责驻上海的中共中央的保卫工作，了解中共中央的重要机密极多，清楚只有极少数人才知道的中共中央机关和许多中央领导人的住址，也熟悉中共中央的各种秘密工作方法。顾顺章被捕后很快叛变，并且向国民党当局建议以突然袭击的方式将中共中央机关和主要领导人一网打尽。

4 月 25 日晚，正在调查科值班的钱壮飞一连收到武汉发给徐恩曾的特急密电 6 封，事非寻常，他当机立断，拆译密电。原来，顾顺章在武汉被捕叛变，要将在上海的中共中央机密全数供出。

湖州革命烈士陵园内的壮飞亭

这一情况令钱壮飞极为震惊，他知道顾顺章也了解自己的情况。千钧一发之际，他不顾个人安危，立即派人连夜从南京赶到上海，报告中央特科负责人李克农转报中央。26日早晨，钱壮飞像平常一样，若无其事地把这些密电当面交给徐恩曾后，从容不迫地离开敌营。

中共中央负责人周恩来得报后，果断地采取了一系列应急措施：销毁大量机密文件；迅速将党的主要负责人转移，并采取严密的保卫措施；把一切可以成为顾顺章侦察目标的干部，尽快地转移到安全地带或撤离上海；切断顾顺章在上海所能利用的重要关系；废止顾顺章所知道的一切秘密工作方法。当夜，中共中央、中共江苏省委和共产国际远东局机关全部安全转移。聂荣臻后来回忆说："这两三天里真是紧张极了，恩来和我都没有合眼，终于抢在敌人前面，完成了任务。"在顾顺章的引导下，徐恩曾指挥中统特务到上海进行大搜捕，结果一一扑空。

随后，钱壮飞进入中央革命根据地，历任中央革命军事委员会政治保卫局局长、总参谋部第二局局长等。1934年10月参加长征。1935年遵义会议后被任命为红军总政治部副秘书长。同年4月牺牲于贵州省金沙县后山乡，时年39岁。

以死报国家，名垂宇宙间

——宣侠父

1938年7月31日，八路军（后改称第十八集团军）驻西安办事处为了纪念“八一”建军节，与西安铁路局职工在路南体育场进行了一场篮球比赛，担任裁判的是驻西安办事处少将参议宣侠父。傍晚6时许，比赛结束，宣侠父骑自行车沿崇礼路由东向西，准备回平民坊5号的寓所。宣侠父万万没想到，一张巨大的死亡黑网已向他笼罩过来。根据蒋介石“将宣侠父秘密制裁”的手谕，国民党军统局西北区区长张严佛派遣大批特务喽啰在宣侠父必经的地方埋伏等候。当宣侠父骑至西京医院门口，埋伏在那里的几个特务一涌而上挡住了去路，并夺去了自行车，宣侠父厉声呵斥道：“你们要干什么？我是十八集团军办事处的……”特务们以谎言作答：“知道，蒋主任（国民党西安行营主任蒋鼎文）请你！”众特务连推带拉将宣侠父劫进汽车内，汽车随即发动，向驻马陵的西安别动队队部狂奔而去，特务在车上用绳索将宣侠父勒死，最后将尸体抛入马陵附近事先选定的一口枯井内，上面埋了几车土。

蒋介石为何为要对宣侠父痛下杀手？事情还得从头说起。

宣侠父像

宣侠父（1899—1938），浙江诸暨人。1920 年夏从浙江省立甲种水产学校以第一名成绩毕业，随即获得公费赴日本留学，入北海道帝国大学水产专业学习。留学期间被马列主义所吸引，如饥似渴地学习有关著作，他说学习马列主义就“像暑天嚼冰一样”。因为在日本参加革命活动，其公费资格被取消，1922 年毅然回国参加革命。1923 年在杭州加入社会主义青年团，不久转为中国共产党党员。1924 年考入黄埔军校第一期学习。不到 3 个月，因向军校特别党部检举校长蒋介石破坏以党治军的制度遭到严厉报复。蒋介石召见宣侠父严加斥责，并限令他 3 日内写出悔过书听候议处。3 日后，蒋再次召见宣，问:“悔过书写好否？”宣答:“学生无过，故亦不悔。”蒋大怒:“我不愿有违师抗命的学生。”宣答：“真理不可屈。”蒋恼羞成怒，下令撤消宣的军校三中队区分部党小组长，并再次限期写悔过书，否则开除。宣抱着宁折不弯的态度，主动离开了军校。临行前留诗云：“大璞未完总是玉，精钢宁折不为钩。”

宣侠父回到杭州，与中共党组织接上了关系。他对友人说：“蒋介石有野心，5 年以后，必然做皇帝。”这说明宣侠父很有政治远见和预见性。从这时起，他义无返顾地走上了反蒋革命的艰难道路。“健如奔马拙如牛，奋斗廿年未得休。”这是宣侠父自身革命历程的写照。

他首先被党组织派遣到冯玉祥的国民军（后称西北军、国民革命军第二集团军等）做了两年多的政治工作，先后担任过国民军第二师政治处长、第三路军政治处长、第二集团军前敌总指挥部政治处处长等。冯玉祥追随蒋介石“清党”反共以后，回浙江工作。1930 年到 1933 年，先后在国民革命军第二十五路军梁冠英部、孙殿英部作兵运工作。1933 年，协助冯玉祥筹建察哈尔抗日同盟军，曾任抗日同盟军第二军政治部主任兼第五师师长，协助第二军军长吉鸿昌将军指挥部队与日伪军作战。抗日同盟军失败后，于 1934 年到上海中共中央特科工作，做上层统战工作。吉鸿昌将军被国民党杀害后，宣侠父写下了《哭吉鸿昌》，诗云：“面对敌枪弹，屹然如泰山。以死报国家，名垂宇宙间。”这是对吉鸿昌将军的高度评价，用之于作者也是完全合适的。

1935 年春，到香港任中共华南工作委员会书记。曾协助李济深等筹建中华民族革命同盟，任不管部部长。1936 年，两广事变发生后，任新建的第十九路军政治部主任兼第六十一师参谋长。1936 年底，“西安事变”和平解决后，到西安在叶剑英领导下开展统战工作。1937 年 8 月，任第十八集团军少将参议，后改任第十八集团军驻西安办事处少将参议，从事统战工作。国民政府军事委员会西安行营主任蒋鼎文曾向蒋密报：宣侠父“到处拉扯”，煽动“反中央、反蒋”，“实在难对付”。蒋介石接到密报后，指令蒋鼎文、胡宗南等利用同乡、同学关系对宣侠父展开反统战工作。

1937 年，宣侠父（前排左）、徐向前（前排右）、陈赓（后排左）、左权（后排右）在西安合影

蒋鼎文与宣侠父是诸暨小同乡，蒋对宣说：“你很有才干，前途无量，我

希望你能更好地发展，你可以到国外去走走，比如说可以到德国去考察，也可以留学，费用我会为你筹措。”宣婉言谢绝：“山河破碎，民族危亡，国家正值用人之际，本人不敢奢求个人前途而置民族利益于脑后，还是等胜利以后再提此事吧！”

胡宗南与宣既是浙江同乡，又是黄埔军校一期同学，1937 年 8 月底，. 宣侠父应胡宗南的要求，一天内写成《游击战争概述》，胡宗南对此赞叹不已，一再对宣许以高官。有一天晚上，胡宗南去看望宣侠父，对他说：“你这样有才干，在那边（指共产党）是大材小用，校长器重人才，我可以向校长报告，把我这个军团长的位置让给你，你多年想带兵打仗，你就可以实现自己的抱负了。”“那么你呢？你做什么呢？”胡答：“我嘛，让校长能够随便给我安排个工作做做就行了。”宣侠父答复说：“三军可以夺帅，匹夫不可夺志。你我同窗情谊深厚，我也相信你是一番真心，但是情谊归情谊，主义归主义，你我政治信仰不同，我不能为私谊而背弃自己的信仰。目前国难当头，你还是带好你的兵，我们携手并肩，共同抗日吧！”

宣侠父软硬不吃，蒋介石再也不能容忍，终于残忍地对宣侠父下了杀手。事后，周恩来 3 次向蒋介石追查宣侠父的下落，蒋介石无法躲闪，只好供认：“宣侠父是我的学生，他背叛了我，是我下令杀掉的！”

“人民渐自梦中回，革命呼声惊似雷。同志如今须记取，自由要用血争来。”宣侠父为追求中华民族的解放，献出了他的全部鲜血与生命，其英名将永远铭刻在中华民族的历史丰碑上。

阅读链接：

全国政协文史资料委员会等编：《宣侠父诗文集》，中共党史出版社，2003 年版。

宣侠父：《西北远征记》，文史资料出版社，1982 年版。

你对我开枪吧，我决不当俘虏

——朱镜我

朱镜我是在国民党顽固派发动的“皖南事变”中牺牲的烈士之一，他生前的职务是新四军政治部宣教部部长，是浙江籍新四军干部中职务最高的一位。

朱镜我在皖南新四军军部留影

朱镜我（1901—1941），鄞县（今宁波市鄞州区）人。早年就读于免费的宁波师范讲习所。1920 年，考取浙江留日官费生，进入东京第一高等学校学习，后入名古屋第八高等学校学习，1924 年毕业后又考入东京帝国大学社会学系，1927 年获文学学士学位。年底，应郭沫若、成仿吾邀请回到上海，加入创造社。1928 年，在上海加入中国共产党。先后在上海艺术大学、华南大学、中华艺术大学、上海政法学院等校兼任教授，并翻译出版马克思主义著作，如恩格斯的《社会主义从空想到科学的发展》，

1939年7月1日，新四军第一届党代会主席团成员合影，后排右一为朱镜我

主编《文化批判》《思想》月刊。1929年，任中共中央文化工作委员会（简称文委）委员。1930年3月，任中共中央文化工作委员会书记，和鲁迅、冯雪峰等人发起成立中国左翼作家联盟。同年5月，又发起成立中国社会科学家联盟，担任第一任党团书记。10月，任中国左翼文化界总同盟党团书记。1933年任中共江苏省委、中共上海局宣传部部长。

1935年2月，因党组织被破坏，在上海被捕，在狱中坚贞不屈。1937年6月，经中共党组织营救出狱，回宁波重建浙江党组织。先后在宁波和杭州建立了中共宁波临时特别委员会、中共浙东临时特别委员会以及中共浙江省临时工作委员会，曾任中共浙东临时特委书记。1938年5月，调江西南昌，先后任中共中央东南分局宣传部副部长、部长。同年11月，到皖南泾县新四军军部，任新四军政治部宣传教

育部部长，兼《抗敌》杂志主编。为了鼓舞部队的斗志，他创作了《我们是战无不胜的铁军》，由何士德谱曲，在新四军及大江南北传唱。

“皖南事变”前夕，新四军军部领导鉴于朱镜我身患重病，经常咯血，决定让他与刚动过阑尾手术的新四军政治部组织部长李子芳先行撤离，经上海去苏北根据地。但他俩考虑到自己是领导干部，危急关头更应以身作则，因此，坚持要与部队一起行动。在“皖南事变”中，朱镜我与政治部的队伍被困于石井坑虎云垄山腰，在突围无望的情况下，朱镜我命令身边的警卫员：“你对我开枪吧，我决不当俘虏！”警卫员不忍心对自己保卫的首长开枪，为了不连累大家，已经病重的朱镜我从担架上站起来，纵身跳崖，壮烈牺牲。

阅读链接：

王慕民：《朱镜我评传》，宁波出版社，1998 年版。

《朱镜我纪念文集》，中共党史出版社，2001 年版。

飒爽英姿数阿金

——“定海女将”金维映

金维映像

金维映（1904—1941），女，原名爱卿，原籍镇海县，生于岱山。1913年，入定海县立第一女子小学读书。毕业后，被保送至宁波女子师范学校学习幼稚教育。毕业后，回定海县立第一女子小学任幼儿班教师，并改名金志成。1925年6月，发动组织女校师生响应上海五卅运动，联络各校成立县学生会，带领学生联合工人、市民实行罢课、罢工、罢市。1926年10月，加入中国共产党。1927年春，当选为舟山总工会执行委员。3月，参与组织盐民开展反土豪劣绅斗争，成立岱山盐民协会。在领导岱山盐民运动中表现出色，被当时的中共宁波地委称为“定海女将”。“四一二反革命政变”后被国民党当局逮捕，后经组织营救获释，转移至上海，进入中华全国总工会女工部工作。1929年6月，担任中共江苏省委妇女运动委员会书记，在白色恐怖条件下，领导开展妇女革命斗争。1930年7月，任上海丝织业工会中共党团书记、上海工会联合行动委员会领导人，领导发动上海百余家丝厂工人罢工，丝厂女工尊称她为“阿金大姐”。

1931年7月中旬，金维映与原红七军政委邓小平一起被派往江西中央苏区工作，

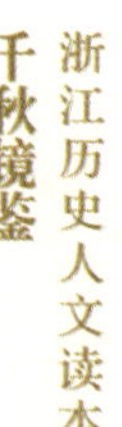

中央苏区部分女红军战士合影

一路同行，后来他们结为夫妻。到苏区后，金维映先后任中共江西于都、胜利县委书记，是中共历史上最早的女县委书记之一。1933 年夏，与邓小平离异。同年冬，任中央革命军事委员会总动员武装部副部长，参与领导革命根据地扩大红军和征粮工作。不久，兼任瑞金扩红突击队总队长，率工作队深入动员群众，超额完成扩红征粮任务，受到中央和军委的表彰。1934 年 2 月，被选为中华苏维埃共和国中央执行委员。同年夏秋，与中共中央组织部长李维汉在瑞金结婚。10 月，随中央红军进行二万五千里长征，任中央纵队休养连政治指导员兼支部书记。她是中央红军中走完漫漫长征路的 30 位女红军之一。1935 年 10 月，到达陕北后，任中共中央组织部组织科科长。1937 年初，调到抗日红军大学，任女生大队大队长。

抗日战争爆发后，金维映调任陕北公学生活指导委员会副

主任。1938 年春，与蔡畅等一起赴苏联学习并治病。1941 年底，德国法西斯飞机大规模轰炸莫斯科时遇难。

为纪念这位革命女杰，1991 年，岱山县人民政府整修了金维映故居。1995 年 3 月，江泽民总书记亲笔为故居题名。2001 年列为省级爱国主义教育基地。

阅读链接：

徐朱琴：《金维映传》，中共党史出版社，2004 年版。

直到最后一分钟，都是和国民党斗争

——刘英

刘英像

刘英（1903—1942），原名声沐，江西瑞金人。1929 年 4 月参加中国工农红军，9 月加入中国共产党。曾任红七军团政治部主任。1934 年 7 月，红七军团组建中国工农红军北上抗日先遣队，任政治部主任，随部队转战闽东、闽北、浙西南、浙西和皖南等地。北上抗日先遣队在强大的敌人“围剿”下遭到失败。根据中央指示精神，1935 年 2 月以其先头部队和突围部队为基础组建红军挺进师，粟裕任师长、刘英任政委。3 月刘英、粟裕率领挺进师进入浙江，坚持了艰苦卓绝的三年游击战争，先后建立浙西南、浙南游击根据地。浙南游击根据地是当时南方 14 块游击根据地之一。期间，刘英历任挺进师政委、中共闽浙边临时省委书记兼临时省军区政委等职。

抗战爆发前后，刘英领导中共闽浙边临时省委，主动与国民党闽浙赣皖四省边区主任刘建绪开展“停止内战，一致抗日”

1938 年 3 月中旬，坚持南方三年游击战争的部分干部在南昌合影，前排左一为刘英、左三为曾山，后排左一为陈丕显、左三为谭启龙

的和谈。在双方两次和谈的基础上，刘英亲自主持了第三次谈判，在谈判中始终坚持合作抗日的立场，坚持党与军队的独立性和党对军队的领导权等基本原则，同时也对某些枝节问题作了灵活让步，终于在 1937 年 9 月 16 日达成和平协议，促成了第二次国共合作在浙江的实现。

1938 年 3 月粟裕率领红军挺进师主力开赴皖南抗日前线，编入新四军第二支队。刘英留在浙江坚持斗争，领导重建了中共浙江省委。1938 年 5 月，刘英任中共浙江临时省委书记，9 月，任中共浙江省委书记。刘英领导省委在恢复和发展党的组织、开展抗日救亡运动、巩固与发展抗日民族统一战线等三个方面，做了大量的工作。特别是推动国民党浙江省政府主席黄绍竑颁布了以我党《抗日救国十大纲领》为基础制订的《浙江省战时政治纲领》，从而使抗战初期国共合作的浙江抗日救亡运动开展得轰轰烈烈。

1939 年 7 月 21 日至 30 日，中共浙江省第一次代表大会在平阳北港凤卧乡的冠

阅读链接：
黄梅英主编：《刘英纪念文集》，中共党史出版社，2002年版。
黄梅英主编：《生而为英，死而为灵——纪念刘英牺牲五十周年论文集》，中共党史出版社，1993年版。

尖村和马头岗举行，这次会议是新中国成立前浙江唯一的一次党的全省代表大会。刘英当选省委委员和七大代表，并继任中共浙江省委书记兼统战部长以及七大代表团团长。10月刘英率领党的七大浙江代表团从中共浙江省委机关所在地丽水出发去皖南泾县中共中央东南局集中。由于时局逆转，12月刘英根据中央指示从皖南回到浙江坚持斗争。1941年兼任中共中央华中局委员、闽浙赣三省特派员等职。他根据党中央的有关指示和急剧变化的形势，领导开展隐蔽斗争。

1942年2月，因叛徒出卖，刘英在温州被捕，不久被押解到国民党省政府所在地永康方岩。国民党温州行政督察专员张宝琛说："刘英在浙闽两省边境活动多年，今一旦被捕，胜俘敌十万。"为了从刘英身上打开缺口，将整个中共浙江党组织一网打尽，他们威逼利诱，费尽心机。刘英忠贞不屈，坚不吐实，5月18日就义于永康方岩。

刘英是民主革命时期浙江省委主要领导人，长期领导浙江省委及游击根据地的革命斗争。1945年，陈毅在党的七大的一次发言中说："刘英同志牺牲了，他是在温州被捕的，直到最后一分钟，都是和国民党斗争，非常英勇，始终没有向敌人屈服。"又说："刘英同志的名字，在浙江的上、中、下各层广大老百姓中间，都是呱呱叫的。"刘英以共产党员的浩然正气、勇往直前的奋斗气概、百折不挠的坚强意志和丰富灵活的斗争经验，在浙江人民心中筑起了一座不朽的丰碑。

文章浩荡卫神州，血溅太行志亦酬

——抗日宣传家何云

何云像

在巍巍太行山上，有一座巍峨的纪念碑，正面是原中华人民共和国主席杨尚昆的题字："太行新闻烈士永垂不朽！"背面镌刻着在太行山战斗过的57位新闻界烈士的名字，第一个名字就是何云。

何云（1905—1942），原名朱士翘，浙江上虞县人。1930年8月入日本早稻田大学经济学系，后转入铁道传习所。1931年"九一八事变"后，他毅然停学回国，投身抗日救亡运动。1932年加入中国共产党。1933年3月，何云任上海国民御侮自救会宣传部长。同年6月，被上海国民党宪兵司令部逮捕。1937年全国抗战爆发后，经党组织积极营救出狱。

1938年，中共中央创办《新华日报》，何云到汉口参加筹备工作，担任国际版编辑。12月，《新华日报》华北分馆成立，何云任分馆管理委员会主任（社长）兼总编辑。1939年元旦，中共中央北方局机关报《新华日报》华北版创刊号诞生。从此，何云带领报馆员工，在极其艰苦的战斗环境中，一边打游击，一边出版报纸，编发延安新华总社的新闻，及时报道华北抗日军民的对敌斗争。为适应游击战争的环境，他

们精简装备，全部印刷器材连同电台只需三四匹骡马就可以驮走。何云风趣地说，咱们是“背着报馆打游击”。报社编辑和工人们编成连队，荷枪实弹，一边与日伪军周旋，一边印刷出报。在敌人进行大规模“扫荡”时，报社人员就化整为零，分派到各地，出版东线、西线、南线、北线版的油印或石印报，及时报道各地战况。

1940 年 8 月，八路军发动了著名的百团大战。何云随八路军总部和第一二九师师长刘伯承、政委邓小平奔赴前线，组织战地新闻采访，在火线上编辑、审稿、刻印、发行，以最快的速度把战斗消息传播出去，为鼓舞部队士气、宣传百团大战胜利，发挥了巨大作用。在残酷的对敌斗争中，虽然报馆经常转移，但报纸的出版从未间断。《新华日报》华北版被敌后抗日根据地军民称为“华北人民的聪耳，华北人民的慧眼，华北人民的喉舌”和“华北抗战的向导”。

1942 年 5 月，日军集结重兵，对太行山辽县麻田一带进行“铁壁合围”式的大扫荡，企图摧毁八路军总部和《新华日报》华北分馆。何云率领全馆同志坚持工作和战斗。5 月 28 日，何云等华北《新华日报》社的 46 位同志壮烈牺牲。

9 月 1 日，延安举行“第九届记者节暨追悼青记总会北方办事处主任何云及全体新闻界殉国烈士纪念会”，杨尚昆在会上报告了何云烈士事迹，博古讲话，王若飞、李维汉、陶铸、胡乔木等参加了追悼会。9 月 18 日，八路军总部为左权、何云等烈士举行公葬，召开了隆重的追悼大会。刘伯承师长沉

痛地说："实在可惜啊！一武（指左权）一文（指何云），两员大将，为国捐躯了！"邓拓赋诗《哭何云同志》："文章浩荡卫神州，血溅太行志亦酬。党报事艰来日永，同侪心痛老成休。云山遥祭挥无泪，笔阵横开雪大仇。后死吾曹犹健在，不教胡语乱啾啾。"新中国成立后，何云烈士的忠骨移至晋冀鲁豫烈士陵园，安葬在左权将军墓的左侧。

阅读链接：

上虞县民政局编：《何云烈士传集》，1992 年印行。

学生之魂

——于子三

1947年5月，于子三当选为浙江大学学生自治会主席后，积极领导浙大学生参加爱国民主运动，成全国瞩目的学运领袖，被称为“学生魂”。

于子三像

于子三（1924—1947），原名于泽西。山东省牟平县（今属烟台市莱山区）人。1938年考入烟台私立志孚中学初中部学习，1941年夏毕业后，考入北平汇文中学高中部，因不堪日本人对同学的严密控制，于年底离校回家。1942年，辗转到安徽阜阳，考入国立第22中学高中部。在校期间加入三民主义青年团。1944年夏高中毕业。同年10月去贵州，考入流亡贵州湄潭的浙江大学农学院农艺系学习，受浙江大学“求是”学风熏陶和革命思想启迪，投身学生爱国民主运动，任浙江大学学生自治会主席。1944年冬，脱离“三青团”，参加“浙大前线服务团”，到战地服务。1946年秋，加入浙江大学秘密

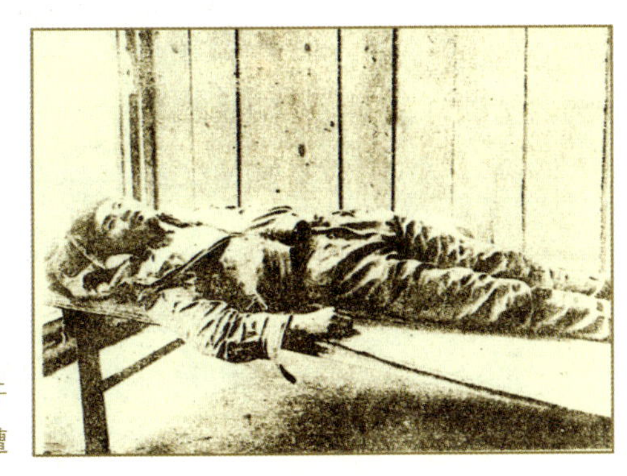

1947 年 10 月 29 日，浙江大学学生自治会主席于子三在浙江省保安司令部（上仓桥）看守所惨遭杀害

进步团体“新潮社”，后担任该社浙江大学农学院分社社长。1946 年 9 月，随浙江大学迁回杭州，被推选为学生自治会代表，参与领导全校学生抗议美军侮辱北大女生的斗争。1947 年春，积极参加和领导国统区“反内战、反饥饿、反迫害”的斗争。1947 年 5 月，再次当选为浙江大学学生自治会主席，带领 1000 多名学生去车站欢送赴南京请愿的学生代表。“五二〇惨案”发生后，带领浙江大学学生举行游行示威，并发表了《为南京“五二〇”血案敬告社会人士书》。1947 年 5 月 24 日，在中共浙江大学党组织的领导下，组织杭州大学、中学学生 3000 余人游行示威，并一直走在游行队伍的前列。1947 年 9 月，加入党的外围组织“新民主主义青年社”，并担任该社浙大农学院分社负责人。在中共杭州地下党组织领导下，他带领浙江大学和杭州其他大专院校同学与国民党政府展开了英勇顽强的斗争，成为一名坚强的学运领袖。因此，被国民党政府监视和追捕。1947 年 10 月 26 日，在杭州大同旅馆被国民党中统特务秘密逮捕。敌人用尽酷刑，要他供认是共产党员和党的秘密组织，特别是要他供出全国学联情况，他宁死不从。10 月 29 日，被特务秘密杀害于上仓桥浙江省保安司令部监狱，时年 23 岁。

于子三遇难的消息传出后，北平、天津、上海、南京等 29 个大中城市 15 万名

杭州万松岭上于子三墓

学生举行声势浩大的罢课示威，抗议国民党反动派的暴行，斗争持续两个半月之久，形成全国规模的“于子三运动”。

为了纪念于子三，浙江大学把图书馆改名为“子三图书馆”，在校园内建立了于子三衣冠冢。1982 年 4 月 2 日，浙江大学立“于子三纪念碑”，并把纪念碑所在的“华八斋”前面的广场改名为“于子三广场”。

阅读链接：

李景先等编：《于子三运动：于子三烈士殉难四十周年纪念文集》，浙江大学出版社，1987 年版。

中国妇女解放运动的先驱
——杨之华

杨之华像

杨之华（1900—1973），女，萧山县（今杭州市萧山区）人。幼年就读家塾，1916 年入杭州女子师范学校学习。1921 年春回乡，与宣中华等在萧山衙前农村小学校任教，积极参与衙前农民运动。1922 年初，入上海女子体育师范学校学习，不久加入上海《星期评论》社。同年加入中国共产主义青年团。1923 年考入私立上海大学社会学系。1924 年 11 月，与瞿秋白结婚，并由瞿秋白、向警予介绍加入中国共产党。后从事妇女运动，曾参加上海纱厂工人罢工。1925 年 1 月，出席在上海召开的中国共产党第四次全国代表大会，当选为中共中央妇女运动委员会委员。1926 年 3 月，任中共上海区委妇女运动委员会委员，不久任中共上海区委妇女运动委员会主任。参加了“五卅运动”和上海工人三次武装起义。

1927 年“四一二反革命政变”后，杨之华离开上海，到武汉参加于 5 月间举行的中共第五次全国代表大会，被选为中央委员。9 月，赴上海，担任中共中央妇女部部长。1928 年 6 月，赴苏联莫斯科参加中共第六次代表大会。会后，入莫斯科中山大学特别班学习，担任党小组长。1930 年 8 月回国，任中共中央妇女运动委员会

杨之华与丈夫瞿秋白合影

委员兼秘书、全国总工会女工部部长。1934 年 1 月，任中共上海中央执行局组织部秘书。

1935 年 7 月，杨之华去苏联莫斯科参加第七次共产国际代表大会。会议结束后留在苏联，担任国际红色救济会常务委员。1941 年取道新疆回延安，6 月抵达新疆首府迪化，因通往内地的交通中断不得不暂时住在八路军驻新疆办事处。1942 年 9 月，被新疆军阀盛世才逮捕投入监狱近 4 年。1945 年抗战胜利后，经中共中央营救，于 1946 年 6 月与战友获释回到延安。不久，被委任为中共中央妇委委员。1947 年，任中共中央晋冀鲁豫中央局妇委书记。1948 年 7 月，任中华全国总工会执行委员会委员兼女工部副部长，曾赴晋西北参加土地改革。

杨之华与丈夫瞿秋白及女儿瞿独伊合影

1949 年新中国成立后，杨

之华历任全国妇联党组成员、执行委员、常务委员，全国总工会女工部副部长、部长，中共中央监察委员会委员、候补常委，中共中央监察委员会驻轻工业部监察组组长。“文化大革命”中被隔离审查达6年之久。1973年10月20日，病逝于北京。著有《妇女运动与国民革命》《妇女运动概论》等。

智言慧思

惟廉者能约己而爱人，贪者必朘人以肥己，尔等戒之。

——《明史·循吏传序》

布衣之士，新授以政，先养其廉耻，然后责其成功。

——《明史·循吏传序》

阅读链接：

丁景唐、丁言模：《杨之华评传》，上海社会科学院出版社，2005年版。

马纯古等：《回忆杨之华》，安徽人民出版社，1983年版。

壮志未酬身若死，亦留忠胆照人间

——陈寿昌

陈寿昌像

陈寿昌（1906—1934），镇海县（今属宁波市镇海区）人。早年随家人迁居上海、汉口。1921年，考入武汉电报局，被分配至郑州工作。1923年，组织职工声援京汉铁路工人大罢工。1924年，在武汉加入中国共产党。1927年，在李立三、刘少奇等领导下，参与组织武汉工人收回英租界的斗争。出席在武汉召开的全国第四次劳动大会，当选为中华全国总工会执委会委员。

武汉“七一五反革命政变”后，陈寿昌与党组织失去联系。返回浙江，任职于定海电报局。不久，赴上海寻找党组织，遇到李立三接上关系，遂留在上海从事工人运动，任市政总工会党团书记。1928年2月，任中共江苏省委委员。3月，兼任中共闸北区委书记。4月，任中共江苏省委职工运动委员会委员。7月，任中共沪西区委书记。

陈寿昌与胡有娣在上海中央特科工作时留影

陈寿昌塑像

1928年秋，陈寿昌调到中共中央特科工作，先后任二科（情报）、四科（交通）科长，与打入国民党中统特务组织的李克农、钱壮飞、胡底单线联系，把他们获取的情报，及时交给中共中央军委书记周恩来。为了便于开展工作，陈寿昌于1928年结婚，把自己的家作为“机关办事处”。1929年奉派去苏联。1930年12月17日，因中共特四科的秘密无线学校被敌人破获，导致张沈川等12人被捕，中共改派刚回国的陈寿昌主持特四科。在周恩来直接领导下，以开无线电店作掩护，继续开展党的秘密工作。每隔半个月就要搬一次家，以确保无线电通讯机构的安全。1931年4月24日，顾顺章被捕叛变后，在周恩来、陈云、聂荣臻等中央领导的果断指挥下，陈寿昌和其他同志一起，抢先采取有效措施，保护了党中央机关和中央领导同志的安全。

1931年12月，陈寿昌遵照党中央的安排，与聂荣臻等离开上海，于1932年1月到达江西瑞金中央根据地，任中华苏维埃全国总工会苏区执行局主任和全总巡视员。1931年底，任中共福建省委书记。1932年，调江西中央苏区所在地瑞金，任中华全国总工会苏区中央执行局党团书记。1934年，第五次反“围剿”开始时，任湘鄂赣革命根据地省委书记兼军区政治委员，到任后立即制止当地的肃反扩大化，改组红军，兼任

红十六师政治委员。中央红军主力长征开始后，与军区司令员徐彦率领红十六师在罗霄山脉坚持游击战争，掩护中央红军主力长征。11 月，在湖北崇阳县老虎洞遭遇战中负伤，抢救无效，当晚在崇阳县河坪村牺牲。陈寿昌生前曾赋诗："身许马列安等闲，报效工农岂知艰？壮志未酬身若死，亦留忠胆照人间。"他用自己的一生实现了他生前的豪迈誓言。

陈寿昌牺牲后，湘鄂赣省苏维埃政府在崇阳、通城之间建立一个新的县城，命名为寿昌县。新中国成立后，宁波镇海城区建立了陈寿昌烈士纪念馆与寿昌公园。

阅读链接：

中共党史人物研究会编：《中共党史人物传·陈寿昌》，陕西人民出版社，1991 年版。

中共宁波市镇海区委党史研究室编：《陈寿昌》，1993 年编印。

为有牺牲多壮志，敢教日月换新天

——沙氏四兄弟

浙江鄞县（今宁波市鄞州区）沙氏五兄弟沙文若、沙文求、沙文汉、沙文威、沙文度，除老大沙文若（后改名沙孟海）早年追随蒋介石、新中国成立后以书法大家闻名外，其余四兄弟均是中共党员，在中国革命史上占有一席之地，堪称为沙氏红色四兄弟。

沙文求像

老二沙文求（1904—1928），字仲已。1925 年春考入中共创办的上海大学社会系，在系主任瞿秋白的引导下走上革命道路。“五卅惨案”发生后，积极参加示威游行和宣传活动。同年冬回宁波，加入中国共产党。1926 年 5 月，成立中共宁波地委直属的沙村党支部，被任命为支部书记。同年 7 月，奉命进入广东大学哲学系学习。1927 年上半年，担任广东大学共青团支部书记。广州发生“四一五反革命政变”，被列入搜捕名单，被迫离校隐蔽。不久，参与中共广州市委和省港罢工委员会组织的纪念“六一九”省港罢工两周年纪念大会。中共领导的广州起义爆发后，先后担任广州市委委员兼少年先锋队队长、工人赤卫队队长，率队员同敌人短兵相接，展开巷战。广州起义失败后，化名史永，到香港避难，不久返回广州，担任共青团广州市委宣传部长，后任团市委委员兼秘书长。1928 年 8 月，被国民党暗探逮捕，被秘密杀害

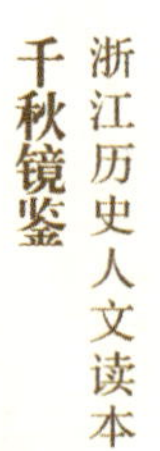

1949 年 5 月上海解放后，原中共中央上海局负责人合影，前排左二为沙文汉

于广州红花岗，年仅 24 岁。

老三沙文汉（1908—1964），1925 年 4 月加入中国共产党。1926 年夏回乡从事农民运动。1927 年秋，任中共宁波市委监察委员，兼管东乡农民运动。11 月任中共鄞（县）奉（化）中心县委书记，参与组织发动奉化农民暴动。1928 年 1 月，转移至上海，入东亚同文书院学习。1929 年夏，担任中共上海青年反帝大同盟党团书记。7 月，赴苏联入莫斯科列宁学院深造，攻读马克思列宁主义理论。1930 年秋，任共青团江苏省委工人部部长兼上海总工会青工部部长，从事秘密的工会运动。1931 年后，因患重病休息，暂时失掉组织关系。1932 年 2 月，考入日本铁道学校，并重新接上中共组织关系。1936 年后，参加文化界抗日救亡宣传工作，同年冬任全国各界救国会组织部干事。

1937 年春起，先后担任中共上海临时工作委员会委员，中共江苏省委委员兼宣传部部长、统战部长、省委军委书记、外县工作委员会书记，中共江苏省委代理书记。1943 年起，先后任中共华中局党校教务长，中共淮南区党委宣传部部长、城工部部长。解放战争时期，先后任中共华中分局城工部部长、中共中央上海局宣传部部长兼统战部部长，分管南京、杭州党的地下工作。1948 年秋，兼上海局策反委员会副书记，先后主持策动国民党海军巡洋舰“重庆号”起义、国民党海军第二舰队起义、张权起义、国民党空军俞勃驾机在南京起义、国民党第九十七师在南京起义，这些起义的成功，加速了南京、上海的解放。1949 年新中国成立后，历任中共中央华东局台湾工作委员会副书记，中共浙江省委宣传部部长兼教育厅厅长，浙江省人民委员会副主席，浙江省省长等。1957 年 12 月，被错划为“右派”。1964 年 1 月 2 日，在杭州逝世。1982 年 11 月，中共浙江省委宣布彻底平反，恢复党籍，恢复政治名誉。

沙文威像

老四沙文威（1910—1999），原名文溶，字重叔。1949 年新中国成立后为纪念二兄，改名史永。1925 年 3 月，加入中国共产主义青年团。先后任共青团宁波地委委员、组织部负责人等。1930 年，因中共浙江省委遭到破坏，与组织失去关系。1934 年 10 月，重新为党工作并恢复党组织关系，先后在上海、南京、汉口、重庆等地从事情报工作，被称为“谍海枭雄”。1949 年 2 月起，先后任中共南京市委统战部副部长，南京市人民政府交际处处长，南京市人民政府人事局副局长。1958 年 3 月，调到北京，先后担任全国政协秘书处处长、副秘书长、机关党组成员，当选全国政协第四、五届委员。1979 年 1 月，任全国政协副秘书长、机关党组成员。1983 年 6 月，任全国政协第六届委员、文史资料研究委员会副主任委员。1999 年在北京去世。

沙文度像

老五沙文度（1912—1943），字季同。从小受到几位兄长革命思想的熏陶，自幼就在家乡参加革命斗争。1927 年参加中共共产主义青年团，参加了卓兰芳、沙文汉领导的奉化暴动。暴动失败后，在滨海区农会工作时被本乡匪徒抓走，后经人营救幸免于难。1928 年，到上虞春晖中学就读，后转学去上海劳动中学分校立达学园。1932 年，考入上海美术专科学校油画系学习。不久，“一·二八事变”发生，以画为武器，揭露日军侵华罪行。1934 年毕业后，经长兄沙文若介绍，到南京国立中央大学艺术科，师从著名画家徐悲鸿学画。1938 年，参加吴作人为团长的“中大战地写生团”赴安徽、河南前线。1938 年秋，由武汉八路军办事处介绍去延安鲁迅艺术学院学习，后到八路军第一二〇师从事宣传工作，并加入中国共产党。1942 年延安整风期间，在康生主持的“抢救运动”中受到迫害而精神失常，猝死在延河边。

阅读链接：
马福龙、沈忆琴：《沙文汉陈修良年谱》，上海社会科学院出版社，2007 年版。
《沙文汉诗文集》，上海社会科学院出版社，1998 年版。
宁波市新四军历史研究会、宁波宁鄞州区档案局编：《沙文汉·陈修良革命生涯》，2009 年印行。

功盖群儒

——马克思主义理论家吴亮平

吴亮平像

吴亮平（1908—1986），又名黎平，笔名吴理屏等。奉化县（今奉化市）人。1919年入上海南洋中学学习，1922年考入厦门大学，专攻经济学；1924年转至上海大夏大学，开始阅读瞿秋白《饿乡纪程》等进步书刊。1925年11月，与蔡和森、王稼祥、张闻天、王明等赴莫斯科中山大学学习，1927年在莫斯科加入中国共产党。

1929年7月，吴亮平从苏联回到上海，在中共中央宣传部任职，参加中宣部领导的中央文委工作，参与筹组中国左翼作家联盟。12月，任《环球》主编，在该刊上编译和撰写有关介绍国际政治形势和各国革命运动发展状况的文章。1930年2月，在中共法南区委工作，同时在上海法政大学授课。这个时期，他积极投入关于中国社会性质的论战，批驳托派及各种反马列主义派别在中国革命问题上的错误理论，比较系统地介绍马克思主义理论的基本观点及社会主义思想的产生和发展过程。11月，在上海被捕，被判刑两年，关押在提篮桥监狱。1932年，吴亮平被保释出狱，由组织安排进入中央苏区江西瑞金，历任红军学校政治部宣传部长，中华苏维埃共和国中央政府国民经济部副部长、部长，苏区中央政府执行委员会委员。

1934 年 10 月，随中央红军参加长征，先后任红一军团地方工作部部长，红三团军政治部宣传部长，中央纵队秘书长，中共中央苏区中央局宣传部长，中央宣传部副部长。1936 年斯诺到陕北访问，吴亮平负责接待，并担任毛泽东同斯诺谈话的翻译。抗日战争时期，先后任《解放》周刊编辑、中共中央晋绥分局调研室主任等，并当选为中共七大代表。解放战争时期，在东北任中共抚顺市委书记、东安地委书记等职。1949 年 5 月后任中共沪西区委书记、普陀区委书记。1951 年 2 月，任中共中央华东局企业管理委员会副书记。1953 年起，先后任化学工业部副部长，国家经济委员会委员，中国社会科学院领导小组成员，第五届全国政协常委，中共中央顾问委员会委员等。1986 年 10 月 3 日，在北京去世。

吴亮平是中共党内杰出的马克思主义理论家、翻译家。毛泽东称赞他“功盖群儒”。著有《中国土地问题》《社会主义史》《辩证唯物论与唯物史观》《反对派对中国问题的错误》《农村革命与反帝国主义斗争》《从资产阶级民主革命到社会主义革命》《民主和专政》《论我国人民内部矛盾》；翻译出版恩格斯的《反杜林论》《社会主义从空想到科学的发展》，与张闻天合作翻译马克思的《法兰西内战》、列宁的《国家与革命》等。2009 年 12 月，中共中央党校出版社出版《吴亮平文集》上下册。

阅读链接：

雍桂良等：《吴亮平传》，中央文献出版社，2009 年版。

《吴亮平文集》，中共中央党校出版社，2009 年版。

后　记

2011年9月1日，习近平同志在出席中央党校2011年秋季学期开学典礼时，发表了《领导干部要读点历史》的讲话，强调领导干部不管处在哪个层次和岗位，都应该读点历史，从中汲取有益于加强修养、做好工作的智慧和营养，不断提高认识能力和精神境界，不断提升领导工作水平。

为贯彻落实习近平同志讲话精神，服务省委、省政府中心工作，传承和弘扬浙江优秀历史文化，浙江省社科院发挥自身优势，及时启动了《浙江历史人文读本》(以下简称《读本》) 课题研究和编写论证工作。2011年12月至2012年1月，我们走访了省委办公厅、省委组织部、省委宣传部、省委党校等相关单位及领导、专家，多次座谈论证，大家一致认为，启动《读本》课题研究非常必要，也很有意义，在贯彻落实习近平同志讲话精神、提供省级区域历史人文读本等方面，走在了全国前列。2012年2月，省社科院将此课题列为本院2012年重大课题，以本院历史所为主，组织院内骨干科研人员和浙江文化艺术研究院、杭州师范大学历史系等单位的专家学者，成立课题组，并正式开展研究和编写工作。2012年10月，本课题正式立项为浙江省哲学社会科学规划课题。

《读本》由八个分册组成，每个分册分为若干专题，每一专题由若干子目组成。在体例上，《读本》不是“纵不断线”的通史书写，也不是专一的史料考证或理论论述，而是重在根据有鲜明特色、有重大意义、有突出影响、有重要成就的“四有”原则选取和设立各个子目，撷取浙江历史文化中最灿烂夺目的片断、最精华的材质，尤其是能在中国历史文化中称得上“第一”或“第一流”的人、事与历史场景，经深入探究、浓缩淬炼、精心构思，书写成一个个清新简明、意蕴深长且兼具历史气息和时代特质的“浙江意象”，为广大读者揭示浙江历史上的璀璨人文。

省社科院党委自始至终高度重视本课题的实施，从人员组织、经费落实、书稿审阅、出版发行等各个方面、各个环节精心组织，严格把关，确保质量。院领导及时关注课题进展，全程参加课题研讨，解决面临的各种困难。院学术委员会详细评审了课题方案，各分册评审专家精心审阅了全部书稿，提出了大量真知灼见。课题组成员本着对历史、对社会高度负责的使命感和责任心，精诚合作，全力投入，反复打磨，精益求精，力求学术基础扎实规范、内容选择主题突出、文字表达生动可读，着力创作优秀历史文化当代传承的精品。

省委书记夏宝龙十分重视关心《读本》编撰工作，于百忙之中亲自为《读本》作序，充分体现了省委领导对贯彻落实习近平同志讲话精神、对优秀历史文化及其当代应用的重视以及对我院工作的指导、关怀和支持。

省委组织部、省委宣传部、省社科联、省出版联合集团、省文化厅、省委党校、省委党史研究室等部门和单位的相关领导、专家对《读本》编写给予大力支持。特别是省委宣传部高度重视本课题，要求我院以省级礼品书为目标，精心编写，重视质量，打造精品佳作。省委常委、省委宣传部部长葛慧君亲自担任《读本》编撰指导委员会主任，常务副部长胡坚亲自担任编辑委员会主任，副部长鲍洪俊给予《读本》出版以大力支持。省委组织部干教处，省委宣传部理论处、党教处，省文化厅非遗处负责人积极谋划，多方协调，给予我们极大帮助。

浙江古籍出版社的负责人和各位责任编辑、美术编辑，认真负责，精心编校，为《读本》的出版做了大量增光添色的工作。

在此，我们对以上单位、领导和专家，表示衷心的感谢和诚挚的敬意！

由于浙江历史悠久厚重，《读本》所涉内容面广量大，作者水平有限，编写时间较紧，书稿中难免存在一些不尽如人意之处，敬请各位读者批评指正！

课题组

2013 年 5 月

图书在版编目（CIP）数据

千秋镜鉴 / 张学继著 . — 杭州：浙江古籍出版社，2013.6

（浙江历史人文读本）

ISBN 978-7-5540-0070-0

Ⅰ . ①千… Ⅱ . ①张… Ⅲ . ①浙江省—地方史 Ⅳ . ① K295.5

中国版本图书馆 CIP 数据核字（2013）第 139853 号

千秋镜鉴

张学继　著

出版发行　浙江古籍出版社

（杭州体育场路 347 号　电话：0571-85176986）

网　　址　www.zjguji.com

责任编辑　翁宇翔

责任校对　潘丕秀

封面设计　刘　欣

责任印务　贾　敏

照　　排　杭州立飞图文制作有限公司

印　　刷　浙江海虹彩色印务有限公司

开　　本　787 × 1092　1/16

印　　张　29.75

字　　数　395 千字

版　　次　2013 年 7 月第 1 版

印　　次　2013 年 7 月第 1 次印刷

书　　号　ISBN 978-7-5540-0070-0

定　　价　80.00 元